Sean mis Discípulos

Be My Disciples

Peter M. Esposito
Presidente/President

Jo Rotunno, MA
Editora/Publisher

Francisco Castillo, DMin
Redactor Principal y Especialista Multicultural
Senior Editor and Multicultural Specialist

Asesores del Programa/Program Advisors
Michael P. Horan, PhD
Elizabeth Nagel, SSD

Edición Bilingüe
Bilingual Edition 2

El Subcomité para el Catecismo de la Conferencia de Obispos Católicos de los Estados Unidos consideró que este texto catequético, copyright 2014, está en conformidad con el *Catecismo de la Iglesia Católica.*

NÍHIL ÓBSTAT
Rvdo. Mons. Robert Coerver
Censor Librorum

IMPRIMÁTUR
† Reverendísimo Kevin J. Farrell DD
Obispo de Dallas
22 de agosto de 2011

†
In Memoriam

Dedicamos este libro a la memoria de James Bitney, 1947-2013, quien fuera colaborador creativo y revisor de *Be My Disciples* para 1.er y 2.º Grados y de muchos otros programas de RCL Benziger en el transcurso de los años.

El *Níhil Óbstat y el Imprimátur* son declaraciones oficiales de que el material revisado no contiene ningún error doctrinal ni moral. Dichas declaraciones no implican que quienes han otorgado el *Níhil Óbstat* y el *Imprimátur* estén de acuerdo con el contenido, las opiniones o los enunciados expresados.

Agradecimientos

Los fragmentos son tomados o adaptados de *La Biblia Latinoamérica* © 1972, Sociedad Bíblica Católica Internacional (SOBICAIN), Madrid, España, y son usados con permiso. Todos los derechos reservados. No se permite la reproducción de ninguna parte de *La Biblia Latinoamérica* sin el permiso por escrito del propietario del copyright.

Los fragmentos son tomados o adaptados de la traducción al español del *Misal Romano* (14.ª Edición), © 2005, Obra Nacional de la Buena Prensa, A.C. México, D.F. Todos los derechos reservados.

Los fragmentos y adaptaciones de las oraciones fueron tomados de la traducción al español del libro *Compendio: Catecismo de la Iglesia Católica*, © 2006, United States Conference of Catholic Bishops, Washington, D.C.– Liberia Editrice Vaticana. Todos los derechos reservados. No se permite la reproducción o transmisión de ninguna parte de *Compendio: Catecismo de la Iglesia Católica* por ningún método, ya sea electrónico o mecánico, incluyendo fotocopiado, grabado o cualquier sistema de recuperación y almacenamiento de información, sin el permiso por escrito del propietario del copyright.

Teléfono gratuito 877-275-4725
Fax 800-688-8356

Visítenos en www.RCLBenziger.com
y www.seanmisdiscipulos.com

20802 ISBN 978-0-7829-1610-2 (Libro del estudiante)
20812 ISBN 978-0-7829-1667-6 (Guía del catequista)

1.ª Edición
Producido para RCL Benziger en Cincinnati, OH, USA. Mayo de 2013.

The Subcommittee on the Catechism, United States Conference of Catholic Bishops, has found this catechetical series, copyright 2014, to be in conformity with the *Catechism of the Catholic Church.*

NIHIL OBSTAT
Rev. Msgr. Robert Coerver
Censor Librorum

IMPRIMATUR
† Most Reverend Kevin J. Farrell DD
Bishop of Dallas
August 22, 2011

†
In Memoriam

This book is dedicated to James Bitney, 1947-2013, creative contributing writer and editor for Grades 1 and 2 of *Be My Disciples* and for many other RCL Benziger programs over the years.

The *Nihil Obstat and Imprimatur* are official declarations that the material reviewed is free of doctrinal or moral error. No implication is contained therein that those granting the *Nihil Obstat and Imprimatur* agree with the contents, opinions, or statements expressed.

Acknowledgments

Excerpts are taken and adapted from the *New American Bible* with Revised New Testament and Revised Psalms © 1991, 1986, 1970, Confraternity of Christian Doctrine, Washington, D.C., and are used by permission. All Rights Reserved. No part of the *New American Bible* may be reproduced in any form without permission in writing from the copyright owner.

Excerpts are taken and adapted from the English translation of the *Roman Missal*, © 2010, International Commission on English in the Liturgy, Inc. (ICEL). All rights reserved.

Excerpts and adaptations of prayers were taken from the book of *Catholic Household Blessings & Prayers*, © 2007, United States Conference of Catholic Bishops, Washington, D.C. All rights reserved. No part of the book of *Catholic Household Blessings & Prayers* may be reproduced or transmitted in any form or by any means, electronic or mechanical, including photocopying, recording, or by any information storage and retrieval system, without permission in writing from the copyright holder.

Toll Free 877-275-4725
Fax 800-688-8356

Visit us at www.RCLBenziger.com
and www.BeMyDisciples.com

20802 ISBN 978-0-7829-1610-2 (Student Edition)
20812 ISBN 978-0-7829-1667-6 (Catechist Edition)

1st printing
Manufactured for RCL Benziger in Cincinnati, OH, USA. May, 2013.

Contenido

Contents

Unidad 6

Bienvenidos a Sean mis Discípulos

Algunos datos sobre mí

Mi nombre es ______________________________

Mi relato preferido es ______________________________

Mi fiesta preferida es ______________________________

Soy bueno en ______________________________

Cosas nuevas para aprender

Este año aprenderemos muchas cosas nuevas acerca de Dios. Aprenderemos más sobre Jesús y sobre cómo celebramos con nuestra familia de la Iglesia.

Para empezar a aprender cosas nuevas, participa en este juego con un compañero. Cuando llegues a cada recuadro, escribe la respuesta a la pregunta.

Unidad 1: Creemos, Parte Uno

Dios es Padre y Creador. Él hizo a todas las personas y todas las cosas por amor y sin ninguna ayuda.

Escribe la palabra que significa que solamente Dios tiene el poder de hacer todo lo bueno. ______________________________

Pista: Mira la página 72.

Welcome to

Be My Disciples

A Few Facts About Me

My name is ______________________________

My favorite story is ______________________________

My favorite holiday is ______________________________

I am good at ______________________________

New Things to Learn

This year we will learn many new things about God. We will learn more about Jesus and how to celebrate with our Church family.

Play this game with a partner to begin to learn new things. As you come to each lily pad, write the answer to the question.

Unit 1: We Believe, Part One

God is the Father and Creator. He made everyone and everything out of love without any help.

Write the word that means only God has the power to do everything good. ______________

Clue: Look on page 73.

Unidad 2: Creemos, Parte Dos

Jesús es el Hijo único de Dios. Es el Salvador del mundo.

Escribe la palabra que significa "Dios salva". ____________________

Pista: Mira la página 114.

Unidad 3: Celebramos, Parte Uno

Los Sacramentos son siete signos del amor de Dios por nosotros. Compartimos el amor de Dios cuando celebramos los sacramentos.

Escribe la palabra que significa honrar y amar a Dios por sobre todas cosas. ____________________

Pista: Mira la página 172.

Unidad 4: Celebramos, Parte Dos

En la Misa, escuchamos la Palabra de Dios y le damos gracias a Él.

¿Qué palabra cantamos en la Misa antes del Evangelio? ____________________

Pista: Mira la página 262.

Unidad 5: Vivimos, Parte Uno

Vivimos como hijos de Dios cuando vivimos el Gran Mandamiento. El Gran Mandamiento resume todas las leyes de Dios.

¿Cuál es un signo de cómo vivió Jesús el Gran Mandamiento?

____

Pista: Mira la página 340.

Unidad 6: Vivimos, Parte Dos

El Padre Nuestro es la oración de toda la Iglesia.

Busca la palabra que significa "Sí, es verdad. ¡Creemos!". ____________________

Pista: Mira la página 446.

Unit 2: We Believe, Part Two

Jesus is God's own Son. He is the Savior of the world.

Write the word that means "God saves." ________________

Clue: Look on page 115.

Unit 3: We Worship, Part One

The Sacraments are seven signs of God's love for us. We share in God's love when we celebrate the sacraments.

Write the word that means to honor and love God above all else. ____________________

Clue: Look on page 173.

Unit 4: We Worship, Part Two

At Mass we listen to God's Word and give thanks to him.

What is a word we sing before the Gospel at Mass? ________________

Clue: Look on page 263.

Unit 5: We Live, Part One

We live as children of God when we live the Great Commandment. The Great Commandment sums up all of God's laws.

What is a sign of how Jesus lived the Great Commandment?

____

Clue: Look on page 341.

Unit 6: We Live, Part Two

The Our Father is the prayer of the whole Church.

Find the word that means "Yes, it is true. We believe!" ________________

Clue: Look on page 447.

Alcanza para todos

Líder Nos hemos reunido para alabar tu Palabra, Señor.

Todos **Te damos gracias por el don de tu Palabra.**

Líder Lectura del santo Evangelio según Lucas.

Todos **Gloria a ti, Señor.**

Líder Un día una gran multitud estaba escuchando a Jesús. Esa tarde, Jesús dijo: "¿Dónde iremos a comprar pan para que coma esa gente?". Su discípulo Andrés contestó: "Aquí hay un muchacho que tiene cinco panes de cebada y dos pescados. Pero, ¿qué es esto para tanta gente?". Jesús les dijo: "Hagan que se siente la gente". Entonces tomó los panes y los pescados, y dio gracias a Dios. Los repartió entre todos los que estaban sentados. Cuando todos estuvieron satisfechos, les pidió a los discípulos que recogieran lo que había sobrado. Llenaron doce canastos de pan.

Basado en Juan 6:1–13

Palabra del Señor.

Todos **Gloria a ti, Señor Jesús.**

Líder Pasen al frente en fila e inclínense ante de la Biblia.

Enough for Everyone

Leader We gather to praise your Word, O Lord.

All **Thank you for the gift of your Word.**

Leader A reading from the holy Gospel according to Luke.

All **Glory to you, O Lord.**

Leader One day a large crowd of people was listening to Jesus. That evening Jesus said, "Where can we get enough food for all these people?" His disciple Andrew said, "There is a boy here with five loaves of bread and two fish, but what good will that do?" Jesus said, "Tell the people to sit down." Then he took the bread and fish and gave thanks to God. He passed out the food to all the people who were there. When everyone was full, he asked the disciples to pick up the food that was left over. They collected twelve baskets of bread.

BASED ON JOHN 6:1–13

The Gospel of the Lord.

All **Praise to you, Lord Jesus Christ.**

Leader Come forward in a line and bow before the Bible.

El elegido de Dios

Jesús leyó la Palabra de Dios de la Biblia.

"El Espíritu de Dios está conmigo. Dios me ha elegido para llevar buenas noticias a los pobres. Dios quiere que ayude a ver a los ciegos y que ayude a todas las personas a ser libres. Dios quiere que les cuente a todos que él salvará a todas las personas."

Jesús dijo: "Soy el elegido de Dios para que estas palabras se hagan realidad."

BASADO EN LUCAS 4:16–21

We Believe
Part One

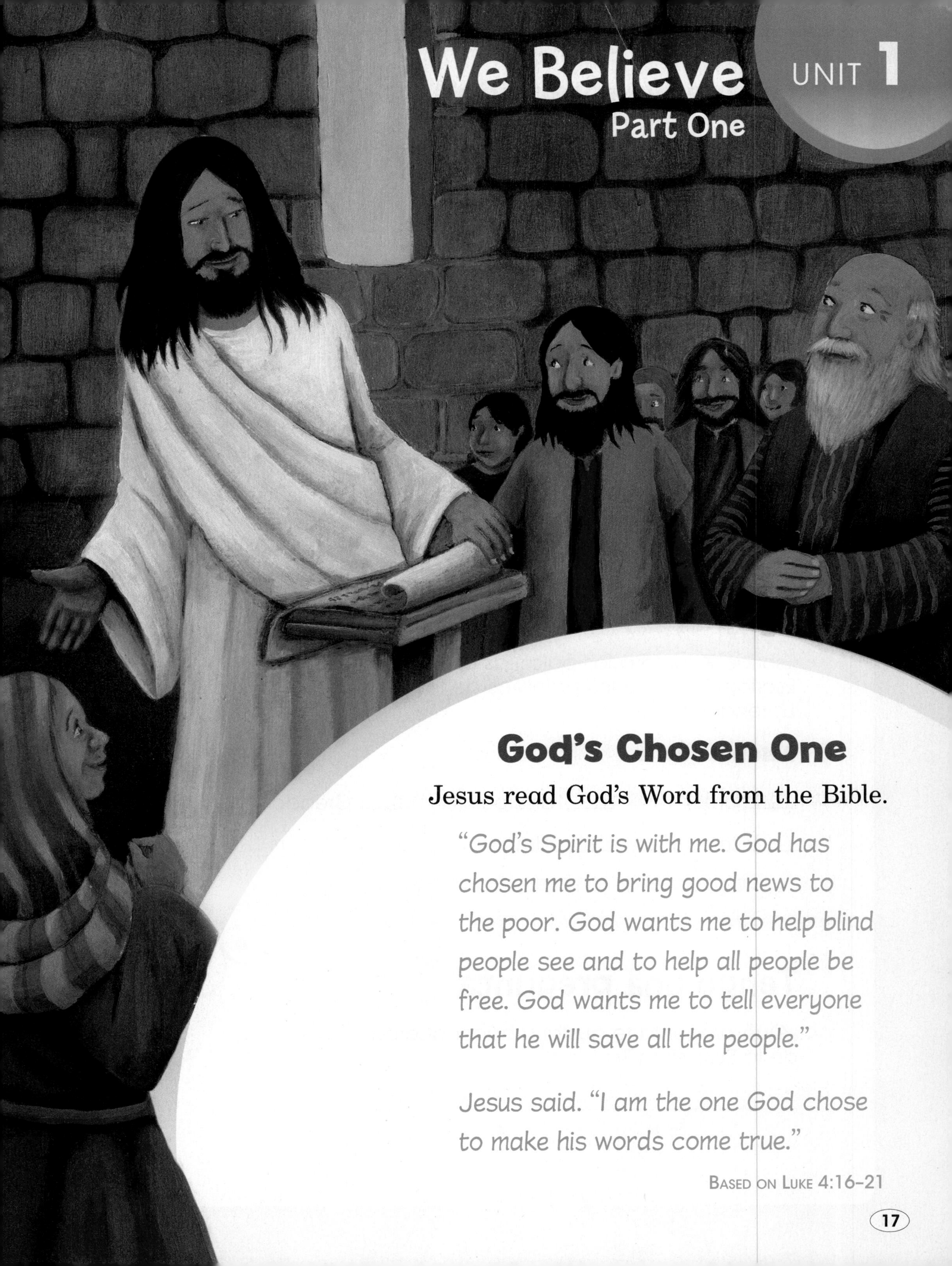

UNIT 1

God's Chosen One

Jesus read God's Word from the Bible.

"God's Spirit is with me. God has chosen me to bring good news to the poor. God wants me to help blind people see and to help all people be free. God wants me to tell everyone that he will save all the people."

Jesus said. "I am the one God chose to make his words come true."

BASED ON LUKE 4:16–21

Lo que he aprendido

¿Qué es lo que ya sabes acerca de estos Conceptos de fe?

La Biblia

____

____

La Santísima Trinidad

____

____

Palabras de fe para aprender

Escribe **X** junto a las palabras de fe que sabes. Escribe **?** junto a las palabras de fe que necesitas aprender mejor.

Palabras de fe

____ creer ____ discípulos ____ Creador

____ fe ____ alma

Tengo una pregunta

¿Qué pregunta te gustaría hacer acerca de la Santísima Trinidad?

____

What I Have Learned

What is something you already know about these faith concepts?

The Bible

____

____

The Holy Trinity

____

____

Faith Words to Know

Put an **X** next to the faith words you know. Put a **?** next to the faith words you need to learn more about.

Faith Words

____ believe ____ disciples ____ Creator

____ faith ____ soul

A Question I Have

What question would you like to ask about the Holy Trinity?

____

CAPÍTULO 1

La Biblia

¿Cuál es tu relato preferido? ¿Cuál es tu relato bíblico preferido?

Cuando escuchamos relatos de la Biblia, escuchamos a Dios que nos habla. Escucha lo que Dios nos dice en estas palabras de la Biblia.

> Hace mucho tiempo, Dios habló a las personas que vivieron antes que nosotros. Les habló de muchas maneras diferentes. Ahora Dios nos habla a través de su propio Hijo, Jesús.
>
> Basado en Hebreos 1:1–2

¿Qué crees que Dios te está diciendo con estas palabras de la Biblia?

CHAPTER 1

The Bible

What is your favorite story? What is your favorite Bible story?

When we listen to stories from the Bible, we listen to God speaking to us. Listen to what God is telling us in these words from the Bible.

> *Long ago, God spoke to people who lived before us. He spoke in many different ways. Now God talks to us through his own Son, Jesus.* BASED ON HEBREWS 1:1–2

What do you think God is saying to you in these words from the Bible?

Poder de los discípulos

Respeto

Cuando prestamos atención a lo que los demás nos dicen, les mostramos respeto. Escuchar es una señal de respeto y puede ayudarnos a aprender mejor. El respeto por los demás es una manera en que mostramos el amor de Dios.

La Iglesia sigue a **Jesús**

Un santo que amaba la Biblia

Hace muchos años, algunas personas tenían dificultades para leer la Biblia. La Biblia no estaba escrita en un idioma que pudieran entender. Jerónimo quería ayudar a las personas a leer y a entender la Palabra de Dios.

Jerónimo fue a buenas escuelas. Cuando creció, Jerónimo empezó a leer la Biblia. Respetaba lo que leía. Jerónimo sabía que estaba escuchando la Palabra de Dios.

Jerónimo amaba la Biblia. La amaba tanto que quería que otras personas la leyeran y también aprendieran a amarla. Entonces Jerónimo decidió poner la Biblia en palabras que la gente pudiera leer y entender. Hoy, conocemos a Jerónimo como San Jerónimo. Lo honramos como uno de los grandes maestros de la Iglesia.

? ¿De qué manera ayudó Jerónimo a que otras personas leyeran y aprendieran de la Biblia?

The Church Follows **Jesus**

A Saint Who Loved the Bible

Many years ago, some people had trouble reading the Bible. The Bible was not written in a language they could understand. Jerome wanted to help people read and understand God's Word.

Jerome went to good schools. When he grew up, Jerome began to read the Bible. He respected what he was reading. Jerome knew he was listening to God's Word.

Jerome loved the Bible. He loved it so much he wanted other people to read it and learn to love it too. So Jerome decided to put the Bible in words people could read and understand. Today, we know Jerome as Saint Jerome. We honor him as one of the great teachers of the Church.

? How did Jerome help other people read and learn from the Bible?

Disciple Power

Respect

When we pay attention to what others say to us, we show them respect. Listening is a sign of respect and can help us learn well. Respect for others is a way we show God's love.

Enfoque en la fe
¿Qué es la Biblia?

Vocabulario de fe

Biblia
La Biblia es la Palabra de Dios escrita.

discípulos
Los discípulos son personas que siguen a alguien y aprenden de esa persona. Los discípulos de Jesús lo siguen y aprenden de Él.

La Palabra de Dios escrita

La **Biblia** es un libro sagrado. Es la Palabra misma de Dios para nosotros. Cuando leemos o escuchamos la Palabra de Dios en la Biblia, Dios nos habla. En la Biblia, Dios nos habla acerca de su gran amor por nosotros.

Dios eligió a personas especiales para escribir la Biblia. Dios Espíritu Santo ayudó a las personas a escribir lo que Dios quería contarnos. La Biblia tiene dos partes principales. La primera parte principal es el Antiguo Testamento. La segunda parte principal es el Nuevo Testamento. El Nuevo Testamento nos cuenta acerca de Jesús y sus **discípulos**.

Nosotros tenemos que vivir como discípulos de Jesús. La Biblia nos dice que sigamos a Jesús. Tenemos que tratar a los demás como Dios quiere que los tratemos.

BIBLIA

Actividad

Decora la Biblia. Demuestra que sabes que es la Palabra misma de Dios para nosotros.

The Written Word of God

The **Bible** is a holy book. It is God's own Word to us. When we read or listen to the Word of God in the Bible, God speaks to us. In the Bible, God tells us about his great love for us.

God chose special people to write the Bible. God the Holy Spirit helped people write what God wanted to tell us. The Bible has two main parts. The first main part is the Old Testament. The second main part is the New Testament. The New Testament tells about Jesus and his **disciples**.

We are to live as disciples of Jesus. The Bible tells us to follow Jesus. We are to treat others as God wants us to treat them.

Faith Focus
What is the Bible?

Faith Vocabulary

Bible
The Bible is the written Word of God.

disciples
Disciples are people who follow and learn from someone. Disciples of Jesus follow and learn from him.

Activity

Decorate the Bible. Show that you know it is God's own Word to us.

Personas de fe

Rey David

Leemos el relato del rey David en el Antiguo Testamento. El rey David era músico. Escribió muchas oraciones que eran canciones. Estas oraciones se llaman salmos.

Canciones en la Biblia

La Biblia es como una biblioteca. Contiene muchos libros. Todos los libros nos hablan del amor de Dios por nosotros. Uno de esos libros se llama Libro de los Salmos.

Los salmos son oraciones que podemos cantar. El Libro de los Salmos está en el Antiguo Testamento. En el Libro de los Salmos hay 150 salmos. Estas palabras tomadas del Salmo 119 cantan acerca de la Palabra de Dios:

La Palabra de Dios hace felices a las personas.
La Palabra de Dios ayuda a las personas a conocer a Dios.
La Palabra de Dios es verdadera y dura para siempre.

BASADO EN EL SALMO 119:14, 130, 160

Actividad

Canta este Salmo con la melodía de *"Mary Had a Little Lamb"* (*María tenía un corderito*).

Oye la Palabra de Dios.
trae alegría,
esperanza y luz,
y nos ayuda a saber
lo que es verdadero y bueno.

BASADO EN EL SALMO 119

Songs in the Bible

The Bible is like a library. It is has many books in it. All of the books tell us of God's love for us. One of those books is called the Book of Psalms.

Psalms are prayers we can sing. The Book of Psalms is in the Old Testament. There are 150 psalms in the Book of Psalms. These words from Psalm 119 sing about God's Word:

The Word of God makes people joyful.
The Word of God helps people know God.
The Word of God is true and lasts forever.

BASED ON PSALM 119:14, 130, 160

Faith-Filled People

King David

We read the story of King David in the Old Testament. King David was a musician. He wrote many prayers that were songs. These prayers are called psalms.

Activity

Sing this Psalm to the tune "Mary Had a Little Lamb."

Pay attention to God's Word.
It brings joy,
hope, and light,
helping all of us to know
what is true and right.

BASED ON PSALM 119

Los católicos creen

Los Evangelios

La palabra "evangelio" significa "buena nueva". Los Evangelios nos cuentan la Buena Nueva de Jesús. Nos dicen que Dios nos ama mucho. Siempre podemos contar con el amor de Dios.

La Biblia cuenta buenas nuevas

Los Evangelios son los libros más importantes de la Biblia. La Biblia tiene cuatro Evangelios. Están en el Nuevo Testamento.

San Mateo, San Marcos, San Lucas y San Juan escribieron los Evangelios. Los cuatro Evangelios difunden la Buena Nueva. La Buena Nueva es que Dios nos ama muchísimo.

Cada Evangelio cuenta lo que Jesús dijo e hizo. Cada Evangelio cuenta de qué manera Jesús ayudó a las personas a aprender acerca de Dios. Cada Evangelio cuenta lo que debemos hacer para convertirnos en discípulos de Jesús.

La parte más importante de los Evangelios es el relato de la muerte de Jesús en la cruz y su resurrección de entre los muertos.

? ¿Qué relato del Evangelio conoces acerca de Jesús? ¿Qué te cuenta acerca de Jesús?

The Bible Tells Good News

The Gospels are the most important books in the Bible. The Bible has four Gospels. They are in the New Testament.

The Gospels were written by Saint Matthew, Saint Mark, Saint Luke, and Saint John. All four Gospels spread the Good News. The Good News is that God loves us very much.

Each Gospel tells what Jesus said and did. Each Gospel tells how Jesus helped people learn about God. Each Gospel tells what we must do to become Jesus' disciples.

The most important part of the Gospels is the story of Jesus' dying on the cross and his rising from the dead.

? What is one Gospel story you know about Jesus? What does it tell you about him?

Matthew

Mark

Luke

John

Catholics Believe

The Gospels

The word "gospel" means "good news." The Gospels tell us the Good News of Jesus. They tell us that God loves us very much. We can always count on God's love.

Yo sigo a Jesús

Los discípulos de Jesús respetan a los demás. Tú eres un discípulo de Jesús. Puedes prestar atención a la Palabra de Dios. Puedes contarles a los demás acerca de Jesús. Puedes ayudar a que las personas conozcan más acerca del inmenso amor que Dios siente por ellas.

Actividad

Compartir la Buena Nueva

Escribe o dibuja una manera en que puedes contarles a las personas acerca de Jesús. Demuestra cómo puedes mostrar respeto por un amigo o alguien de tu familia.

Esta semana, leeré de la Biblia. Compartiré con los demás lo que lea. Yo voy a

____

____.

Reza: "Gracias, Espíritu Santo, por ayudarme a prestar atención y a aprender de la Biblia. Amén".

I Follow Jesus

Disciples of Jesus respect others. You are a disciple of Jesus. You can pay attention to God's Word. You can tell others about Jesus. You can help people come to know more about God's great love for them.

Activity

Sharing the Good News

Write or draw a picture of one way you can tell people about Jesus. Show how you can show respect to a friend or someone in your family.

My Faith Choice

This week I will read from the Bible. I will share with others what I read. I will

____

____.

Pray, "Thank you, Holy Spirit, for helping me to pay attention and learn from the Bible. Amen."

PARA RECORDAR

1. La Biblia es la Palabra de Dios para nosotros.
2. En la Biblia, Dios nos habla de su amor por nosotros.
3. La Biblia nos ayuda a aprender acerca de Jesús y la manera de vivir como sus discípulos.

Repaso del capítulo

Lee cada oración. Traza una línea sobre cada final que no corresponda.

1. La Biblia es la

- historia escrita del mundo.
- Palabra de Dios escrita.

2. Las dos partes principales de la Biblia son

- los Salmos y los Evangelios.
- el Antiguo Testamento y el Nuevo Testamento.

3. Los Evangelios nos cuentan acerca de

- la creación del mundo.
- lo que Jesús dijo e hizo.

Oración para escuchar

Recen juntos. Pídanle a Dios que los ayude a escuchar su Palabra.

Líder Oh, Dios, abre nuestros oídos para que te oigamos. Abre nuestro corazón para que te amemos.

Todos **Ayúdanos a prestar atención a tu Palabra.**

Líder Escuchemos la Palabra de Dios. *(Lee en voz alta Colosenses 3:16–17.)* Palabra de Dios.

Todos **Te alabamos, Señor.**

Líder Pensemos en lo que oímos que Dios nos dice en esta lectura. *(Pausa.)*

Todos **Oh, Dios, somos felices de escuchar tu Palabra y de observarla.**

Basado en Lucas 11:28

Chapter Review

Read each sentence. Draw a line through each ending that does not belong.

1. The Bible is the written
   - history of the world.
   - Word of God.
2. The two main parts of the Bible are the
   - Psalms and the Gospels.
   - Old Testament and the New Testament.
3. The Gospels tell us about
   - the creation of the world.
   - what Jesus said and did.

TO HELP YOU REMEMBER

1. **The Bible is God's Word to us.**
2. **In the Bible God tells us of his love for us.**
3. **The Bible helps us learn about Jesus and how to live as his disciples.**

A Listening Prayer

Pray together. Ask God to help you listen to his Word.

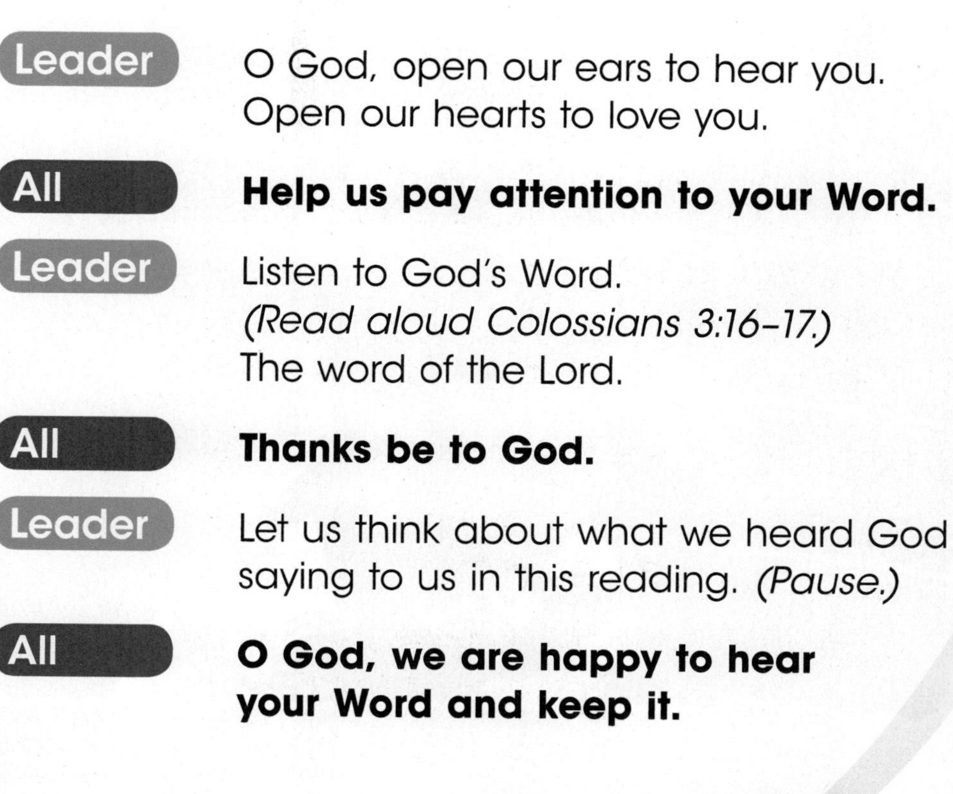

Leader O God, open our ears to hear you. Open our hearts to love you.

All **Help us pay attention to your Word.**

Leader Listen to God's Word. *(Read aloud Colossians 3:16–17.)* The word of the Lord.

All **Thanks be to God.**

Leader Let us think about what we heard God saying to us in this reading. *(Pause.)*

All **O God, we are happy to hear your Word and keep it.**

BASED ON LUKE 11:28

Con mi familia

Esta semana...

En el capítulo 1, "La Biblia", su niño aprendió que:

- La Biblia es la Palabra de Dios escrita. Las dos partes principales de la Biblia son el Antiguo Testamento y el Nuevo Testamento.
- El Espíritu Santo inspiró a los escritores humanos de la Biblia. Esto significa que escribieron sin errores lo que Dios deseaba comunicar.
- Los cuatro relatos del Evangelio son el eje de la Biblia.
- Su niño también aprendió que prestar atención demuestra respeto.

Para saber más sobre otras enseñanzas de la Iglesia, consulten el *Catecismo de la Iglesia Católica,* 101–114, y el *Catecismo Católico de los Estados Unidos para los Adultos,* páginas 11–15.

Compartir la Palabra de Dios

Elijan un relato o un pasaje preferido de los Evangelios. Inviten a su niño a escuchar y a prestar atención mientras ustedes le leen el relato. Después, inviten a su niño a contar lo que oyó.

Vivimos como discípulos

El hogar cristiano con la familia es una escuela de discipulado. Elijan una o más de las siguientes actividades para hacer en familia, o creen una actividad similar ustedes mismos.

- Coloquen la Biblia en un lugar importante de la casa. Reúnanse alrededor de la Biblia para leerla y para la oración en familia.
- Enseñen a su niño el buen hábito de prestar atención. Prestar atención es una señal de respeto. Prestar atención nos abre para que Dios nos hable. Prestar atención nos hace conscientes de los necesitados y nos hace abiertos para que lleguemos a ellos. Esa conciencia nos lleva a responder, a actuar con caridad y justicia.

Nuestro viaje espiritual

La oración diaria es un elemento vital de la vida de la familia católica. Es una de las disciplinas espirituales fundamentales de un discípulo de Jesús. En este capítulo, su niño rezó y escuchó la Sagrada Escritura. Este tipo de oración se llama *lectio divina.* Aprendan el ritmo de la *lectio divina* y recen esta forma de oración frecuentemente en familia. Lean y recen juntos la oración de la página 32.

Para hallar más ideas sobre las maneras en que su familia puede vivir como discípulos de Jesús, visiten **seanmisdiscipulos.com**

With My Family

This Week...

In chapter 1, "The Bible," your child learned:

- The Bible is the written Word of God. The Old Testament and the New Testament are the two main parts of the Bible.
- The Holy Spirit inspired the human writers of the Bible. This means that they wrote without error what God wished to communicate.
- The four accounts of the Gospel are the center of the Bible.
- Your child also learned that paying attention shows respect.

For more about related teachings of the Church, see the *Catechism of the Catholic Church*, 101–114, and the *United States Catholic Catechism for Adults*, pages 11–15.

Sharing God's Word

Choose a favorite story or passage from the Gospels. Invite your child to listen and pay attention as you read the story to him or her. Afterward, invite your child to tell what she or he heard.

Living as Disciples

The Christian home and family is a school of discipleship. Choose one or more of the following activities to do as a family or design a similar activity of your own.

- Display your family Bible in a place of prominence in your home. Gather around the Bible to read the Bible and for family prayer.
- Teach your child the good habit of paying attention. Paying attention is a sign of respect. Paying attention opens us to God speaking to us. Paying attention makes us aware of people in need and opens us up to reach out to them. That awareness leads us to respond—to act with charity and justice.

Our Spiritual Journey

Daily prayer is a vital element in the life of the Catholic family. It is one of the foundational spiritual disciplines of a disciple of Jesus. In this chapter, your child prayed and listened to Scripture. This type of prayer is called *lectio divina*. Learn the rhythm of *lectio divina* and pray this form of prayer often as a family. Read and pray together the prayer on page 33.

For more ideas on ways your family can live as disciples of Jesus, visit **www.BeMyDisciples.com**

Conocemos y amamos a Dios

¿Quién te ayuda a leer un relato, a jugar o a rezar?

Escucha estas palabras de la Biblia. Nos dicen quién nos ayuda a conocer a Dios.

Ayúdame a conocerte, Dios. Muéstrame tus senderos. Basado en el Salmo 25:4

¿Quién más te ha ayudado a conocer y amar a Dios?

We Know and Love God

Who helps you read a story, play a game, or pray?

Listen to these words from the Bible. They tell us who helps us come to know God.

Help me know you, God. Teach me your ways.

BASED ON PSALM 25:4

Who else has helped you come to know and love God?

Poder de los discípulos

Hospitalidad

Jesús nos pide que tratemos a todas las personas con hospitalidad. La hospitalidad nos ayuda a recibir a los demás como hijos de Dios. Nos ayuda a tratar a los demás con dignidad y respeto.

La Iglesia sigue a **Jesús**

¡Bienvenidos!

El señor y la señora Chen están en la puerta de la Iglesia Católica de la Santísima Trinidad. El sol brilla. Sonríen al recibir a todos, uno por uno: "¡Bienvenido! ¡Qué alegría verlo!".

El señor y la señora Chen son los ujieres que reciben a las personas cuando llegan para la Misa dominical de su parroquia.

La familia Chen es muy activa en su parroquia. Los niños Chen van a clases de educación religiosa después de la escuela, los miércoles. La señora Chen es maestra de segundo grado. El señor Chen dirige el Centro Comunitario Santísima Trinidad.

Comparten alimentos y ropa, libros y juguetes, y otras cosas con las familias que no tienen suficiente dinero. Más que eso, ellos tratan a todos con respeto. Están orgullosos de vivir como alegres discípulos de Jesús.

? ¿De qué manera eran los Chen buenos discípulos de Jesús?

The Church Follows **Jesus**

Welcome!

Mr. and Mrs. Chen are standing outside Holy Trinity Catholic Church. The sun is shining. They are smiling as they greet everyone, one by one, "Welcome! Glad to see you!"

Mr. and Mrs. Chen are ushers who greet people as they arrive for Sunday Mass at their parish.

The Chen family is very active in their parish. The Chen children go to religious education classes after school on Wednesdays. Mrs. Chen is a second grade teacher. Mr. Chen runs the Holy Trinity Community Care Center.

They share food and clothing, books and toys, and other things with families who do not have enough money. Best of all, they treat everyone with respect. They are proud to live as joyful disciples of Jesus.

? How were the Chens good disciples of Jesus?

Disciple Power

Hospitality

Jesus tells us to treat all people with hospitality. Hospitality helps us welcome others as God's children. It helps us treat others with dignity and respect.

Enfoque en la fe
¿Cuáles son algunas de las maneras en que Dios nos invita a conocerlo y a creer en Él?

Vocabulario de fe

creer
Creer en Dios significa conocer a Dios y entregarnos a Él con todo nuestro corazón.

fe
La fe es un don de Dios que nos ayuda a creer en Él.

La creación nos habla acerca de Dios

Los Chen ayudan a las personas a aprender acerca de Dios. La creación de Dios nos ayuda a conocerlo y a **creer** en Él. La creación es todo lo que Dios ha hecho. Toda la creación nos ayuda a conocer y amar a Dios.

La parte más importante de la creación de Dios son las personas. Todas las personas están creadas a imagen de Dios. Son signos del amor de Dios.

Nuestra familia y las personas de nuestra Iglesia nos ayudan a conocer a Dios, a amarlo y a servirlo. Pero Dios es el único que nos invita mejor a creer en Él. Dios nos invita a conocerlo mejor y a amarlo y servirlo. Dios nos invita a entregarnos a Él con todo nuestro corazón.

Actividad

Termina esta oración:

Gracias, Dios, por

______________________________.

Creo que Tú

______________________________.

Amén.

Creation Tells Us About God

The Chens help people learn about God. God's creation helps us to come to know and **believe** in him. Creation is everything that God has made. All creation helps us come to know and love God.

People are the most important part of God's creation. All people are created in the image of God. They are signs of God's love.

Our families and people in our Church help us to know God, to love him, and to serve him. But God is the one who best invites us to believe in him. God invites us to know him better and to love and serve him. God invites us to give ourselves to him with all our hearts.

Faith Focus
What are some ways God invites us to know and believe in him?

Faith Vocabulary

believe
To believe in God means to know God and to give ourselves to him with all our hearts.

faith
Faith is a gift from God that makes us able to believe in him.

Activity

Finish this prayer:

Thank you, God, for

______________________.

I believe that you

______________________.

Amen.

Personas de fe

San Felipe Apóstol

Jesús invitó a Felipe para que fuera uno de sus primeros seguidores. Jesús le dijo a Felipe: "Sígueme". Entonces Felipe fue a ver a su amigo Natanael y le contó acerca de Jesús. Natanael también creyó y se convirtió en seguidor de Jesús.

Jesús nos ayuda a conocer a Dios

Jesús es el que más nos contó acerca de Dios. Un día, una multitud llegó hasta Jesús. Querían saber acerca de Dios. Jesús les dijo que las personas eran más importantes para Dios que todo lo que Él había creado y que debían creer en Dios con todo su corazón.

Jesús dijo: "Fíjense en las aves. Tienen todo el alimento que necesitan. Su Padre del cielo cuida de ellas. Ustedes son más importantes para Dios que las aves y todos los animales".

BASADO EN MATEO 6:26

En este relato bíblico, Jesús nos invita a tener **fe** en el cuidado amoroso de Dios por nosotros. La fe es un don que Dios nos dio. La fe nos hace conocer a Dios y creer en lo que Él enseña. Cuando decimos sí a la invitación de Dios para creer en Él, demostramos que tenemos fe.

? ¿Qué te cuenta el relato de la Biblia acerca de Dios? Cuéntaselo a un compañero.

Jesus Helps Us Know God

Jesus told us the most about God. One day a crowd of people came to Jesus. They wanted to know about God. Jesus told them that people were more important to God than everything else he created. They should believe in God with all their hearts.

> *Jesus said, "Look at the birds. They have all the food they need. Your Father in heaven takes care of them. You are more important to God than the birds and all the animals."*
>
> Based on Matthew 6:26

In this Bible story, Jesus invites us to have **faith** in God's loving care for us. Faith is God's gift to us. Faith makes us able to know God and to believe in what he teaches. When we say yes to God's invitation to believe in him, we show that we have faith.

? What does the Bible story tell you about God? Tell a partner.

Faith-Filled People

Saint Philip the Apostle

Jesus invited Philip to be one of his first followers. Jesus said to Philip, "Follow me." Philip then went to his friend Nathanael and told him about Jesus. Nathanael believed too and became a follower of Jesus.

Los católicos creen

La iglesia parroquial

Todas las parroquias católicas tienen un nombre especial. Estos nombres, como Santísima Trinidad, nos cuentan acerca de nuestra fe en Dios. Otras, como la Parroquia del Divino Salvador, nos cuentan algo específico acerca de Jesús. Otras parroquias se llaman como María y los demás santos.

La Iglesia nos ayuda a conocer a Dios

Jesús nos dio la Iglesia. La Iglesia es un signo del amor de Dios en el mundo. La Iglesia es el Pueblo de Dios que cree en Jesucristo.

Pertenecemos a la Iglesia Católica. La Iglesia Católica se remonta a los tiempos de Jesús y los Apóstoles. La Iglesia nos ayuda a conocer a Dios y su amor por nosotros. La Iglesia nos ayuda a crecer en la fe.

Crecemos en la fe, de muchas maneras, con las personas de nuestra Iglesia. Rezamos juntos. Tratamos de ser amables con los demás. Cuidamos de la creación de Dios. Cuando vivimos nuestra fe, somos signos del amor de Dios para que los demás lo vean.

Actividad

Encierra en un círculo las maneras en que estás creciendo en tu fe. Luego escribe otra manera en que tu fe esté creciendo.

1. Rezo con los demás.
2. Soy amable con mis amigos.
3. Participo durante la Misa.

____

The Church Helps Us Know God

Jesus gave us the Church. The Church is a sign of God's love in the world. The Church is the People of God who believe in Jesus Christ.

We belong to the Catholic Church. The Catholic Church goes all the way back to the time of Jesus and the Apostles. The Church helps us to know God and his love for us. The Church helps us grow in faith.

We grow in faith with the people of our Church in many ways. We pray together. We try to be kind to others. We care for God's creation. When we live our faith, we are signs of God's love for others to see.

Catholics Believe

The Parish Church

Every Catholic parish has a special name. These names, such as Holy Trinity, tell us about our faith in God. Others, such as Divine Savior Parish, tell us something specific about Jesus. Other parishes are named after Mary and the other saints.

Activity

Circle the ways you are growing in faith. Then write another way your faith is growing.

1. I pray with others.
2. I am kind to my friends.
3. I participate during Mass.

____

Yo sigo a Jesús

Eres un signo del amor de Dios. Puedes ayudar a que otras personas conozcan a Dios y crean en Él por lo que dices y lo que haces.

Puedes practicar la hospitalidad. Puedes invitar a otros para que conozcan y crean en Dios, y darles la bienvenida.

Actividad

Signos del amor de Dios

¿A quién puedes invitar para que aprenda más acerca de Dios? Escribe el nombre de esa persona en la invitación.

Estás invitado

a creer en Dios.

Dios invita a

____

(nombre del amigo)

a conocerlo y a creer en Él.

Escribe lo que harás esta semana para demostrarle a alguien que conoces y amas a Dios. Yo voy a

____

_______________________________.

Reza: "Gracias, Espíritu Santo, por el don de la fe. Ayúdame a compartir con los demás lo mucho que los amas. Amen".

You are a sign of God's love. You can help other people to know and believe in God by what you say and what you do.

You can practice hospitality. You can invite and welcome others to know and believe in God.

Activity

Signs of God's Love

Who can you invite to learn more about God? Write that person's name on the invitation.

You Are Invited

to Believe in God.

God Invites

____

(friend's name)

to know and believe in him.

My Faith Choice

Write what you will do this week to show someone that you know and love God. I will

____

______________________________.

Pray, "Thank you, Holy Spirit, for the gift of faith. Help me share with others how much you love them. Amen."

PARA RECORDAR

1. Dios nos invita a conocerlo y a creer en Él.
2. Jesús, el Hijo de Dios, es el que más nos cuenta acerca de Dios.
3. Dios nos dio a la Iglesia para que nos ayudara a crecer en la fe.

Repaso del capítulo

Completa las letras que faltan en las oraciones.

1. La fe es c ____ n ____ c ____ ____ a Dios y c ____ e ____ ____ en Él con todo nuestro corazón.
2. La I ____ l ____ s ____ ____ nos ayuda a crecer en la fe.
3. La hospitalidad nos ayuda a tratar a los demás con re ____ p ____ t ____.

¡Creemos en Dios!

Las oraciones vocales se dicen en voz alta con los demás. Recen juntos este acto de fe.

Líder Oremos.

Grupo 1 Dios, nuestro Padre amoroso, toda la creación nos recuerda tu amor.

Todos **Dios, creemos en Ti con todo nuestro corazón.**

Grupo 2 Jesús, Hijo de Dios, Tú nos mostraste cuánto nos ama Dios.

Todos **Dios, creemos en Ti con todo nuestro corazón.**

Grupo 3 Dios Espíritu Santo, Tú nos ayudas a conocer a Dios y a creer en Él.

Todos **Dios, creemos en Ti con todo nuestro corazón.**

Chapter Review

Complete the missing letters in the sentences.

1. Faith is to k ___ o ___ God and to b ___ l ___ e ___ ___ in him with all our hearts.
2. The C ___ u ___ c ___ helps us grow in faith.
3. Hospitality helps us treat others with re ___ p ___ c ___.

TO HELP YOU REMEMBER

1. God invites us to know and believe in him.
2. Jesus, the Son of God, tells us the most about God.
3. God gave us the Church to help us grow in faith.

We Believe in God!

Vocal prayers are said aloud with others. Pray this act of faith together.

Leader Let us pray.

Group 1 God our loving Father, all creation reminds us of your love.

All **God, we believe in you with all our hearts.**

Group 2 Jesus, Son of God, you showed us how much God loves us.

All **God, we believe in you with all our hearts.**

Group 3 God the Holy Spirit, you help us to know and believe in God.

All **God, we believe in you with all our hearts.**

Con mi familia

Esta semana...

En el capítulo 2, "Conocemos y amamos a Dios", su niño aprendió que:

- La fe es un don de Dios, que nos hace creer en Él. Dios nos invita a creer en Él.
- Toda la creación, especialmente nuestra familia y las personas de nuestra Iglesia, nos ayudan a conocer a Dios y a creer en Él.
- Jesús es el que más cosas nos reveló acerca de Dios. Él es el mayor signo del amor de Dios y nos invita a tener fe en Dios.
- La virtud de la hospitalidad nos guía para compartir nuestra fe en Dios con los demás.

Para saber más sobre otras enseñanzas de la Iglesia, consulten el *Catecismo de la Iglesia Católica,* 50–67, 84–95, y 142–175, y el *Catecismo Católico de los Estados Unidos para los Adultos,* páginas 50–53.

Compartir la Palabra de Dios

Lean Mateo 6:26-34, donde Jesús invita a las personas a tener fe en Dios. O lean la adaptación del relato de la página 42. Hablen acerca de la manera en que las bendiciones de su familia fortalecen su fe en Dios.

Vivimos como discípulos

El hogar cristiano con la familia es una escuela de discipulado. Elijan una o más de las siguientes actividades para hacer en familia, o creen una actividad similar ustedes mismos.

- Nombren a algunas personas que ayuden a su familia a llegar a conocer a Dios y a creer en Él. Escriban una nota de agradecimiento a cada persona de la lista durante las próximas semanas.
- Identifiquen las maneras en que su familia vive la virtud de la hospitalidad. Ayuden a su niño a crecer como alguien abierto y hospitalario. Hagan esto mediante el ejemplo de sus propias palabras y acciones.

Nuestro viaje espiritual

La oración es vital para la vida cristiana. Conversar con Dios en la oración puede ayudarnos a encontrar y recibir indicaciones para vivir como una familia católica. Ayude a su niño a desarrollar el hábito de rezar regularmente. En este capítulo, su niño aprendió a rezar un acto de fe. Lean y recen juntos la oración de la página 48.

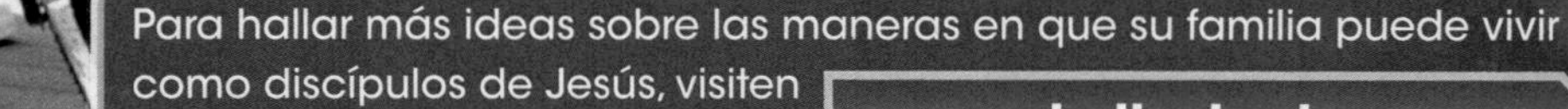

With My Family

This Week...

In chapter 2, "We Know and Love God," your child learned:

- Faith is God's gift that makes us able to believe in him. God invites us to believe in him.
- All creation, especially our families and people in our Church, help us come to know and believe in God.
- Jesus revealed to us the most about God. He is the greatest sign of God's love, and invites us to have faith in God.
- The virtue of hospitality guides us to share our faith in God with others.

For more about related teachings of the Church, see the *Catechism of the Catholic Church*, 50–67, 84–95, and 142–175, and the *United States Catholic Catechism for Adults*, pages 50–53.

Sharing God's Word

Read Matthew 6:26–34, where Jesus invites the people to have faith in God. Or read the adaptation of the story on page 43. Talk about how your family blessings strengthen your faith in God.

Living as Disciples

The Christian home and family is a school of discipleship. Choose one of the following activities to do as a family or design a similar activity of your own.

- Name some people who help your family come to know and believe in God. Write a note of thanks to each person on the list over the next few weeks.
- Identify the ways that your family lives the virtue of hospitality. Help your child grow as someone who is open and welcoming. Do this by the example of your own words and actions.

Our Spiritual Journey

Prayer is vital to the Christian life. Conversing with God in prayer can help us find and receive direction for living as a Catholic family. Help your child develop the habit of praying regularly. In this chapter, your child learned to pray an act of faith. Read and pray together the prayer on page 49.

For more ideas on ways your family can live as disciples of Jesus, visit **www.BeMyDisciples.com**

CAPÍTULO 3

La Santísima Trinidad

¿Qué cosa aprendiste recientemente? ¿Quién te ayudó a aprenderla?

Jesús quería que supiéramos algo muy importante acerca de Dios. Escuchen para descubrir quién dijo Jesús que nos ayudaría. Jesús dijo a sus discípulos:

> *Le pediré al Padre que les envíe al Espíritu Santo. Él estará siempre con ustedes como su Protector y maestro.* BASADO EN JUAN 14:13–16

¿Qué nos dijo Jesús acerca de Dios?

The Holy Trinity

❓ What is something you learned recently? Who helped you learn it?

Jesus wanted us to know something very important about God. Listen to find out who Jesus said would help us. Jesus told his disciples:

I will ask the Father to send you the Holy Spirit. He will always be with you as your helper and teacher. BASED ON JOHN 14:13–16

❓ What did Jesus tell us about God?

Poder de los discípulos

Admiración

La admiración es un don del Espíritu Santo. Nos ayuda a ver la grandeza de Dios. La admiración nos ayuda a descubrir más cosas acerca de Dios. Luego nos lleva a alabarlo.

La Iglesia sigue a **Jesús**

¡Muchos idiomas!

Personas de todo el mundo pertenecen a la Iglesia Católica. Oyen acerca de Jesús en su propio idioma. Rezan en su propio idioma.

Los católicos rezan las oraciones de la Misa en su propio idioma. Las personas que hablan español empiezan la misa diciendo: "En el nombre del Padre y del Hijo y del Espíritu Santo. Amén".

Las personas que hablan vietnamita rezan: "Nhan danh Cha VA con Va Thanh. Than".

Cuando los católicos hacen la Señal de la Cruz, demuestran que pertenecen a la familia de Dios. Demuestran que creen en lo que Jesús enseñó acerca de Dios.

Actividad

Aprende a hacer la Señal de la Cruz en inglés. Repite las siguientes palabras con tu clase. Luego compártela con tu familia.

"In the name of the Father, and of the Son, and of the Holy Spirit. Amen".

In de néim of de fá•de, an of de sán,
an of de jóu•li spí•rit. Ei•mén.

The Church Follows
Jesus

Many Languages!

People all around the world belong to the Catholic Church. They hear about Jesus in their own language. They pray in their own language.

Catholics pray the prayers of the Mass in their own languages. People who speak English begin the Mass, "In the name of the Father, and of the Son, and of the Holy Spirit. Amen."

People who speak Vietnamese pray, "Nhan danh Cha Va Con Va Thanh. Than."

When Catholics pray the Sign of the Cross, they show that they belong to God's family. They show that they believe what Jesus taught about God.

Disciple Power

Wonder

Wonder is a gift from the Holy Spirit. It helps us see God's greatness. Wonder helps us discover more about God. It then moves us to praise him.

Activity

Learn to pray the Sign of the Cross in Spanish. Repeat the words below with your class. Then share it with your family.

"En el nombre del Padre, y del Hijo,
y del Espíritu Santo. Amén."

En el nohm•bray del Pah•dray, ee del Ee•ho,
ee del Es•peer•ee•too Sahn•toe. Amen.

Enfoque en la fe
¿Qué nos dijo Jesús acerca de Dios?

Vocabulario de fe

Santísima Trinidad
La Santísima Trinidad es un Dios en Tres Personas Divinas: Dios Padre, Dios Hijo y Dios Espíritu Santo.

alma
Nuestra alma es la parte de nosotros que vive para siempre.

Dios Padre

Jesús nos dijo quién es Dios. Hay solo un Dios, que es Dios Padre, Dios Hijo y Dios Espíritu Santo. Al Dios único en Tres Personas lo llamamos la **Santísima Trinidad**. La palabra "trinidad" significa "tres en uno".

En el Credo de los Apóstoles, los cristianos de todo el mundo rezan: "Creo en Dios, Padre Todopoderoso, Creador del cielo y de la tierra". Dios Padre es la Primera Persona de la Santísima Trinidad.

Dios Padre creó a todas las personas y a todas las cosas por amor. Creó a todas las personas a su imagen y semejanza. Creó a cada persona con un cuerpo y un **alma**. El alma es la parte de nosotros que vive para siempre.

Jesús usaba la palabra "Abbá" cuando le rezaba a Dios Padre. La palabra "Abbá" es la palabra para Padre en el idioma que Jesús hablaba. Dios Padre nos ama y se preocupa por nosotros. Nos creó para que seamos felices con Él ahora y para siempre en el Cielo.

? ¿Quién es la Santísima Trinidad?

God the Father

Jesus told us who God is. There is only one God who is God the Father, God the Son, and God the Holy Spirit. We call the one God in Three Persons the **Holy Trinity**. The word "trinity" means "three in one."

In the Apostles' Creed, Christians around the world pray, "I believe in God, the Father almighty, Creator of heaven and earth." God the Father is the First Person of the Holy Trinity.

God the Father created everyone and everything out of love. He created all people in his image and likeness. He created each person with a body and a **soul**. The soul is that part of each person that lives forever.

Jesus used the word "Abba" when he prayed to God the Father. The word "Abba" is the word for Father in the language Jesus spoke. God the Father loves us and cares for us. He created us to be happy with him now and forever in Heaven.

? Who is the Holy Trinity?

Faith Focus
What did Jesus tell us about God?

Faith Vocabulary

Holy Trinity
The Holy Trinity is one God in Three Divine Persons—God the Father, God the Son, and God the Holy Spirit.

soul
Our soul is that part of us that lives forever.

Personas de fe

San Patricio

Patricio era un obispo. Enseñó a las personas acerca de la Santísima Trinidad. Patricio mostraba a las personas un trébol como símbolo de la Santísima Trinidad. El trébol es una planta que tiene tres hojas conectadas a un tallo.

Dios Hijo

En el Credo de los Apóstoles, rezamos que creemos "en Jesucristo, su único Hijo, nuestro Señor". La palabra "Señor" significa Dios. Jesús es el Hijo de Dios, que se hizo como uno de nosotros. Dios Hijo es la Segunda Persona de la Santísima Trinidad.

Dios Padre envió a su Hijo a ser como uno de nosotros y a vivir entre nosotros. Jesús es el único Hijo de Dios Padre.

Jesús nos dijo que también le dijéramos Padre nuestro a Dios. La Biblia nos dice que somos hijos de Dios. Tenemos que vivir como hijos de Dios. Jesús nos enseñó cómo hacerlo. Dijo:

"Amen a Dios con todo su corazón.
Amen a los demás como a ustedes mismos."

BASADO EN MATEO 22:37–39

Actividad

Di con señas este mensaje para tu familia y tus amigos.

God the Son

In the Apostles' Creed, we pray that we believe "in Jesus Christ, his only Son, our Lord." The word "Lord" means God. Jesus is the Son of God who became one of us. God the Son is the Second Person of the Holy Trinity.

God the Father sent his Son to be one of us and to live with us. Jesus is the only Son of God the Father.

Jesus told us to call God our Father, too. The Bible tells us we are children of God. We are to live as children of God. Jesus taught us how to do this. He said,

"Love God with all your heart.
Love other people as much as you
love yourself."

BASED ON MATTHEW 22:37–39

Faith-Filled People

Saint Patrick

Patrick was a bishop. He taught people about the Holy Trinity. Patrick showed people a shamrock as a symbol of the Holy Trinity. A shamrock is a plant that has three leaves connected to one stem.

Los católicos creen

Señal de la Cruz

Hacemos la Señal de la Cruz al comienzo y al final de la Misa. En la Misa, antes de escuchar el Evangelio, trazamos una pequeña señal de la cruz en nuestra frente, nuestros labios y sobre nuestro corazón.

Dios Espíritu Santo

En el Credo de los Apóstoles, rezamos: "Creo en el Espíritu Santo". Dios Espíritu Santo es la Tercera Persona de la Santísima Trinidad.

Jesús nos habló acerca del Espíritu Santo. Dijo a sus discípulos:

> *"El Padre del cielo les enviará al Espíritu Santo."*
>
> Basado en Lucas 11:13

En el Bautismo, el sacerdote o el diácono bautizan en el Nombre del Padre y del Hijo y del Espíritu Santo. Esto demuestra que participamos de la vida de la Santísima Trinidad.

Recibimos por primera vez el don del Espíritu Santo en el Bautismo. El Espíritu Santo está siempre con nosotros. Él nos ayuda a conocer, amar y servir mejor a Dios. El Espíritu Santo nos ayuda a vivir como hijos de Dios y discípulos de Jesús.

? ¿Cuáles son las tres cosas que el Espíritu Santo nos ayuda a hacer?

God the Holy Spirit

In the Apostles' Creed we pray, "I believe in the Holy Spirit." God the Holy Spirit is the Third Person of the Holy Trinity.

Jesus told us about the Holy Spirit. He said to his disciples,

> *"The Father in heaven will send you the Holy Spirit."*
>
> BASED ON LUKE 11:13

At Baptism, the priest or deacon baptizes in the name of the Father, and of the Son, and of the Holy Spirit. This shows that we share in the life of the Holy Trinity.

We first receive the gift of the Holy Spirit at Baptism. The Holy Spirit is always with us. He helps us to know, love, and serve God better. The Holy Spirit helps us to live as children of God and disciples of Jesus.

? What are three things the Holy Spirit helps us do?

Catholics Believe

Sign of the Cross

We pray the Sign of the Cross at the beginning and end of Mass. Before we listen to the Gospel at Mass, we trace a small sign of the cross on our forehead, on our lips, and over our heart.

Yo sigo a Jesús

Dios Espíritu Santo nos da el don de la admiración. El don de la admiración nos ayuda a querer conocer más a Dios. Cuanto más sabes acerca de Dios, más puedes contarles a los demás acerca de Él.

Contarle a los demás acerca de la Santísima Trinidad

En cada hoja del trébol, dibuja o escribe una cosa que puedas contarle a los demás acerca de la Santísima Trinidad.

Hablaré con otras personas acerca de la Santísima Trinidad esta semana. Yo voy a

____.

Reza: "Gracias, Espíritu Santo, por el don de la admiración. Gracias por ayudarme a aprender acerca de ti. Amén".

God the Holy Spirit gives you the gift of wonder. The gift of wonder helps you want to know God more. The more you know about God, the more you can tell others about God.

I Follow Jesus

My Faith Choice

I will tell other people about the Holy Trinity this week. I will

____.

Pray, "Thank you, Holy Spirit, for the gift of wonder. Thank you for helping me to learn about you."

PARA RECORDAR

1. Dios es la Santísima Trinidad. Dios Padre es la Primera Persona de la Santísima Trinidad.
2. Dios Hijo es la Segunda Persona de la Santísima Trinidad.
3. Dios Espíritu Santo es la Tercera Persona de la Santísima Trinidad.

Repaso del capítulo

Completa las oraciones. Usa las palabras del recuadro.

Señor	un	Tres	Trinidad

1. Creemos en la Santísima ______________.
2. Hay ______________ Dios en ______________ Personas Divinas.
3. La palabra ______________ significa Dios.

La Señal de la Cruz

Un ritual usa palabras, gestos o acciones para ayudarnos a rezar. Reza ahora usando un acto ritual.

Líder Acérquense de a uno a la vez. Inclínense ante la Biblia. Hagan una cruz en su frente, sus labios y sobre su corazón.

Todos **(Se acercan de a uno a la vez.)**

Líder Dios amoroso, Tú eres Padre, Hijo y Espíritu Santo. Gracias por crearnos.

Todos **Amén.**

Chapter Review

Complete the sentences. Use the words in the word box.

Lord	one	Three	Trinity

1. We believe in the Holy ____________.
2. There is ____________ God in ____________ Divine Persons.
3. The word ____________ means God.

TO HELP YOU REMEMBER

1. **God is the Holy Trinity. God the Father is the First Person of the Holy Trinity.**
2. **God the Son is the Second Person of the Holy Trinity.**
3. **God the Holy Spirit is the Third Person of the Holy Trinity.**

The Sign of the Cross

A ritual uses words, gestures, or actions to help us pray. Pray now using a ritual action.

Leader Come forward one at a time. Bow before the Bible. Trace a cross on your forehead, your lips, and over your heart.

All **(Come forward one at a time.)**

Leader Loving God, you are Father, Son, and Holy Spirit. Thank you for creating us.

All **Amen.**

Con mi familia

Esta semana...

En el capítulo 3, "La Santísima Trinidad", su niño aprendió que:

- Dios es la Santísima Trinidad. El misterio de la Santísima Trinidad es el misterio de un Dios en Tres Personas Divinas: Padre, Hijo y Espíritu Santo.
- Jamás podríamos haber llegado a conocer por nosotros mismos esta maravillosa verdad acerca de la identidad de Dios. Únicamente sabemos esto acerca de Dios porque Él ha revelado esto acerca de sí mismo en Jesucristo.
- La creencia de la Iglesia en el misterio de la Santísima Trinidad está en el corazón de la fe viva de la Iglesia.
- La admiración, uno de los siete Dones del Espíritu Santo, nos urge a llegar a conocer y a alabar a Dios por quién es Él.

Para saber más sobre otras enseñanzas de la Iglesia, consulten el *Catecismo de la Iglesia Católica*, 232–260, y el *Catecismo Católico de los Estados Unidos para los Adultos*, páginas 51–53.

Compartir la Palabra de Dios

Lean juntos Juan 14:26, la promesa de Jesús de que el Espíritu Santo vendría a sus discípulos. Hablen acerca de lo maravilloso que es que Jesús revelara que hay un Dios que es Padre, Hijo y Espíritu Santo.

Vivimos como discípulos

El hogar cristiano con la familia es una escuela de discipulado. Elijan una o más de las siguientes actividades para hacer en familia, o creen una actividad similar ustedes mismos.

- Despierten la conciencia de su niño acerca del don de la admiración. Compartan su curiosidad y su deleite en el misterio de Dios manifestado en el mundo que los rodea. Señalen los muchos elementos de la creación de Dios que los ayudan a conocer más acerca de Él.
- Creen un cartel de la Santísima Trinidad. Colóquenlo en la entrada de su casa. Úsenlo como recordatorio de que Dios Santísima Trinidad habita en su casa con su familia.

Nuestro viaje espiritual

Rezar una doxología es una antigua tradición de la Iglesia. Una doxología es una oración que alaba y honra a Dios. Recuérdense unos a otros que todo lo que dicen y hacen es para dar gloria a Dios. Recen la Oración Gloria al Padre, de la página 524, regularmente junto con su niño.

Para hallar más ideas sobre las maneras en que su familia puede vivir como discípulos de Jesús, visiten **seanmisdiscipulos.com**

With My Family

This Week...

In chapter 3, "The Holy Trinity," your child learned:

- God is the Holy Trinity. The mystery of the Holy Trinity is the mystery of one God in Three Divine Persons: Father, Son, and Holy Spirit.
- We could never have come to know this wonderful truth about the identity of God on our own. We only know this about God because he has revealed this about himself in Jesus Christ.
- The Church's belief in the mystery of the Holy Trinity is at the heart of the Church's living faith.
- Wonder, one of the seven Gifts of the Holy Spirit, urges us to come to know and praise God for who he is.

For more about related teachings of the Church, see the *Catechism of the Catholic Church*, 232–260, and the *United States Catholic Catechism for Adults*, pages 51–53.

Sharing God's Word

Read together John 14:26, the promise of Jesus that the Holy Spirit would come to his disciples. Talk about how wonderful it is that Jesus revealed that there is one God who is Father, Son, and Holy Spirit.

Living as Disciples

The Christian home and family is a school of discipleship. Choose one of the following activities to do as a family or design a similar activity of your own.

- Awaken your child's awareness of the gift of wonder. Share both your curiosity and your delight in the mystery of God manifested in the world around you. Point out the many elements of God's creation that help you come to know more about him.
- Create a Holy Trinity banner. Display it at the entrance to your home. Use it as a reminder that God the Holy Trinity dwells in your home with your family.

Our Spiritual Journey

Praying a doxology is an ancient tradition of the Church. A doxology is a prayer giving praise and honor to God. Remind one another that all you say and do is to give glory to God. Pray the Glory Be Prayer, on page 525, regularly together with your child.

For more ideas on ways your family can live as disciples of Jesus, visit **www.BeMyDisciples.com**

Dios, nuestro Padre

¿Cuáles son algunas de las cosas que los padres hacen para mostrar su amor por sus hijos?

Escucha lo que San Juan escribió acerca de Dios Padre.

¡Dios, nuestro Padre, nos ama con un amor maravilloso! Estamos muy contentos de ser sus hijos.

BASADO EN 1.ª JUAN 3:1

¿Cuáles son algunas de las maneras en que Dios Padre demuestra su maravilloso amor por ti?

God, Our Father

What are some of the things parents do to show their love for their children?

Listen to what Saint John wrote about God the Father.

God our Father loves us with a wonderful love! We are so glad to be his children.

BASED ON 1 JOHN 3:1

What are some ways God the Father shows his wonderful love for you?

Poder de los discípulos

Honrar

Cuando honramos a los demás, mostramos que los respetamos y los valoramos. Honramos a Dios porque estamos orgullosos de ser sus hijos.

La Iglesia sigue a **Jesús**

Un huerto para los demás

Los estudiantes de la Escuela de San Agustín saben cuánto los ama Dios. Tratan de hacer lo mejor que pueden para vivir como hijos de Dios. Honran a Dios de muchas maneras.

Una cosa que hacen juntos es cultivar verduras y frutas en un huerto en su escuela. Siembran las semillas y cosechan los cultivos. Lavan y embolsan las frutas y las verduras. Llevan los alimentos a un banco de alimentos para ayudar a alimentar a las personas.

Mientras trabajan en el huerto, los niños se sienten cerca de Dios. Demuestran su amor por Dios Creador y las personas cuando cuidan de la Creación. Demuestran que están orgullosos de ser hijos de Dios.

Actividad

Dibújate cuidando de la creación en esta foto.

The Church Follows **Jesus**

A Garden for Others

The students at Saint Augustine's School know how much God loves them. They try their best to live as children of God. They honor God in many ways.

One thing they do together is to grow vegetables and fruit in a garden at their school. They plant the seeds and harvest the crops. They wash and bag the fruits and vegetables. They take the food to a food bank to help feed people.

As they work in the garden, the children feel close to God. They show their love for God the Creator and people when they take care of Creation. They show they are proud to be children of God.

Disciple Power

Honor

When we honor others, we show respect and value them. We honor God because we are proud to be his children.

Activity

Draw yourself in this photo caring for creation.

Enfoque en la fe

¿Por qué llamamos Padre nuestro a Dios?

Vocabulario de fe

Creador
Solo Dios es el Creador. Dios hizo a todas las personas y a todas las cosas por amor y sin ninguna ayuda.

todopoderoso
Solo Dios es todopoderoso. Esto significa que solamente Dios tiene el poder de hacer todo lo bueno.

Dios Creador

Estás aprendiendo más y más acerca de Dios. Dios es Padre y **Creador**. Él hizo a todas las personas y a todas las cosas por amor y sin ninguna ayuda. Hizo a las criaturas que vemos y a los ángeles, que no vemos.

Dios nos dice que Él solo es el Creador. Nos dice esto en el primer relato de la Biblia.

En el principio, Dios creó los cielos y la tierra. Hizo el sol, las otras estrellas y la luna. Hizo el cielo, la tierra y el mar.

Dios hizo las plantas, los árboles y las flores. Hizo todos los peces y todas las aves. Hizo todos los animales y las otras criaturas que viven en la tierra. Luego Dios creó a las personas a su imagen y semejanza. Dios miró todo lo que había creado. Vio que todo era muy bueno.

Basado en Génesis 1:1, 7–12, 16, 20–21, 24–25, 27, 31

? ¿Qué parte de la Creación de Dios fue hecha a su imagen y semejanza?

God the Creator

You are getting to know more and more about God. God is the Father and the **Creator**. He made everyone and everything out of love and without any help. He made the creatures we can see and the angels we cannot see.

God tells us that he alone is the Creator. He tells us this in the first story of the Bible.

In the beginning, God created the heavens and the earth. He made the sun, the other stars, and the moon. He made the sky, the earth, and the sea.

God made plants, trees, and flowers. He made all the fish and the birds. He made all the animals and other creatures that live on the land. Then God created people in his image and likeness. God looked at all that he had created. He saw that it was very good.

BASED ON GENESIS 1:1, 7–12, 16, 20–21, 24–25, 27, 31

? Which part of God's creation was made in his image and likeness?

Faith Focus
Why do we call God, our Father?

Faith Vocabulary

Creator
God alone is the Creator. God made everyone and everything out of love and without any help.

almighty
God alone is almighty. This means that only God has the power to do everything good.

Personas de fe

San Buenaventura

Buenaventura miraba la creación y llegó a saber más acerca de Dios. Decía que la creación era como un espejo. Cada vez que miraba la creación, Buenaventura veía que Dios era bueno y amoroso. La Iglesia celebra su día el 15 de julio.

Dios Todopoderoso

Podemos aprender acerca de Dios cuando miramos la creación. Podemos ver cuánto nos ama Dios. Podemos aprender que Dios es **todopoderoso**. Esto significa que solamente Dios tiene el poder de hacer todo lo bueno.

Dios nos dice que Él hace todo por amor. Él es siempre bueno y amoroso. Creemos en Dios Padre y lo amamos con todo nuestro corazón. Demostramos a Dios y a los demás nuestra confianza en Él y nuestro amor por Él.

Actividad

Busca y encierra en un círculo las palabras de la sopa de letras que hablan acerca de Dios. ¿Qué te dice cada palabra acerca de Dios?

Creador Padre Todopoderoso Amor Bueno

C	L	B	U	E	N	O	D	G	T	R	A
A	Z	D	X	P	Q	L	M	Y	E	S	B
K	X	E	L	T	K	G	P	Z	U	T	C
T	O	D	O	P	O	D	E	R	O	S	O
C	R	E	A	D	O	R	V	Q	N	V	E
I	K	T	Z	A	M	O	R	X	B	W	F
G	P	A	D	R	E	M	Y	Q	F	X	G

God the Almighty

We can learn about God when we look at creation. We can see how much God loves us. We can learn that God is **almighty**. This means that only God has the power to do everything good.

God tells us that he does everything out of love. He is always good and loving. We believe in and love God the Father with all our hearts. We show God and others our trust and love for him.

Faith-Filled People

Saint Bonaventure

Bonaventure looked at creation and came to know more about God. He said that creation was like a mirror. Whenever he looked at creation, Bonaventure saw that God was good and loving. The Church celebrates his feast day on July 15.

Activity

Find and circle the words in the puzzle that tell about God. What does each word tell you about God?

Creator Father Almighty Love Good

C	B	G	O	O	D	R	D	G	T
A	Z	D	X	P	Q	L	M	Y	E
K	X	E	L	T	K	G	P	Z	U
L	F	A	L	M	I	G	H	T	Y
C	R	E	A	T	O	R	V	Q	N
I	K	T	Z	L	O	V	E	X	B
G	F	A	T	H	E	R	Y	Q	F

Los católicos creen

La Oración del Señor

El Padre Nuestro es la oración de todos los cristianos. Se llama Padre Nuestro porque las primeras palabras de la oración son "Padre nuestro". Jesús, nuestro Señor, le dio esta oración a la Iglesia. Por esa razón al Padre Nuestro también se lo llama Oración del Señor.

Dios Padre nuestro

Jesús fue el que más nos contó acerca de Dios. Un día, los amigos de Jesús le pidieron que les enseñara a rezar. Él les enseñó a rezar:

Padre nuestro, que estás en el Cielo,
santificado sea tu Nombre.

MATEO 6:9

La palabra *santificado* quiere decir "reconocer como santo". A Dios lo honramos mucho cuando decimos: "santificado sea tu Nombre".

Jesús nos enseñó que Dios, su Padre, es nuestro Padre. Dios Padre nos ama y cuida de nosotros. Él sabe lo que necesitamos antes de que se lo pidamos. Dios siempre hace lo que es mejor para nosotros. Tenemos que creer en Él y confiar en Él. Tenemos que honrarlo como hizo Jesús.

? ¿Qué nos enseñó Jesús acerca de Dios Padre?

God Our Father

Jesus told us the most about God. One day, Jesus' friends asked him to teach them to pray. He taught them to pray:

Our Father in heaven,
hallowed be your name.

MATTHEW 6:9

The word *hallowed* means "very holy." We give great honor to God when we say, "hallowed be your name."

Jesus taught that God his Father is our Father. God the Father loves and cares for us. He knows what we need before we ask for it. God always does what is best for us. We are to believe in him and trust him. We are to honor him as Jesus did.

? What did Jesus teach us about God the Father?

Catholics Believe

The Our Father is the prayer of all Christians. It is called the Our Father because the first words of the prayer are "Our Father." Jesus our Lord gave this prayer to the Church. This is why the Our Father is also called the Lord's Prayer.

Yo sigo a Jesús

Dios creó a todas las personas y a todas las cosas por amor. Dios comparte contigo el don de su amor todos los días. Puedes honrar a Dios Padre cuidando de la creación.

Actividad

¿Cómo puede demostrar tu clase que se sienten orgullosos de ser hijos de Dios? Escribe o dibuja tus ideas aquí.

Mi elección de fe

Esta semana, honraré a Dios demostrando mi amor por toda la creación. Yo voy a

____

____.

Reza: "Gracias, Dios Espíritu Santo, por ayudarme a honrar a Dios Padre cuidando de la creación. Amén".

God created everyone and everything out of love. God shares the gift of his love with you every day. You can give honor to God the Father by caring for creation.

I Follow Jesus

Activity

How can your class show that you are proud to be children of God? Write or draw your ideas here.

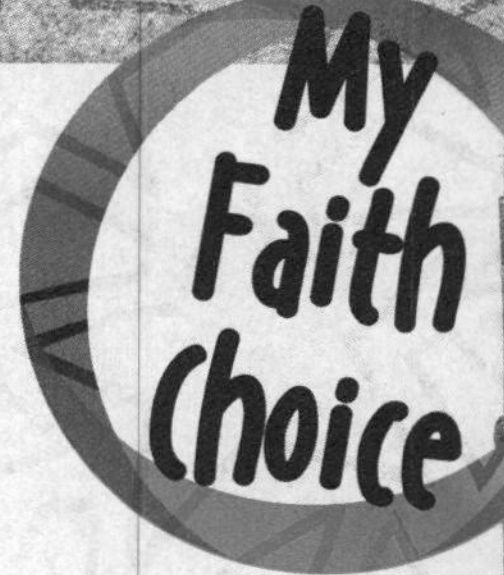

This week I will honor God by showing my love for all of creation. I will

____

____.

Pray, "Thank you, God the Holy Spirit, for helping me to honor God the Father by caring for creation. Amen."

PARA RECORDAR

1. Dios es el Creador. Él hizo a todas las personas y a todas las cosas por su amor.
2. Dios es todopoderoso. Él solo puede hacer todo lo bueno.
3. Jesús nos enseñó que Dios Padre es nuestro Padre.

Repaso del capítulo

Completa este crucigrama.

Horizontales

2. La creación es un signo de Dios ____.
4. La palabra "santificado" significa muy ____.

Verticales

1. Dios ____ hizo a todas las personas y a todas las cosas por amor.
3. Jesús nos enseñó a ____ el Padre Nuestro.

Padre Nuestro

Los cristianos rezan el Padre Nuestro todos los días. Ahora, recen juntos el Padre Nuestro.

Padre nuestro, que estás en el cielo,
santificado sea tu Nombre;
venga a nosotros tu reino;
hágase tu voluntad
en la tierra como en el cielo.
Danos hoy nuestro pan de cada día;
perdona nuestras ofensas,
como también nosotros perdonamos
a los que nos ofenden;
no nos dejes caer en la tentación,
y líbranos del mal. Amén.

Chapter Review

Complete the crossword puzzle.

Across

2. Creation is a sign of God the ____.

4. The word "hallowed" means very ____.

Down

1. God the ____ made everyone and everything out of love.

3. Jesus taught us to ____ the Our Father.

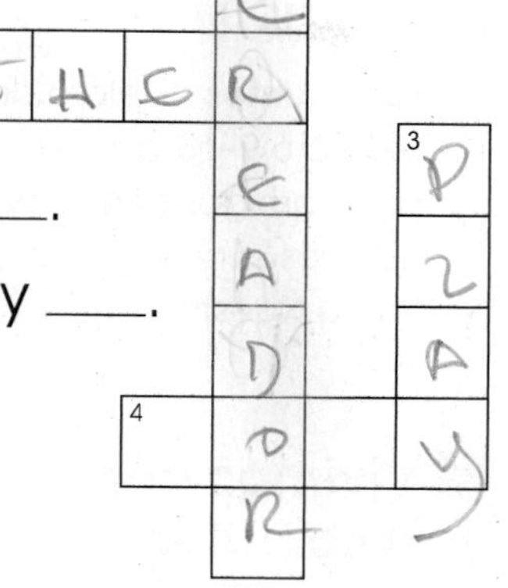

TO HELP YOU REMEMBER

1. God is the Creator. He made everyone and everything because of his love.
2. God is almighty. He alone can do everything good.
3. Jesus taught us that God the Father is our Father.

Our Father

Christians pray the Our Father every day. Pray the Our Father together now.

Our Father, who art in heaven,
hallowed be thy name;
thy kingdom come,
thy will be done
on earth as it is in heaven.
Give us this day our daily bread,
and forgive us our trespasses,
as we forgive those who trespass
against us;
and lead us not into temptation,
but deliver us from evil. Amen.

Con mi familia

Esta semana...

En el capítulo 4, "Dios, nuestro Padre" su niño aprendió que:

- Dios es el Creador de todo lo que existe. Él solo hizo a todas las personas y a todas las cosas por amor y sin ninguna ayuda.
- Podemos llamar todopoderoso a Dios porque Él tiene el poder de hacer todo lo que es bueno. Su poder es universal, amoroso y misericordioso.
- Dios es el origen de todo lo que existe. Nos ama y nos cuida.
- Honramos a Dios Padre cuando participamos del cuidado de su Creación.
- Cuando honramos a alguien, le demostramos el amor y el respeto que se merece.

Para saber más sobre otras enseñanzas de la Iglesia, consulten el *Catecismo de la Iglesia Católica,* 268–274, 279–314 y 325–349, y el *Catecismo Católico de los Estados Unidos para los Adultos,* páginas 50–54.

Compartir la Palabra de Dios

Lean juntos el relato de la Biblia de Mateo 6:9–13, donde Jesús enseña a sus amigos cómo rezar. Enfaticen que Jesús nos enseñó a rezar el Padre Nuestro.

Vivimos como discípulos

El hogar cristiano con la familia es una escuela de discipulado. Elijan una o más de las siguientes actividades para hacer en familia, o creen una actividad similar ustedes mismos.

- Hagan un dibujo de un mural de la creación. Escriban "Dios Creador" en la parte superior del mural. Decoren el mural con imágenes de cosas que Dios creó.
- Con su ejemplo, ayuden a su niño a honrar la creación de Dios. Demuestren cómo usar el agua, la energía, los alimentos y cómo tratan ustedes a las criaturas vivientes. Den el ejemplo de respetar a las personas. Decidan, como familia, qué pueden hacer juntos.

Nuestro viaje espiritual

En el Sermón de la montaña, Jesús dio a sus discípulos pautas para vivir como tales. Les enseñó a rezar el Padre Nuestro. En este capítulo, su niño rezó el Padre Nuestro. Recen juntos como familia el Padre Nuestro esta semana a la hora de dormir.

Para hallar más ideas sobre las maneras en que su familia puede vivir como discípulos de Jesús, visiten **seanmisdiscipulos.com**

With My Family

This Week...

In chapter 4, "God, Our Father," your child learned:

- God is the Creator of all that exists. He alone made everyone and everything out of love without any help.
- We call God almighty because he has the power to do everything that is good. His power is universal, loving, and merciful.
- God is the origin of all that exists. He loves and cares for us.
- We honor God the Father when we join in caring for his Creation.
- When we honor someone we show them the love and respect that they deserve.

For more about related teachings of the Church, see the *Catechism of the Catholic Church*, 268–274, 279–314, and 325–349, and the *United States Catholic Catechism for Adults*, pages 50–54.

Sharing God's Word

Read together the Bible story in Matthew 6:9–13 where Jesus teaches his friends how to pray. Emphasize that Jesus taught us to pray the Our Father.

Living as Disciples

The Christian home and family is a school of discipleship. Choose one or more of the following activities to do as a family or design a similar activity of your own.

- Draw a creation mural. Write "God the Creator" at the top of the mural. Decorate the mural with pictures of things God created.
- By your example, help your child honor God's creation. Demonstrate how you use water, energy, food, and your treatment of living creatures. Model respect for people. Decide as a family what you can do together.

Our Spiritual Journey

In the Sermon on the Mount Jesus gave his disciples guidelines for living as his disciples. He taught them to pray the Our Father. In this chapter, your child prayed the Our Father. Pray the Our Father together as a family this week at bedtime.

For more ideas on ways your family can live as disciples of Jesus, visit **www.BeMyDisciples.com**

Unidad 1: **Repaso**

Nombre ______________________

A. Elije la mejor palabra

Completa las oraciones. Colorea el círculo junto a la mejor opción.

1. La ________ es un Dios en Tres Personas.

○ Santísima Trinidad ○ Espíritu Santo ○ Sagrada Familia

2. Dios Padre es el ________ que hizo a todas las personas y a todas las cosas por amor.

○ Apóstol ○ Creador ○ Espíritu Santo

3. Jesús es la ________ Persona de la Santísima Trinidad.

○ Primera ○ Segunda ○ Tercera

4. La parte de nosotros que vive para siempre se llama ________.

○ corazón ○ mente ○ alma

5. Honramos a la Santísima Trinidad cuando rezamos la ________.

○ Ave María ○ Señal de la Cruz ○ Oración del Señor

B. Muestra lo que sabes

Une los números de la Columna A con las letras de la Columna B.

Columna A	Columna B
____ **1.** Dios Padre	**a.** Salvador
____ **2.** Dios Hijo	**b.** Creador
____ **3.** Dios Espíritu Santo	**c.** Protector

Unit 1 **Review** Name ______________________

A. Choose the Best Word

Complete the sentences. Color the circle next to the best choice for each sentence.

1. The ________ is one God in Three Persons.

○ Holy Trinity ○ Holy Spirit ○ Holy Family

2. God the Father is the ________ who made everyone and everything out of love.

○ Apostle ○ Creator ○ Holy Spirit

3. Jesus is the ________ Person of the Holy Trinity.

○ First ○ Second ○ Third

4. The part of us that lives forever is called the ________.

○ heart ○ mind ○ soul

5. We honor the Holy Trinity when we pray the ________.

○ Hail Mary ○ Sign of the Cross ○ Lord's Prayer

B. Show What You Know

Match the numbers in Column A with the letters in Column B.

	Column A	Column B
____	**1.** God the Father	**a.** Savior
____	**2.** God the Son	**b.** Creator
____	**3.** God the Holy Spirit	**c.** Helper

C. La Escritura y tú

¿Cuál fue tu relato preferido acerca de Jesús en esta unidad? Dibuja algo que sucedió en el relato. Cuéntaselo a tu clase.

D. Sé un discípulo

1. *¿Acerca de qué santo o persona virtuosa disfrutaste aprender más en esta unidad? Escribe el nombre aquí. Cuenta a tu clase lo que esta persona hizo para seguir a Jesús.*

____

2. *¿Qué puedes hacer para ser un buen discípulo de Jesús?*

____

____

C. Connect with Scripture

What was your favorite story about Jesus in this unit? Draw something that happened in the story. Tell your class about it.

D. Be a Disciple

1. *What saint or holy person did you enjoy hearing about in this unit? Write the name here. Tell your class what this person did to follow Jesus.*

   ____

2. *What can you do to be a good disciple of Jesus?*

   ____

   ____

Nicaragua: La Purísima

Los nicaragüenses celebran la Solemnidad de la Inmaculada Concepción el 8 de diciembre.

La Purísima significa "la más pura concepción". Significa que María estaba libre del Pecado Original desde el primer momento de su vida dentro de su madre. Esta es una gracia especial de Dios. La Iglesia celebra esta verdad de María el 8 de diciembre, con la Solemnidad de la Inmaculada Concepción. Esta es una fiesta muy popular en Nicaragua, donde se la llama *La Purísima.*

En Nicaragua, la gente coloca un altar en su hogar con una estatua de María, *La Purísima.* Luego, se reúnen con familiares, amigos y vecinos para rezar la Novena a la Virgen María. Es una oración que se hace cada día por nueve días.

La celebración incluye cantar himnos, dar obsequios y compartir alimentos. La fiesta termina cuando unas personas gritan: "¿Quién causa tanta alegría?". Los demás responden: "¡La Concepción de María!". Luego salen a celebrar con muchos fuegos artificiales.

? ¿Qué tres cosas hace el pueblo de Nicaragua para celebrar a María en este día?
¿Cómo honran a María en tu familia?

Nicaragua: La Purisima

La Purisima means "purest conception." It means that Mary was free from Original Sin from the very first moment of her life inside her mother. This was a special grace from God. The Church celebrates this truth about Mary on December 8, The Feast of the Immaculate Conception. It is a very popular feast in the country of Nicaragua where it is called *La Purisima*.

In Nicaragua, people place an altar in their homes with a statue of Mary, *La Purisima*. They gather with family, friends, and neighbors to pray the Novena to the Virgin Mary. It is a prayer said every day for nine days.

The celebration includes singing hymns, giving gifts, and sharing food. The feast ends with some people crying out, "Who is the cause of such joy?" The others answer, "The Conception of Mary!" Then they go outdoors for a big fireworks celebration.

? What are three things the people of Nicaragua do to celebrate Mary on this day?
How does your family honor Mary?

Nicaraguans celebrate the Feast of the Immaculate Conception on December 8.

Creemos

Parte Dos

Juan bautiza a Jesús

Juan Bautista estaba bautizando a las personas en el río Jordán.

Juan dijo: "Pronto vendrá alguien. Tienen que prepararse para él. No pequen más."

Un día, el mismo Jesús fue adonde estaba Juan. Juan bautizó a Jesús. Entonces, desde el cielo, una voz dijo de Jesús: "Este es mi Hijo, el Amado."

Juan dijo a las personas: "Miren, este es el que Dios prometió enviar. Él es el Hijo de Dios."

Basado en Mateo 3:2–3, 5–6
y Juan 1:29, 34

We Believe UNIT 2

Part Two

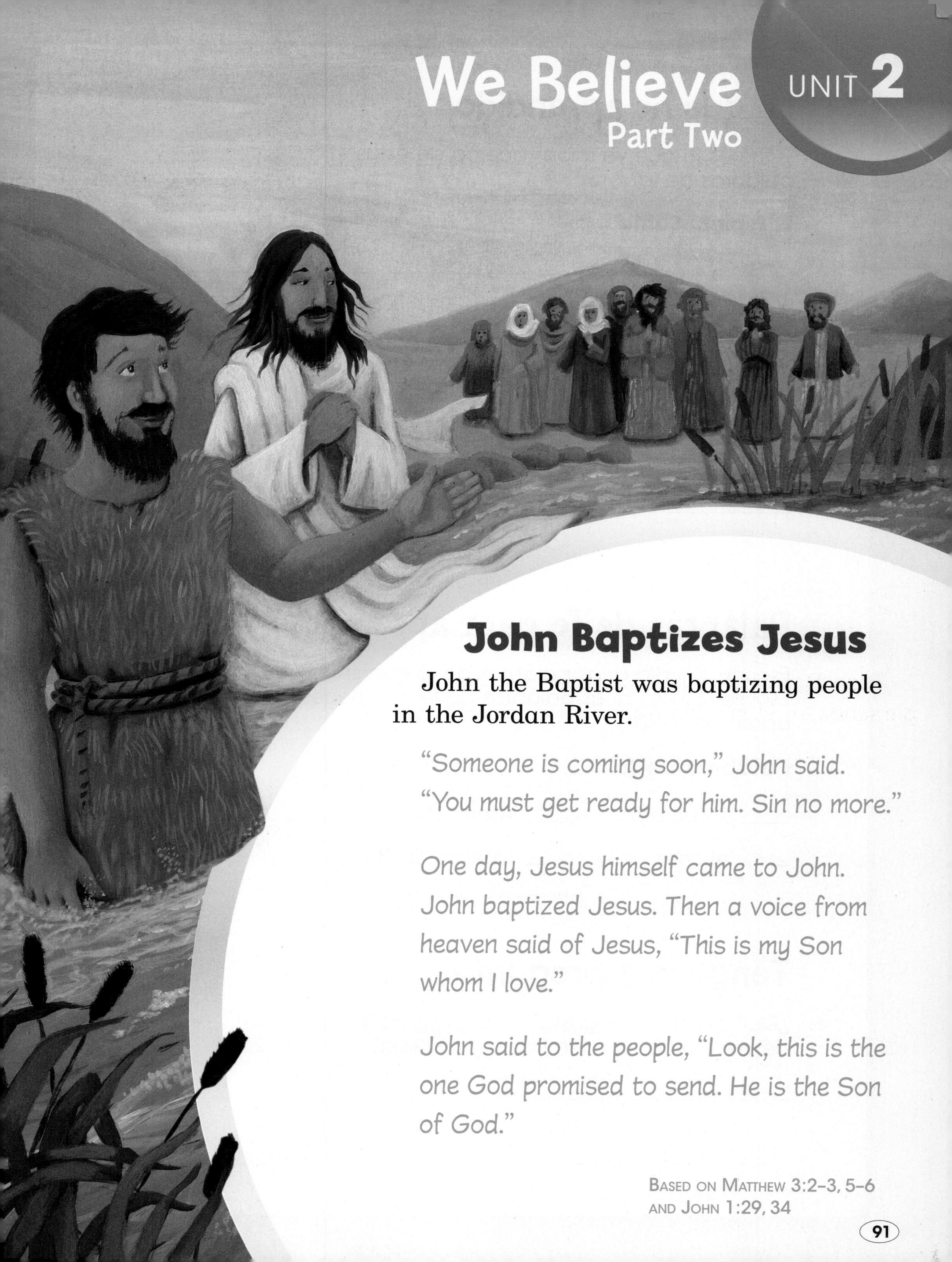

John Baptizes Jesus

John the Baptist was baptizing people in the Jordan River.

"Someone is coming soon," John said. "You must get ready for him. Sin no more."

One day, Jesus himself came to John. John baptized Jesus. Then a voice from heaven said of Jesus, "This is my Son whom I love."

John said to the people, "Look, this is the one God promised to send. He is the Son of God."

Based on Matthew 3:2–3, 5–6 and John 1:29, 34

Lo que he aprendido

¿Qué es lo que ya sabes acerca de estas palabras de fe?

El Espíritu Santo

____

____

La Iglesia

____

____

Palabras de fe para aprender

Escribe **X** junto a las palabras de fe que sabes. Escribe **?** junto a las palabras de fe que necesitas aprender mejor.

Palabras de fe

____ Jesucristo
____ Alianza
____ Ascensión
____ Cuerpo de Cristo
____ Comunión de los Santos

Tengo una pregunta

¿Qué pregunta te gustaría hacer acerca de vivir como un miembro de la Iglesia?

____

____

What I Have Learned

What is something you already know about these faith concepts?

The Holy Spirit

____

____

The Church

____

____

Faith Words to Know

Put an **X** next to the faith words you know.
Put a **?** next to the faith words you need to learn more about.

Faith Words

____ Jesus Christ
____ Covenant
____ Ascension
____ Body of Christ
____ Communion of Saints

Questions I Have

What questions would you like to ask about living as a member of the Church?

____

____

CAPÍTULO 5

Jesús, Hijo de Dios

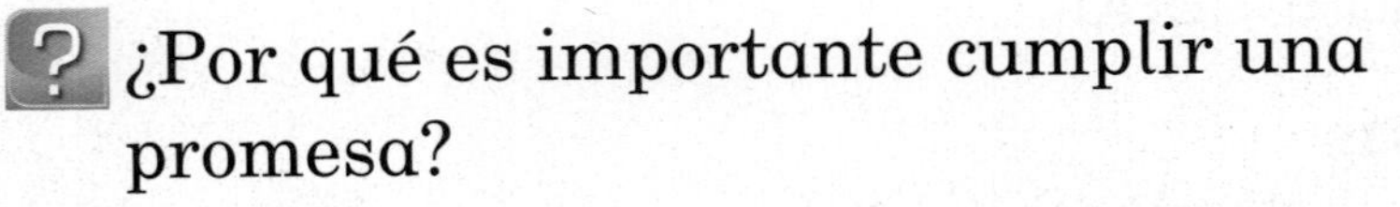

¿Por qué es importante cumplir una promesa?

Dios hizo esta promesa a su pueblo. Dijo:

Una virgen tendrá un bebé. Lo llamarán Consejero admirable, Dios fuerte, Padre que no muere y príncipe de la Paz. El niño crecerá y empezará a reconstruir un mundo de bondad y amor.

BASADO EN ISAÍAS 7:14; 9:5-6

¿Quién es el niño que Dios prometió?

CHAPTER 5

Jesus, Son of God

? Why is it important to keep a promise?

God made this promise to his people. He said,

A virgin will have a baby. They will name him Wonder-Counselor, God-Hero, Father-Forever, and Prince of Peace. The child will grow up and begin rebuilding a world of kindness and love.

BASED ON ISAIAH 7:14; 9:5–6

? Who is the child God promised?

Poder de los discípulos

Misericordia

Jesús dijo: "Felices los misericordiosos". La misericordia nos ayuda a actuar con longanimidad hacia los demás de una forma u otra.

La Iglesia sigue a **Jesús**

Hermano Martín

Jesús es el niño que Dios prometió que nacería. Jesús nos enseñó a construir un mundo de longanimidad, caridad y misericordia.

Martín de Porres hizo lo que Jesús pidió. Martín se unió a un grupo de hermanos religiosos y mostró a las personas la bondad y caridad de Dios.

El Hermano Martín cuidaba a los enfermos de Perú. Ayudaba a los niños que no tenían padres. Compraba alimentos y ropa para los necesitados.

Todas estas cosas que el Hermano Martín hizo se llaman Obras de Misericordia. Cuando demostramos misericordia, compartimos el amor de Dios con los demás.

Actividad

Escribe cómo las personas de las imágenes construyen un mundo de misericordia, longanimidad y caridad. Escribe otra manera en la que podrías ayudar.

1. ______________________________

2. ______________________________

3. ______________________________

The Church Follows

Jesus

Brother Martin

Jesus is the child God promised would be born. Jesus taught us how to build a world of kindness, love, and mercy.

Martin de Porres did what Jesus asked. Martin joined a group of religious brothers and showed people the kindness and love of God.

Brother Martin cared for the sick people in Peru. He helped children who had no parents. He brought food and clothes to people in need.

All these things Brother Martin did are called Works of Mercy. When we show mercy, we share God's love with others.

Disciple Power

Mercy

Jesus said, "Blessed are people of mercy." Mercy helps us act with kindness toward others no matter what.

Activity

Write how the people in the pictures are building a world of mercy, kindness, and love. Write one more way that you could help.

1. ______________________________

2. ______________________________

3. ______________________________

Enfoque en la fe
¿De qué manera Jesús demostró que Dios siempre ama a las personas?

Vocabulario de fe

Alianza
La Alianza es la promesa de Dios de amarnos siempre y de ser bondadoso con su pueblo.

Jesucristo
Jesucristo es el Hijo de Dios. Él es la Segunda Persona de la Santísima Trinidad que se hizo hombre por nosotros. Jesús es verdadero Dios y verdadero hombre.

La promesa especial de Dios

La Biblia nos cuenta acerca de una promesa especial que Dios hizo con su pueblo. Esta promesa es la **Alianza**. La Alianza muestra que Dios siempre ama a las personas.

La Alianza que Dios y las personas hicieron empezó en la creación. Nuestros primeros padres rompieron la promesa que hicieron a Dios. Pecaron. A este pecado lo llamamos Pecado Original.

Dios volvió a hacer la Alianza con Noé, con Abrahán y con Moisés. Aun así, a veces, el pueblo de Dios rompió la Alianza. Cuando lo hicieron, Dios envió a personas para recordarles que la cumplieran.

Entonces, Dios prometió que enviaría a alguien que haría que Dios y las personas fueran amigos otra vez. Dios cumplió su promesa. Envió a su Hijo, **Jesucristo**.

Jesús es la Segunda Persona de la Santísima Trinidad, que se hizo uno de nosotros. Jesús es verdadero Dios y verdadero hombre.

? ¿Por qué Dios envió a su Hijo, Jesús?

God's Special Promise

The Bible tells us about a very special promise God made with his people. This promise is the **Covenant**. The Covenant shows that God always loves people.

The Covenant that God and people made began at creation. Our first parents broke the promise they made to God. They sinned. We call this sin Original Sin.

God made the Covenant again with Noah and with Abraham and with Moses. God's people still sometimes broke the Covenant. When they did, God sent people to remind them to keep it.

God then promised to send someone who would make God and people friends again. God kept his promise. He sent his Son, **Jesus Christ**.

Jesus is the Second Person of the Holy Trinity who became one of us. Jesus is true God and true man.

? Why did God send his Son, Jesus?

Faith Focus
How did Jesus show that God always loves people?

Faith Vocabulary

Covenant
The Covenant is God's promise always to love and be kind to his people.

Jesus Christ
Jesus Christ is the Son of God. He is the Second Person of the Holy Trinity who became one of us. Jesus is true God and true man.

El nacimiento de Jesús

Personas de fe

La Santísima Virgen María

La Santísima Virgen María es la madre de Jesús, el Hijo de Dios. María es la Madre de Dios. La Iglesia celebra y honra a María, Madre de Dios, el 1 de enero.

La Biblia nos cuenta acerca del nacimiento de Jesús. A este relato lo llamamos la Natividad.

Narrador Justo antes del nacimiento de Jesús, José y María viajaron a Belén.

Acción *José toca a la puerta y el posadero le abre.*

José Mi esposa y yo necesitamos una habitación. Ella va a tener un bebé.

Posadero No quedan habitaciones. Pueden quedarse en el establo.

Narrador María y José fueron al establo. Jesús nació allí.

Basado en Lucas 2:4–7

La Biblia nos dice que los ángeles les contaron a los pastores acerca del nacimiento de Jesús. ¡Los pastores lo vieron y se llenaron de alegría! Alabaron a Dios por cumplir su promesa.

Actividad

Escribe las palabras de alegría que podrían haber dicho los pastores. Escribe tus propias palabras de alegría. Alaba y agradece a Dios por enviar a Jesús.

Palabras de los pastores

____

Mis palabras

____

____

The Birth of Jesus

The Bible tells about the birth of Jesus. We call this story the Nativity.

Narrator Just before Jesus' birth, Joseph and Mary traveled to Bethlehem.

Action *Joseph knocks and the innkeeper opens it.*

Joseph My wife and I need a room. She is going to have a baby.

Innkeeper There are no rooms left. You may stay in the stable.

Narrator Mary and Joseph went to the stable. Jesus was born there.

BASED ON LUKE 2:4–7

The Bible tells us that angels told shepherds about the birth of Jesus. The shepherds saw him and were filled with joy! They praised God for keeping his promise.

Faith-Filled People

The Blessed Virgin Mary

The Blessed Virgin Mary is the mother of Jesus, the Son of God. Mary is the Mother of God. The Church celebrates and honors Mary, the Mother of God, on January 1.

Activity

Write the words of joy the shepherds might have said. Write your own words of joy. Give praise and thank God for sending Jesus.

Shepherds' Words

____

My Words

____

____

Los católicos creen

Obras de Misericordia

La Iglesia nos enseña las Obras de Misericordia. Son maneras de ser tan bondadoso y amoroso con las personas como lo fue Jesús.

Dios cuida a todas las personas

El Nuevo Testamento nos dice que, cuando Jesús creció, viajaba de un lugar a otro. A veces caminaba. A veces viajaba en burro. A veces iba en un bote.

Todas las cosas que Jesús dijo e hizo enseñaron a las personas acerca de la misericordia y la caridad de Dios. Misericordia significa "gran bondad". Lee este relato de la Biblia acerca de la misericordia de Dios.

Muchas personas habían seguido a Jesús durante todo el día. Cuando llegó la noche, Jesús vio que tenían hambre. Pero había solo dos pescados y cinco panes para alimentar a todas las personas. Jesús tomó los alimentos, miró al cielo y los bendijo. Luego entregó el pan y los pescados a sus discípulos y les dijo que dieran el alimento a las personas. Todos tuvieron comida suficiente. Incluso sobró comida.

BASADO EN MATEO 14:13–20

? ¿Cómo demostró Jesús que Dios es bondadoso con las personas? ¿De qué manera eres bondadoso con tu familia y tus amigos?

God Cares for All People

The New Testament tells us that when Jesus grew up, he traveled from place to place. Sometimes he walked. Sometimes he rode a donkey. Sometimes he rode in a boat.

All the things Jesus said and did taught people about God's mercy and love. Mercy means "great kindness." Read this Bible story about God's mercy.

Many people had followed Jesus all day long. As nighttime came, Jesus saw that the people were hungry. But there were only two fish and five loaves of bread to feed all the people. Jesus took the food, looked to heaven, and blessed the food. Then he gave the bread and the fish to his disciples and told them to give the food to the people. Everyone had enough to eat. There was even food left over.

BASED ON MATTHEW 14:13–20

? How did Jesus show that God is kind to people? How are you kind to your family and friends?

Catholics Believe

Works of Mercy

The Church teaches us the Works of Mercy. They are ways to be as kind and loving to people as Jesus was.

Yo sigo a Jesús

Jesús es el signo más grande del amor y la misericordia de Dios. Tú puedes ser un seguidor de Jesús. Tú también puedes ser un signo del amor y la misericordia de Dios.

Actividad

Signos del amor y la misericordia de Dios

Mira las dos ilustraciones. ¿Cómo cuidan estas personas a los demás? Escribe en cada burbuja lo que podría estar diciendo la persona que ayuda.

Esta semana, prometo vivir como un signo del amor y la misericordia de Dios. Yo voy a

____.

Reza: "Agradece al Espíritu Santo por ayudarte a vivir como un signo del amor y la longanimidad de Dios. Amén".

Jesus is the greatest sign of God's love and mercy. You can be a follower of Jesus. You can be a sign of God's love and mercy, too.

I Follow Jesus

Activity

Signs of God's Love and Mercy

Look at the two pictures. How are the people caring for others? Write in each bubble what the helping person might be saying.

My Faith Choice

This week I promise to live as a sign of God's love and mercy. I will

____.

Pray, "Thank you, Holy Spirit, for helping me to live as a sign of God's love and kindness. Amen."

> **PARA RECORDAR**
> 1. La Alianza es una promesa del amor y la misericordia de Dios.
> 2. El nacimiento de Jesucristo, el Hijo de Dios, se llama Natividad.
> 3. Todo lo que Jesús dijo e hizo nos demuestra el amor y la misericordia de Dios.

Repaso del capítulo

Agrega letras para completar las palabras de las oraciones.

1. M ____ ____ ____ ____ es la madre de Jesús.
2. ____ ____ s ____ ____ es el Hijo de Dios.
3. Jesús demostró el amor y la ____ ____ s ____ r ____ ____ o ____ ____ ____ a de Dios.

El Ángelus

El Ángelus es una oración que alaba a Dios por el don de Jesús.

Líder	El ángel le dio a María el mensaje de Dios,
Grupo 1	y el Espíritu Santo se posó sobre ella.
Todos	**Dios te salve, María...**
Líder	"He aquí la esclava del Señor.
Grupo 2	Hágase en mí según tu palabra."
Todos	**Dios te salve, María...**
Líder	Y el Verbo se hizo carne.
Grupo 3	Y habitó entre nosotros.
Todos	**Dios te salve, María...**

Chapter Review

Add letters to complete the words in the sentences.

1. M _____ _____ _____ is the mother of Jesus.
2. _____ _____ s _____ _____ is the Son of God.
3. Jesus showed us God's love and _____ _____ r _____ y.

TO HELP YOU REMEMBER

1. The Covenant is a promise of God's love and mercy.
2. The birth of Jesus Christ, the Son of God, is called the Nativity.
3. Everything Jesus said and did shows us God's love and mercy.

The Angelus

The Angelus is a prayer that praises God for the gift of Jesus.

Leader The angel spoke God's message to Mary,

Group 1 and the Holy Spirit came upon her.

All **Hail Mary...**

Leader "I am the lowly servant of the Lord:

Group 2 let it be done to me according to your word."

All **Hail Mary...**

Leader And the Word became flesh

Group 3 and lived among us.

All **Hail Mary...**

Con mi familia

Esta semana...

En el capítulo 5, "Jesús, Hijo de Dios", su niño aprendió que:

- Dios y su pueblo hicieron la Alianza.
- La Alianza es la promesa del amor y la misericordia de Dios, y la promesa de su pueblo de amar y servir a Dios por sobre todas las cosas.
- Cuando Adán y Eva pecaron y rompieron la Alianza, Dios prometió enviar a alguien para renovar la Alianza.
- Dios cumplió su promesa al enviar a su Hijo, Jesucristo, que se hizo hombre y habitó entre nosotros. Jesucristo es verdadero Dios y verdadero hombre. Él es la Alianza nueva y eterna.
- La virtud de la misericordia nos ayuda a actuar con longanimidad, o bondad, para con los demás.

Para saber más sobre otras enseñanzas de la Iglesia, consulten el *Catecismo de la Iglesia Católica,* 51–67 y 456–560, y el *Catecismo Católico de los Estados Unidos para los Adultos,* páginas 77–87.

Compartir la Palabra de Dios

Lean juntos Lucas 2:1–14, acerca del nacimiento de Jesús. O lean la obra acerca de la Natividad de la página 100. Enfaticen que Jesucristo es el Hijo de Dios. El nacimiento de Jesús es uno de los signos más importantes de que Dios siempre cumple su promesa de amarnos.

Vivimos como discípulos

El hogar cristiano con la familia es una escuela de discipulado. Elijan una o más de las siguientes actividades para hacer en familia, o creen una actividad similar ustedes mismos.

- Compartan maneras en que su familia muestra misericordia actuando como un signo viviente del amor y la longanimidad de Dios.
- Jesús habló repetidamente con las personas acerca del amor de Dios por ellos. Busquen en su casa algo que les recuerde el amor de Dios. Conversen acerca de lo que esto les dice sobre el amor de Dios.

Nuestro viaje espiritual

La devoción a María es un distintivo en la vida católica. María es un ejemplo de santidad y esperanza, y es un testimonio de fe. Incluyan una devoción a María, Madre de Dios, en el viaje espiritual de su familia. En este capítulo, su hijo rezó parte del Ángelus. Esta oración se rezaba tradicionalmente tres veces por día. Lean y recen juntos la oración de la página 106.

Para hallar más ideas sobre las maneras en que su familia puede vivir como discípulos de Jesús, visiten **seanmisdiscipulos.com**

With My Family

This Week...

In chapter 5, "Jesus, Son of God," your child learned that:

- God and his people made the Covenant with one another.
- The Covenant is the promise of God's love and mercy, and the promise of his people to love and serve God above all else.
- When Adam and Eve sinned and broke the Covenant, God promised to send someone to renew the Covenant.
- God fulfilled his promise by sending his Son, Jesus Christ, who became man and lived among us. Jesus Christ is true God and true man. He is the new and everlasting Covenant.
- The virtue of mercy helps us act with kindness toward others.

For more about related teachings of the Church, see the *Catechism of the Catholic Church*, 51–67 and 456–560, and the *United States Catholic Catechism for Adults*, pages 77–87.

Sharing God's Word

Read together Luke 2:1–14, about Jesus' birth. Or read the play about the Nativity on page 101. Emphasize that Jesus Christ is the Son of God. Jesus' birth is one of the most important signs that God always keeps his promise to love us.

We Live as Disciples

The Christian home and family is a school of discipleship. Choose one of the following activities to do as a family, or design a similar activity of your own:

- Share ways that your family shows mercy by acting as a living sign of God's love and kindness.
- Jesus told people repeatedly about God's love for them. Look around your home for something that reminds you of God's love. Talk about what it tells you about God's love.

Our Spiritual Journey

Devotion to Mary is a hallmark of Catholic living. Mary is an exemplar of holiness and hope, and a witness to faith. Include a devotion to Mary, the Mother of God, in the spiritual journey of your family. In this chapter, your child prayed part of the Angelus. This prayer was traditionally prayed three times a day. Read and pray together the prayer on page 107.

For more ideas on ways your family can live as disciples of Jesus, visit **www.BeMyDisciples.com**

Jesús, el Salvador

¿A qué renunciarías para ayudar a un amigo?

Jesús dijo a sus amigos;

> *"Ámense los unos a los otros. Ustedes saben que yo los he amado. Ámense los unos a los otros de la misma manera. Recuerden, el amor más grande que pueden demostrar es dar la vida por sus amigos."*
>
> BASADO EN JUAN 13:33–35; 15:13

? ¿Cuáles son algunas de las maneras en que Jesús demostró amor por los demás?

Jesus, the Savior

 What would you give up to help a friend? Jesus told his friends,

"Love one another. You know how I have loved you. Love one another the same way. Remember, the greatest love you can show is to give up your life for your friends."

BASED ON JOHN 13:33–35; 15:13

What are some ways that Jesus showed love for others?

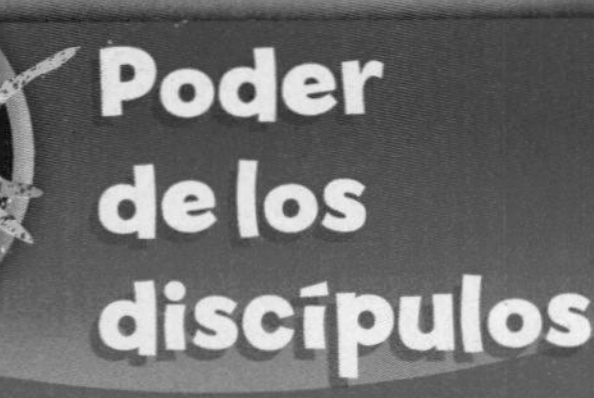

Poder de los discípulos

Sacrificio

Nos sacrificamos cuando renunciamos a algo por amor a alguien. Jesús sacrificó su vida por todas las personas. Los seguidores de Jesús hacen sacrificios por amor a Dios y a los demás.

Santa Isabel de Hungría

Isabel nació hace muchos años; era hija del rey y la reina de un país llamado Hungría. La princesa Isabel era muy rica. También era muy generosa. Amaba a Jesús. Siguió el mandamiento de Jesús de amar como Él amó.

Isabel amaba a las personas de su país. Después de que su esposo murió, dio todo lo que tenía por amor a Dios y a los demás. La princesa Isabel dio su ropa lujosa, sus joyas y su dinero para ayudar a las personas. Alimentaba a las personas que tenían hambre. Cuidaba a los enfermos.

Hoy recordamos a la princesa Isabel como Santa Isabel de Hungría. Celebramos su día el 17 de noviembre.

? ¿Cómo demostró Santa Isabel su amor por Jesús y por el pueblo de Hungría?

The Church Follows Jesus

Saint Elizabeth of Hungary

Elizabeth was born many years ago to the king and queen of the country called Hungary. Princess Elizabeth was very rich. She was also very generous. She loved Jesus. She followed Jesus' commandment to love as he loved.

Elizabeth loved the people in her country. After her husband died, she gave up everything she had out of her love for God and others. Princess Elizabeth gave away her fancy clothes, jewels, and money to help people. She gave food to people who were hungry. She cared for people who were sick.

Today we remember Princess Elizabeth as Saint Elizabeth of Hungary. We celebrate her feast on November 17.

? How did Saint Elizabeth show her love for Jesus and for the people of Hungary?

Disciple Power

Sacrifice

You sacrifice when you give up something because you love someone. Jesus sacrificed his life for all people. Followers of Jesus make sacrifices out of love for God and for people.

Enfoque en la fe
¿Por qué llamamos a Jesucristo Salvador de todas las personas?

Vocabulario de fe

Crucifixión
La crucifixión es la muerte de Jesús en la cruz.

Resurrección
La Resurrección es el momento cuando Dios hace volver a Jesús de entre los muertos a una nueva vida.

Dios envió al Salvador

Dios prometió enviar a su pueblo un salvador. Un salvador es una persona que libera a otras. Dios Padre envió a su Hijo, Jesús, para que fuera el Salvador del mundo. Dios envió a Jesús para salvar a las personas de sus pecados.

San Mateo nos cuenta acerca del anuncio de que Dios enviaría al Salvador.

Una noche, cuando José estaba durmiendo, un ángel le trajo un mensaje de Dios. El ángel dijo a José: "María, tu esposa, tendrá pronto un hijo. Lo vas a llamar Jesús. Él salvará a su pueblo de sus pecados. Todo esto sucederá para cumplir las promesas de Dios." BASADO EN MATEO 1:20–23

El nombre Jesús significa "Dios salva". Jesús murió en la Cruz para salvarnos de nuestros pecados.

Actividad

Colorea el nombre Jesús. Di una oración para agradecer a Jesús por su amor. Comparte tu oración con un compañero.

JESÚS

God Sent the Savior

God promised to send his people a savior. A savior is a person who sets people free. God the Father sent his Son, Jesus, to be the Savior of the world. God sent Jesus to save people from their sins.

Saint Matthew tells us about the announcement that God would send the Savior.

One night when Joseph was sleeping, an angel brought him a message from God. The angel said to Joseph, "Mary, your wife, will give birth to a son. You are to give him the name Jesus. He will save his people from their sins. All this will happen to fulfill God's promises." Based on Matthew 1:20–23

The name Jesus means "God saves." Jesus died on the Cross to save us from our sins.

Faith Focus
Why do we call Jesus Christ the Savior of all people?

Faith Vocabulary

Crucifixion
The Crucifixion is the death of Jesus on a cross.

Resurrection
The Resurrection is God the Father raising Jesus from the dead to new life.

Activity

Color the name Jesus. Say a prayer thanking Jesus for his love. Share your prayer with a partner.

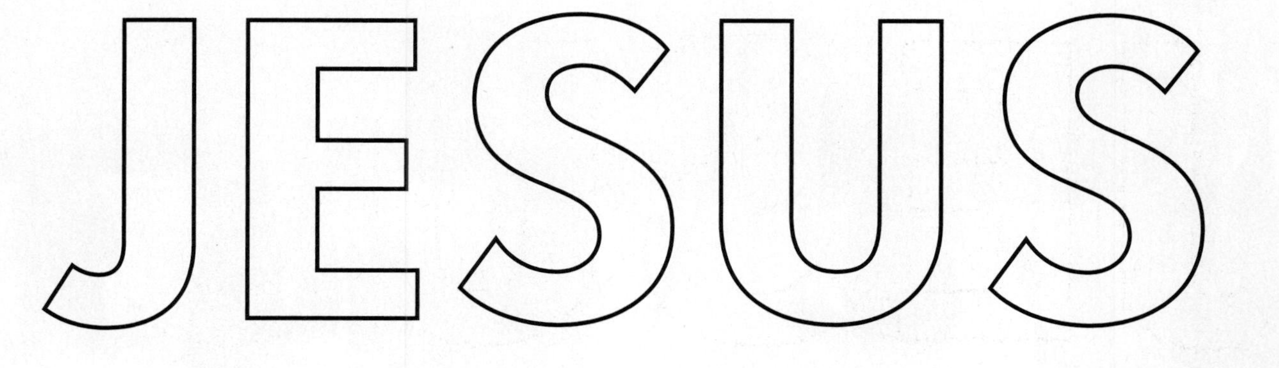

Personas de fe

Santa María Magdalena

María Magdalena estuvo junto a la Cruz de Jesús, con María, la Madre de Jesús, y con muchos otros discípulos de Jesús. Fue una de las primeras discípulas a quien se le apareció Jesús Resucitado. La Iglesia celebra su día el 22 de julio.

Jesús murió en la Cruz

Jesús demostró su amor por su Padre y por todas las personas muriendo en la Cruz. La muerte de Jesús en una cruz se llama **Crucifixión**.

Esto forma parte del relato de lo que sucedió en la Crucifixión. San Lucas nos cuenta:

> *En una colina cercana a la ciudad de Jerusalén, los soldados crucificaron a Jesús. El nombre de esa colina es Calvario. El cielo se puso muy oscuro. Jesús dijo: "Padre, perdónalos." Luego, Jesús murió.* BASADO EN LUCAS 23:33–34, 44, 46

La muerte de Jesús en la cruz también se llama Sacrificio de la Cruz. Jesús sacrificó su vida para salvarnos y liberarnos del pecado y la muerte. A través de la muerte de Jesús en la Cruz, Dios perdona nuestros pecados. Jesús es el Salvador del mundo.

Jesús nos hizo otra vez amigos de Dios. Podemos vivir para siempre con Dios en el Cielo.

? ¿Qué significa la Crucifixión?

Jesus Died on the Cross

Jesus showed his love for his Father and for all people by freely dying on the Cross. Jesus' Death on a cross is called the **Crucifixion**.

This is part of the story of what happened at the Crucifixion. Saint Luke tells us,

On a hill near the city of Jerusalem, soldiers put Jesus to death on a cross. The name of the hill is Calvary. The sky became very dark. Jesus said, "Father, forgive them." Then Jesus died.

BASED ON LUKE 23:33–34, 44, 46

Jesus' Death on the cross is also called the Sacrifice of the Cross. Jesus sacrificed his life to save and free us from sin and death. Through Jesus' Death on the Cross, God forgives us our sins. Jesus is the Savior of the world.

Jesus has made us friends with God again. We can live forever with God in Heaven.

? What does the Crucifixion mean?

Faith-Filled People

Saint Mary Magdalene

Mary Magdalene stood by the Cross of Jesus with Mary, the Mother of Jesus, and with several other disciples of Jesus. She was one of the first disciples to whom the Risen Jesus appeared. The Church celebrates her feast day on July 22.

Los católicos creen

El crucifijo

El crucifijo es una cruz que tiene una imagen de Jesús. El crucifijo es un signo del amor y la misericordia de Dios. Muchas familias tienen un crucifijo en su casa. Algunos cristianos llevan en el cuello una cadena con un crucifijo para demostrar su amor por Jesús. En la iglesia, siempre hay un crucifijo colocado cerca del altar.

Jesús resucitó a una nueva vida

Algo maravilloso sucedió tres días después de que Jesús muriera y fuera enterrado en el sepulcro. María Magdalena y otras dos mujeres discípulas de Jesús fueron al lugar donde Jesús estaba sepultado. Cuando llegaron allí, las mujeres vieron que el cuerpo de Jesús no estaba.

Se les aparecieron dos hombres vestidos con túnicas brillantes, que dijeron: "Jesús no está aquí. Ha resucitado." Ellas dejaron la tumba y les contaron a los Apóstoles y a los demás lo que había sucedido. Pedro y los demás no les creyeron. Fueron corriendo al sepulcro para ver por sí mismos si lo que decían las discípulas era verdad.

BASADO EN LUCAS 24:4, 6, 9, 11–12

Jesús resucitó de entre los muertos a una nueva vida. Llamamos a esto **Resurrección**. Nosotros también viviremos después de nuestra muerte.

Todos los amigos fieles de Jesús vivirán en felicidad eterna en el Cielo.

Actividad

Une los puntos para descubrir una palabra que significa "alaben a Dios".

A L E L U Y A

Jesus Is Raised to New Life

Something amazing happened three days after Jesus died and was buried in the tomb. Mary Magdalene and two other women disciples of Jesus went to the place where Jesus was buried. When they arrived there, the women saw that the body of Jesus was not there.

Two men dressed in bright white robes appeared to them and said, "Jesus is not here. He has been raised." They left the tomb and told the Apostles and others what happened. Peter and the others did not believe them. They rushed to the tomb to see for themselves if what the women disciples said was true.

BASED ON LUKE 24:4, 6, 9, 11–12

Jesus rose from the dead to new life. We call this the **Resurrection**.

We too shall live after we die. All the faithful friends of Jesus will live in happiness forever in Heaven.

Catholics Believe

The Crucifix

The crucifix is a cross with an image of Jesus on it. The crucifix is a sign of God's love and mercy. Many families have a crucifix in their homes. Some Christians wear a crucifix on a chain around their neck to show their love for Jesus. There is always a crucifix placed near the altar in church.

Activity

Connect the dots to discover a word that means "Praise God."

A L L E L U I A

Yo sigo a Jesús

Jesús es el Salvador de todas las personas. Él sacrificó su vida por amor a su Padre y por todas las personas. El Espíritu Santo te invita a compartir esta buena nueva con todos.

Actividad

¡Aleluya! ¡Alabemos a Dios!

Decora este marcador de libro con colores e imágenes que te ayuden a recordar que Jesús es el Salvador del mundo.

Por tu cruz y resurrección
nos has salvado, Señor.

¡Aleluya!

ACLAMACIÓN MEMORIAL C, MISAL ROMANO

Piensa en lo que puedes contarles a los demás acerca de la buena nueva del amor salvador de Jesús para todas las personas. Yo diré:

____

____.

Reza: "Gracias, Jesús, por tu sacrificio. Gracias por entregar tu vida para liberarnos del pecado. Amén".

Jesus is the Savior of all people. He sacrificed his life out of love for his Father and for all people. The Holy Spirit invites you to share this Good News with everyone.

Alleluia! Praise God!

Activity

Decorate this bookmark with colors and pictures that help you remember Jesus is the Savior of the world.

Save us, Savior of the world,
for by your Cross and Resurrection
you have set us free.

Alleluia!

MEMORIAL ACCLAMATION C, ROMAN MISSAL

My Faith Choice

Think of how you can tell others about the Good News of Jesus' saving love for all people. I will say:

____

____.

Pray, "Thank you, Jesus, for your sacrifice. Thank you for giving up your life to free us from sin. Amen."

PARA RECORDAR

1. Jesucristo es el Salvador del mundo.
2. Jesús sacrificó su vida en una cruz para salvar a todas las personas de sus pecados.
3. Dios Padre resucitó a su Hijo, Jesús, de la muerte a una nueva vida.

Repaso del capítulo

Usa las palabras del recuadro para completar las oraciones.

Salvador	Resurrección	Crucifixión

1. El momento cuando Dios Padre hace volver a Jesús de entre los muertos a una nueva vida se llama ______________________.
2. Dios Padre envió a Jesús para que fuera el ______________________.
3. La muerte de Jesús en una cruz se llama ______________________.

Alaben a Dios

Las aclamaciones son oraciones de alabanza. Rezamos aclamaciones para alabar a Dios por todas las cosas maravillosas que Él ha hecho. Reza esta aclamación que cantamos o rezamos en voz alta en la Misa.

Líder Proclamemos el misterio de la fe.

Todos **Por tu cruz y resurrección nos has salvado, Señor.**

ACLAMACIÓN MEMORIAL C, MISAL ROMANO

Chapter Review

Use the words in the box to complete the sentences.

Savior	Resurrection	Crucifixion

1. God the Father raising Jesus to new life is called the ________________.
2. God the Father sent Jesus to be the ________________.
3. Jesus' Death on a cross is called the ________________.

TO HELP YOU REMEMBER

1. Jesus Christ is the Savior of the world.
2. Jesus sacrificed his life on a cross to save all people from their sins.
3. God the Father raised his Son, Jesus, from Death to new life.

Praise God

Acclamations are prayers of praise. We pray acclamations to praise God for all the wonderful things he has done. Pray this acclamation that we pray aloud or sing at Mass.

Leader Let us proclaim the mystery of faith.

All **Save us, Savior of the world, for by your Cross and Resurrection you have set us free.**

MEMORIAL ACCLAMATION C, ROMAN MISSAL

Con mi familia

Esta semana...

En el capítulo 6, "Jesús, el Salvador" su niño aprendió que:

- La Salvación fluye desde la iniciativa de amor y misericordia de Dios. Dios Padre envió a su Hijo, Jesús, que libremente eligió sacrificar su vida en una cruz para liberar a todas las personas del pecado.
- Tres días después de su muerte y su sepultura, Jesús resucitó de entre los muertos a una nueva y gloriosa vida. Llamamos a este acontecimiento Resurrección.
- Nosotros también viviremos después de nuestra muerte. Dios nos invita a vivir una vida eterna de felicidad.
- Jesús sacrificó su vida por todas las personas. Los seguidores de Jesús hacen sacrificios por amor a Dios y a los demás.

Para saber más sobre otras enseñanzas de la Iglesia, consulten el *Catecismo de la Iglesia Católica*, 422–451, 456–478, 599-655, y el *Catecismo Católico de los Estados Unidos para los Adultos*, páginas 91–98.

Compartir la Palabra de Dios

Lean el relato bíblico acerca de la muerte de Jesús en la Cruz y su resurrección de entre los muertos. Enfaticen que la Muerte y la Resurrección de Jesús son los signos más grandes del amor de Dios por las personas.

Vivimos como discípulos

El hogar cristiano con la familia es una escuela de discipulado. Elijan una o más de las siguientes actividades para hacer en familia, o creen una actividad similar ustedes mismos.

- El crucifijo nos recuerda el amor de Dios por nosotros. Coloquen un crucifijo en su casa. Reúnanse a su alrededor y hablen acerca del amor de Dios por su familia.
- Ayuden a su niño en la práctica de hacer sacrificios. Ofrézcanle oportunidades de elegir a los demás por encima de él mismo. Por ejemplo, si su niño recibe una propina, sugiéranle maneras en que puede dar una parte para ayudar a los hambrientos.

Nuestro viaje espiritual

El Sacrificio de la Cruz es la mayor expresión del amor de Dios por las personas. Los cristianos son personas de sacrificio. En este capítulo, su niño aprendió a rezar una Aclamación Memorial que se usa en la Misa. Lean y recen juntos la oración de la página 122.

Para hallar más ideas sobre las maneras en que su familia puede vivir como discípulos de Jesús, visiten **seanmisdiscipulos.com**

With My Family

This Week...

In chapter 6, "Jesus, the Savior," your child learned:

- Salvation flows from God's initiative of love and mercy. God the Father sent his Son, Jesus, who freely chose to sacrifice his life on a cross to free all people from sin.
- Three days after his death and burial, Jesus rose from the dead to a new and glorified life. We call this event the Resurrection.
- We too shall live after we die. God invites us to live an eternal life of happiness.
- Jesus sacrificed his life for all people. Followers of Jesus make sacrifices out of love for God and for people.

For more about related teachings of the Church, see the *Catechism of the Catholic Church*, 422–451, 456–478, 599-655, and the *United States Catholic Catechism for Adults*, pages 91–98.

Sharing God's Word

Read the Bible story about Jesus' dying on the Cross and his rising from the dead. Emphasize that the Death and Resurrection of Jesus are the greatest signs of God's love for people.

We Live as Disciples

The Christian home and family is a school of discipleship. Choose one of the following activities to do as a family, or design a similar activity of your own:

- The crucifix reminds us of God's love for us. Display a crucifix in your home. Gather around it and talk about God's love for your family.
- Help your child practice making sacrifices. Offer him or her opportunities to choose others over him- or herself. For example, if your child gets an allowance, suggest ways he or she can give a portion to help the hungry.

Our Spiritual Journey

The Sacrifice of the Cross is the greatest expression of God's love for people. Christians are people of sacrifice. In this chapter, your child learned to pray a Memorial Acclamation used at Mass. Read and pray together the prayer on page 123.

For more ideas on ways your family can live as disciples of Jesus, visit **www.BeMyDisciples.com**

El Espíritu Santo

¿Cuál es el mejor regalo que alguien te haya dado?

San Pablo nos cuenta:

Dios los ama muchísimo. Dios les envía al Espíritu Santo. El Espíritu Santo da dones espirituales especiales a cada persona. El Espíritu Santo quiere que usemos nuestros dones para ayudar y servir a los demás.

BASADO EN 1.ª CORINTIOS 12:4–7

¿Qué dones especiales tienes que ayudan y sirven a los demás?

CHAPTER 7

The Holy Spirit

What is the best gift someone ever gave you?

Saint Paul tells us,

God loves you very much. God sends you the Holy Spirit. The Holy Spirit gives special spiritual gifts to each person. The Holy Spirit wants us to use our gifts to help and serve others. BASED ON 1 CORINTHIANS 12:4–7

What special gifts do you have that help and serve others?

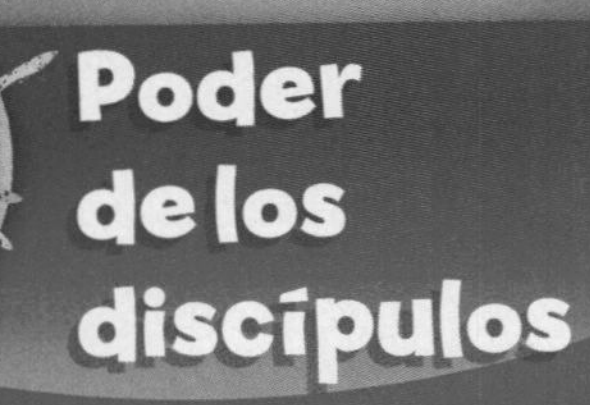

Benignidad

Mostramos benignidad cuando usamos los dones que recibimos de Dios para ayudar a los demás.

El comedor de los niños

Todos recibimos bendiciones y dones del Espíritu Santo. ¡Hasta los niños de segundo grado reciben estos dones! Uno de estos dones es el de la benignidad.

Sagen estaba en segundo grado. Ella vio que algunos niños comían almuerzos gratis en la escuela. Se preguntaba: "¿Qué hacen durante el verano? ¿Reciben algo para comer todos los días? ¿Cómo puedo ayudar?"

Sagen fue a ver a Sam, que se encargaba del comedor de beneficencia de su parroquia. Sam ayudó a Sagen a organizar su propio comedor para niños. La llamó El comedor de los niños.

Se corrió la voz acerca de El comedor de los niños. Muchas personas donaron alimentos. El comedor de los niños pudo ayudar cada vez a más niños.

? ¿De qué manera ves a las personas de tu parroquia siendo generosas?

The Church Follows Jesus

Kids' Kitchen

We all receive blessings and gifts from the Holy Spirit. Even second graders get these gifts! One of these gifts is the gift of generosity.

Sagen was in second grade. She saw that some children ate free lunches at school. She wondered, "What do they do during the summer? Do they get to eat lunch every day? How can I help?"

Sagen went to Sam who was in charge of the soup kitchen in her parish. Sam helped Sagen organize her own kitchen for kids. She called it Kids' Kitchen.

The word spread about Kids' Kitchen. Many people were donating food. Kids' Kitchen was able to help more and more kids.

? How do you see people in your parish being generous?

Disciple Power

Generosity

You show generosity when you use the gifts you receive from God to help others.

Enfoque en la fe
¿Qué nos dice el Nuevo Testamento acerca del Espíritu Santo?

Vocabulario de fe

Ascensión
La Ascensión es el regreso de Jesús Resucitado a su Padre en el Cielo cuarenta días después de la Resurrección.

Pentecostés
Pentecostés es el día en el que el Espíritu Santo descendió sobre los discípulos de Jesús, cincuenta días después de la Resurrección.

El don del Espíritu Santo

Después de la Resurrección, Jesús hizo una promesa especial a sus discípulos. Él dijo:

Voy a enviarles la promesa que mi Padre les hizo. Es el don del Espíritu Santo.

BASADO EN LUCAS 24:49

El Espíritu Santo es la Tercera Persona de la Santísima Trinidad.

Jesús hizo esta promesa después de la Resurrección, justo antes de que regresara a su Padre en el Cielo. Llamamos **Ascensión** al regreso de Jesús Resucitado a su Padre en el Cielo.

Decora esta tarjeta postal. Comparte la promesa de Jesús con tu familia y tus amigos.

The Gift of the Holy Spirit

After the Resurrection, Jesus made a special promise to his disciples. He said,

I am sending the promise of my Father to you. It is the gift of the Holy Spirit.

Based on Luke 24:49

The Holy Spirit is the Third Person of the Holy Trinity.

Jesus made this promise after the Resurrection, just before he returned to his Father in Heaven. We call the return of the Risen Jesus to his Father in Heaven the **Ascension**.

Faith Focus
What does the New Testament tell us about the Holy Spirit?

Faith Vocabulary

Ascension
The Ascension is the return of the Risen Jesus to his Father in Heaven forty days after the Resurrection.

Pentecost
Pentecost is the day the Holy Spirit came to the disciples of Jesus fifty days after the Resurrection.

Activity

Decorate this postcard. Share Jesus' promise with your family and friends.

Personas de fe

San Lucas Evangelista

A veces, Lucas viajaba de un lugar a otro con San Pablo. Juntos predicaron el Evangelio. Les hablaban a las personas acerca de Jesús. San Lucas es uno de los cuatro evangelistas, o "narradores del Evangelio".

Pentecostés

La promesa del Espíritu Santo se hizo realidad cincuenta días después de la Resurrección. El día en que el Espíritu Santo vino a los Apóstoles se llama **Pentecostés**. Esto es lo que San Lucas nos cuenta que sucedió.

Después de que Jesús regresó a su Padre, los discípulos y María, la madre de Jesús, estaban rezando juntos en una habitación. De repente, un sonido intenso llenó la casa. Era el sonido de un viento fuerte. Pequeñas llamas se posaron sobre la cabeza de cada discípulo. Los discípulos quedaron llenos del Espíritu Santo. Luego Pedro y los discípulos dejaron la casa. Fueron a hablarles a los demás acerca de Jesús.

BASADO EN HECHOS DE LOS APÓSTOLES 2:1–4, 14, 22

Recibimos por primera vez el don del Espíritu Santo en el Bautismo. El Espíritu Santo está siempre con nosotros. Nos da dones especiales para vivir como seguidores de Jesús. El Espíritu Santo nos ayuda a hablar a los demás acerca de Jesús, como hizo Pedro.

? ¿Qué cosa quieres contarle a alguien acerca de Jesús?

Pentecost

The promise of the Holy Spirit came true fifty days after the Resurrection. The day that the Holy Spirit came to the Apostles is called **Pentecost**. This is what Saint Luke tells us happened.

After Jesus returned to his Father, the disciples and Mary, the mother of Jesus, were praying together in a room. Suddenly, a big sound filled the house. It was the sound of a strong wind. Small flames settled over each disciple's head. The disciples were all filled with the Holy Spirit. Peter and the disciples then left the house. They went to tell others about Jesus.

BASED ON ACTS OF THE APOSTLES 2:1–4, 14, 22

We first receive the gift of the Holy Spirit at Baptism. The Holy Spirit is always with us. He gives us special gifts to live as followers of Jesus. The Holy Spirit helps us tell others about Jesus as Peter did.

? What is one thing you want to tell someone about Jesus?

Faith-Filled People

Saint Luke the Evangelist

Luke sometimes traveled from place to place with Saint Paul. Together they preached the Gospel. They told people all about Jesus. Saint Luke is one of the four evangelists, or "tellers of the Gospel."

Los católicos creen

Dones del Espíritu Santo

El Espíritu Santo nos bendice con dones espirituales. Estos dones nos ayudan a seguir a Jesús y a vivir como hijos de Dios.

El Espíritu Santo está siempre con nosotros

El Espíritu Santo es el protector y maestro que Jesús nos envió. El Espíritu Santo nos ayuda a creer y a confiar en Dios Padre y en Jesucristo.

El Espíritu Santo nos ayuda y nos enseña a rezar. Nos ayuda a rezar de la manera en que Jesús nos enseñó. Le rezamos a Dios, nuestro Padre. Le decimos a Dios Padre lo que está en nuestros pensamientos y en nuestro corazón.

Le pedimos al Espíritu Santo que nos enseñe y nos ayude a vivir como hijos de Dios. Le pedimos al Espíritu Santo que nos enseñe y nos ayude a vivir como seguidores de Jesús. El Espíritu Santo siempre nos ayuda.

Actividad

Escribe una oración breve al Espíritu Santo. Usa tus propias palabras.

Ven, Espíritu Santo, **ayúdame** a

____

______________________________.

Ven, Espíritu Santo, **enséñame** a

____

_______________.

The Holy Spirit Is Always with Us

The Holy Spirit is the helper and teacher Jesus sent to us. The Holy Spirit helps us to believe and trust in God the Father and in Jesus Christ.

The Holy Spirit helps and teaches us to pray. He helps us to pray the way Jesus taught us. We pray to God our Father. We tell God the Father what is in our thoughts and in our hearts.

We ask the Holy Spirit to teach us and help us to live as children of God. We ask the Holy Spirit to teach us and help us to live as followers of Jesus. The Holy Spirit always helps us.

Catholics Believe

Gifts of the Holy Spirit

The Holy Spirit blesses us with spiritual gifts. These gifts help us to follow Jesus and to live as children of God.

Activity

Write a short prayer to the Holy Spirit. Use your own words.

Come, Holy Spirit, **help** me to

____

______________________________.

Come, Holy Spirit, **teach** me to

____

____________________.

Yo sigo a Jesús

El Espíritu Santo nos da dones. Estos dones, a veces, se llaman talentos. Los talentos nos ayudan a hacer cosas buenas. Nos ayudan a conocer el amor de Dios. La benignidad te ayuda a usar estos dones para ayudar a los demás.

Actividad

Compartir el don del amor de Dios

Una llama de fuego nos recuerda al Espíritu Santo. Piensa en tus talentos. En la llama, muestra cómo usas un talento que tengas para ayudar a los demás.

Esta semana, seré generoso. Usaré mis talentos. Compartiré el don del amor de Dios con otras personas.

Yo voy a

____

____.

Reza: "Agradece al Espíritu Santo por ayudarte a usar tus talentos para ayudar a los demás. Amén".

The Holy Spirit gives you gifts. These gifts are sometimes called talents. Talents help us to do good things. They help you to know God's love. Generosity helps you use those gifts to help others.

I Follow Jesus

Activity

Sharing the Gift of God's Love

A flame of fire reminds us of the Holy Spirit. Think of your talents. In the flame, show how you use one talent you have to help others.

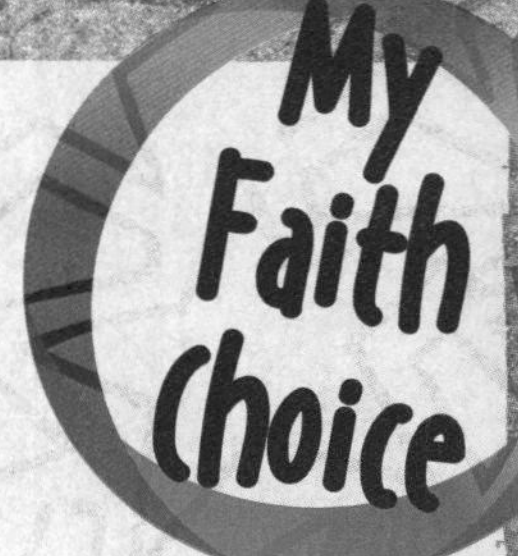

This week I will be generous. I will use my talents. I will share the gift of God's love with other people.

I will

____

____.

Pray, "Thank you, Holy Spirit, for helping me to use my talents to help others. Amen."

PARA RECORDAR

1. Antes de regresar a su Padre en el Cielo, Jesús prometió que el Padre enviaría al Espíritu Santo.
2. El Espíritu Santo vino a los discípulos en Pentecostés.
3. El Espíritu Santo es nuestro protector y maestro.

Repaso del capítulo

Une cada palabra con su significado correcto.

Palabras	Significados
_____ **1.** Pentecostés	**a.** Aquel que pidió al Padre que enviara el Espíritu Santo
_____ **2.** Ascensión	**b.** el día que empezó la obra de la Iglesia.
_____ **3.** Jesús	**c.** la Tercera Persona de la Santísima Trinidad
_____ **4.** Espíritu Santo	**d.** el regreso de Jesús Resucitado a su Padre en el Cielo

Ven, Espíritu Santo

Líder — Recémosle al Espíritu Santo.

Ven, Espíritu Santo,

llena los corazones de tus fieles,
y enciende en ellos el fuego de tu amor.

Ven, Espíritu Santo.

Envía tu Espíritu Creador

y renueva la faz de la tierra.

Todos

Amén.

Chapter Review

Match each word with its correct meaning.

	Words	Meanings
____	**1.** Pentecost	**a.** the One who asked the Father to send the Holy Spirit
____	**2.** Ascension	**b.** the day the work of the Church began
____	**3.** Jesus	**c.** the Third Person of the Holy Trinity
____	**4.** Holy Spirit	**d.** the return of the Risen Jesus to his Father in heaven

TO HELP YOU REMEMBER

1. Before he returned to his Father in Heaven, Jesus promised that the Father would send the Holy Spirit.
2. The Holy Spirit came to the disciples on Pentecost.
3. The Holy Spirit is our helper and teacher.

Come, Holy Spirit

Leader Let us pray to the Holy Spirit.

All **Come, Holy Spirit,**

Group 1 fill the hearts of your faithful,
and kindle in them the fire of your love.

All **Come, Holy Spirit,**

Group 2 send forth your Spirit and they
shall be created.

Group 3 And you will renew the face
of the Earth.

All **Amen.**

Con mi familia

Esta semana...

En el capítulo 7, "El Espíritu Santo", su niño aprendió que:

- El Espíritu Santo es la Tercera Persona de la Santísima Trinidad.
- El Padre y el Hijo enviaron al Espíritu Santo para que fuera nuestro protector y maestro.
- El Espíritu Santo es la fuente de todo lo que la Iglesia hace.
- El Espíritu Santo nos ayuda a aprender y a vivir lo que Jesús enseñó.
- El Espíritu Santo ayuda a todos los bautizados a rezar y a vivir como hijos de Dios y seguidores de Cristo.
- Cuando practicamos la virtud de la benignidad, demostramos que somos agradecidos por los dones que recibimos de Dios.

Para saber más sobre otras enseñanzas de la Iglesia, consulten el *Catecismo de la Iglesia Católica,* 687–741, y el *Catecismo Católico de los Estados Unidos para los Adultos,* páginas 102–108.

Compartir la Palabra de Dios

Lean Hechos de los Apóstoles 2:1–11, 22 acerca de la venida del Espíritu Santo en Pentecostés. O lean la adaptación del relato de la página 132. Enfaticen que el Espíritu Santo vino a los discípulos en Pentecostés, para ayudarlos en la misión que Jesús les había encomendado, concretamente, a contarle al mundo acerca de Jesús y a convertir a las personas en discípulos. Comenten que el Espíritu Santo está siempre con su familia para enseñarles y ayudarlos a hacer lo mismo.

Vivimos como discípulos

El hogar cristiano con la familia es una escuela de discipulado. Elijan una o más de las siguientes actividades para hacer en familia, o creen una actividad similar ustedes mismos.

- Recen al Espíritu Santo, esta semana, antes de las comidas o de ir a dormir. Usen la oración de la página 138. Hablen acerca de la manera en que su familia puede contarles a otros acerca de Jesús.
- Ayuden a su niño a crecer en benignidad. Antes de que su niño reciba regalos, como regalos de cumpleaños, invítenlo a regalar algo. Después de regalar, recuerden a su niño que los discípulos son generosos con los demás.

Nuestro viaje espiritual

La limosna es compartir nuestras bendiciones materiales y espirituales gracias a nuestro amor por Dios y por las personas. La limosna es una expresión de generosidad que fluye desde la propia gratitud hacia Dios. Alaben y agradezcan a Dios por sus bendiciones, con palabras y con hechos.

Para hallar más ideas sobre las maneras en que su familia puede vivir como discípulos de Jesús, visiten **seanmisdiscipulos.com**

With My Family

This Week...

In chapter 7, "The Holy Spirit," your child learned that:

- The Holy Spirit is the Third Person of the Holy Trinity.
- The Father and the Son sent the Holy Spirit to be our helper and teacher.
- The Holy Spirit is the source of all the Church does.
- The Holy Spirit helps us to learn and to live what Jesus taught.
- The Holy Spirit helps all the baptized to pray and to live as children of God and followers of Christ.
- When we practice the virtue of generosity, we show that we are thankful for the gifts we receive from God.

For more about related teachings of the Church, see the *Catechism of the Catholic Church*, 687–741, and the United States *Catholic Catechism for Adults*, pages 102–108.

Sharing God's Word

Read Acts of the Apostles 2:1–11, 22 about the coming of the Holy Spirit on Pentecost. Or read the adaptation of the story on page 133. Emphasize that the Holy Spirit came to the disciples on Pentecost to help them do the work that Jesus gave them, namely, to tell the world about Jesus and make disciples of people. Share that the Holy Spirit is always with your family to teach and help you to do the same.

We Live as Disciples

The Christian home and family is a school of discipleship. Choose one of the following activities to do as a family or design a similar activity of your own.

- Pray to the Holy Spirit before meals or bedtime this week. Use the prayer on page 139. Talk about how your family can tell others about Jesus.
- Help your child grow in generosity. Before your child will receive gifts, such as birthday gifts, invite him or her to give something else away. After giving, remind your child that disciples are generous with others.

Our Spiritual Journey

Almsgiving is sharing our material and spiritual blessings because of our love for God and for people. Almsgiving is an expression of generosity which flows from one's gratitude to God. Praise and thank God, both in words and deeds, for his blessings.

For more ideas on ways your family can live as disciples of Jesus, visit **www.BeMyDisciples.com**

CAPÍTULO 8

La Iglesia

¿A qué comunidades perteneces?

La Iglesia es una comunidad. San Lucas nos cuenta:

> *Los seguidores de Jesús compartían todo unos con otros. Rezaban y compartían el pan. Alababan a Dios y aprendían más acerca de lo que Jesús enseñó. Otros veían cómo se amaban los unos a los otros. Todos los días, más personas se unían a la Iglesia.*
>
> Basado en Hechos de los Apóstoles 2:42–47

¿Qué puedes hacer con otros miembros de la Iglesia?

CHAPTER 8

The Church

To which communities do you belong?

The Church is a community. Saint Luke tells us,

The followers of Jesus shared everything with one another. They prayed and broke bread together. They praised God and learned more about what Jesus taught. Others saw how they loved one another. Every day more people joined the Church.

BASED ON ACTS OF THE APOSTLES 2:42–47

What can you do with other members of the Church?

Poder de los discípulos

Bondad

La bondad es un signo de que vivimos nuestro Bautismo. Cuando somos buenos con las personas, mostramos que sabemos que son hijos de Dios. Cuando somos buenos con las personas, honramos a Dios.

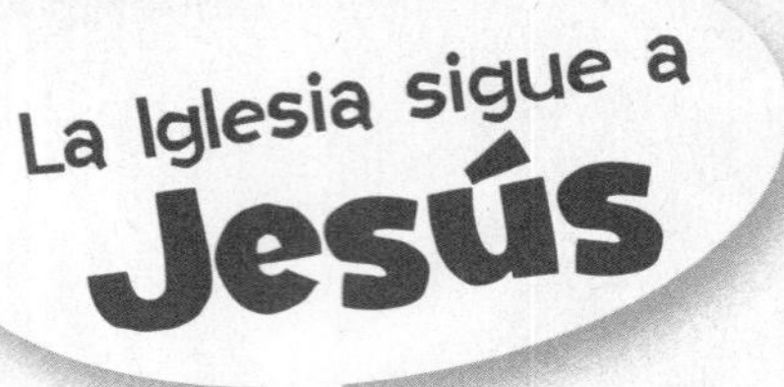

Padre Augustus Tolton

La familia de Augustus era muy pobre. Él y su familia habían escapado de la esclavitud. Vivieron cuando a los niños negros no se les permitía ir a la misma escuela que los demás niños. Augustus creció sabiendo que Dios quería que fuera sacerdote. Fue el primer sacerdote negro de Estados Unidos de Norteamérica.

Los sacerdotes hacen un trabajo especial en la Iglesia. Dirigen a los miembros de la Iglesia en la adoración. Les enseñan a vivir como Cristo enseñó. Los ayudan a entender la Palabra de Dios.

? ¿Cuál es el nombre de tu párroco? ¿Qué clase de obras realiza con las personas de tu parroquia?

The Church Follows **Jesus**

Father Augustus Tolton

Augustus's family was very poor. He and his family had escaped from slavery. They lived when Black children were not allowed to go to the same school as other children. Augustus grew up knowing God wanted him to become a priest. He became the first Black priest in the United States of America.

Priests do special work in the Church. They lead the members of the Church in worship. They teach them to live as Christ taught. They help them understand the Word of God.

? What is the name of your pastor? What kinds of work does he do with the people of your parish?

Disciple Power

Goodness

Goodness is a sign that we are living our Baptism. When we are good to people, we show that we know they are children of God. When we are good to people, we honor God.

Enfoque en la fe
¿Qué es la Iglesia?

Vocabulario de fe

Cuerpo de Cristo
La Iglesia es el Cuerpo de Cristo. Jesucristo es la Cabeza de la Iglesia. Todos los bautizados son miembros de la Iglesia.

Comunión de los Santos
La Iglesia es la Comunión de los Santos. La Iglesia es la unión de todos los fieles seguidores de Jesús en la Tierra y el Cielo.

Los nombres de la Iglesia

Dios envió a Jesús para todas las personas. Jesús dijo a los Apóstoles:

> *"Hagan que todos los pueblos sean mis discípulos. Bautícenlos y enséñenles todo lo que yo les enseñé."*
>
> Basado en Mateo 28:19–20

El Espíritu Santo invita a todas las personas de todas las razas y naciones a ser discípulos de Jesús. La Iglesia es el nuevo Pueblo de Dios.

Nos hacemos miembros de la Iglesia en el Bautismo. El pueblo de Dios de la Iglesia Católica comparte la misma fe y los mismos Sacramentos. Nos guían el Papa y los obispos. Ellos ocupan el lugar de los Apóstoles en la Iglesia de hoy.

Papa Francisco, Obispo de Roma

Actividad

Averigua el nombre de tu obispo o arzobispo. Escribe una oración por él. Dile que estás rezando por él.

____

____

____

____

Names for the Church

God sent Jesus to all people. Jesus told the Apostles,

> *"Make all people my disciples. Baptize them and teach them all I taught you."*
>
> Based on Matthew 28:19–20

The Holy Spirit invites all people from every race and nation to become disciples of Jesus. The Church is the new People of God.

We become members of the Church at Baptism. God's people in the Catholic Church share the same faith and Sacraments. We are led by the Pope and the bishops. They take the place of the Apostles in the Church today.

Faith Focus
What is the Church?

Faith Vocabulary

Body of Christ
The Church is the Body of Christ. Jesus Christ is the Head of the Church. All the baptized are members of the Church.

Communion of Saints
The Church is the Communion of Saints. The Church is the unity of all the faithful followers of Jesus on Earth and those in Heaven.

Pope Francis, Bishop of Rome

Activity

Find out the name of your bishop or archbishop. Write a prayer for him. Tell him you are praying for him.

____

____

____

____

Personas de fe

Los fieles

A los miembros de la Iglesia se los llama fieles. Algunos miembros de la Iglesia son obispos, sacerdotes y diáconos. Otros son hermanos y hermanas religiosos. Otros son hombres o mujeres casados o solteros.

El Cuerpo de Cristo

San Pablo describe a la Iglesia como el **Cuerpo de Cristo**. Él escribió:

Somos el Cuerpo de Cristo. Cada uno de nosotros somos sus partes.

BASADO EN 1.ª CORINTIOS 12:13

La imagen del Cuerpo de Cristo nos ayuda a comprender cómo es la Iglesia. La Iglesia es el Cuerpo único de Cristo. Jesús es la Cabeza. Los bautizados son el Cuerpo.

Todas las partes de tu cuerpo forman un solo cuerpo. Todas las partes de tu cuerpo tienen algo diferente e importante que hacer.

Todos tenemos algo diferente e importante que hacer. El Espíritu Santo nos da la gracia para vivir como seguidores de Jesús.

1

2

Actividad

Mira cada ilustración. Junto al número de cada ilustración, escribe de qué manera viven las personas como seguidores de Jesús.

1. ______________________________

____

2. ______________________________

____

The Body of Christ

Saint Paul describes the Church as the **Body of Christ**. He wrote,

We are Christ's Body. Each of us are its parts.

Based on 1 Corinthians 12:13

The image of the Body of Christ helps us to understand what the Church is like. The Church is the one Body of Christ. Jesus is the Head. The baptized are the Body.

All the parts of your body make up one body. Every part of your body has something different and important to do.

We all have something different and important to do. The Holy Spirit gives us the grace to live as followers of Jesus.

Faith-Filled People

The Faithful

The members of the Church are called the faithful. Some members of the Church are bishops, priests, and deacons. Others are religious brothers and sisters. Others are married or single men and women.

Activity

Look at each picture. Next to the number for each picture, write how the people are living as followers of Jesus.

1. ______________________________

____

2. ______________________________

____

1

2

Los católicos creen

Santos patronos

Los santos patronos rezan por nosotros y nos ayudan a vivir como seguidores de Jesús. Las iglesias, los estudiantes, otros grupos de personas, como los doctores y los maestros, tienen santos patronos. Hasta los países tienen santos patronos.

La Comunión de los Santos

La Iglesia es la **Comunión de los Santos**, todo el pueblo fiel de Dios. La Iglesia incluye a todos los fieles seguidores de Jesús que viven en la Tierra y el Cielo.

La Iglesia nombra "santas" a algunas personas que han muerto. Los santos viven en el Cielo. Están con María y los ángeles alabando a Dios con todo su corazón.

Madre de la Iglesia

María es la santa más importante. Ella es la Madre de Dios. Jesús nos dijo que María es nuestra madre. María es la Madre de la Iglesia.

La Iglesia honra a María y a los demás santos de muchas maneras. Esto significa que tenemos un amor especial por María y todos los santos que ahora viven con Dios en el Cielo.

La Iglesia nombra ciertos días en honor a ellos. Les rezamos a María y a los santos. Tenemos imágenes de María y los demás santos que nos ayudan a amar a Dios y a otras personas con todo nuestro corazón.

? ¿Quién es tu santo preferido? ¿Por qué?

The Communion of Saints

The Church is the **Communion of Saints**, all the faithful people of God. The Church includes all the faithful followers of Jesus who live on Earth and those in Heaven.

The Church names some people who have died "saints." The saints live in Heaven. They are with Mary and the angels praising God with their whole hearts.

Mother of the Church

Mary is the greatest saint. She is the Mother of God. Jesus told us that Mary is our mother. Mary is the Mother of the Church.

The Church honors Mary and the other saints in many ways. This means that we have a special love for Mary and all the saints who now live with God in Heaven.

The Church names certain days to honor them. We pray to Mary and the saints. We have images of Mary and the other saints to help us to love God and other people with our whole heart.

? Who is your favorite saint? Why?

Catholics Believe

Patron Saints

Patron saints pray for us and help us to live as followers of Jesus. Churches, students, other groups of people, such as doctors and teachers, have patron saints. Even countries have patron saints.

Yo sigo a Jesús

Tú eres un miembro del Cuerpo de Cristo, la Iglesia. Eres un hijo de Dios. Puedes ser bueno con los demás ayudándolos.

Actividad

Compartir tu fe

Piensa en cómo te ayuda el Espíritu Santo a vivir como miembro de la Iglesia. Escribe o dibuja algo que puedas hacer con los demás en la Iglesia.

Esta semana, demostraré bondad trabajando con mi Iglesia para ayudar a los demás. Yo voy a

____

____.

Reza: "Santos de Dios, rueguen por mí y por mi familia. Amén".

You are a member of the Body of Christ, the Church. You are a child of God. You can be good to others by helping them.

I Follow Jesus

Sharing your Faith

Activity

Think of how the Holy Spirit helps you live as a member of the Church. Write or draw something you can do with others in the Church.

My Faith Choice

This week I will show goodness by working together with my Church to help others. I will

____

____.

Pray, "Saints of God, pray for me and my family. Amen."

PARA RECORDAR

1. La Iglesia es el Pueblo de Dios que sigue a Jesucristo.
2. La Iglesia es el Cuerpo de Cristo.
3. La Iglesia es la Comunión de los Santos.

Repaso del capítulo

Colorea los recuadros para marcar las oraciones verdaderas.

☐ Jesús nos dio la Iglesia.

☐ El Espíritu Santo invita a todas las personas a ser discípulos de Jesús.

☐ Jesucristo es la Cabeza de la Iglesia.

☐ Augustus Tolton es el santo más importante de la Iglesia.

Letanía de los santos

Reza esta letanía con tu clase.

Líder Santa María, Madre de Dios,

Todos **ruega por nosotros.**

Líder San José,

Todos **ruega por nosotros.**

Líder Santa Isabel de Hungría,

Todos **ruega por nosotros.**

Líder San Lucas Evangelista,

Todos **ruega por nosotros.**

Líder Todos los santos y santas,

Todos **rueguen por nosotros.**

Chapter Review

Color the box to mark the sentences that are true.

Jesus gave us the Church.

The Holy Spirit invites all people to become disciples of Jesus.

Jesus Christ is the Head of the Church.

Augustus Tolton is the greatest saint of the Church.

TO HELP YOU REMEMBER

1. The Church is the People of God who follow Jesus Christ.
2. The Church is the Body of Christ.
3. The Church is the Communion of Saints.

Pray this litany with your class.

Leader Holy Mary, Mother of God,

All **pray for us.**

Leader Saint Joseph,

All **pray for us.**

Leader Saint Elizabeth of Hungary,

All **pray for us.**

Leader Saint Luke the Evangelist,

All **pray for us.**

Leader All holy men and women,

All **pray for us.**

Con mi familia

Esta semana...

En el capítulo 8, "La Iglesia", su niño aprendió que:

- La Iglesia es la comunidad de los fieles seguidores de Jesús.
- La Iglesia es el Pueblo de Dios, el Cuerpo de Cristo y la Comunión de los Santos. María es la santa más importante y la Madre de la Iglesia.
- Todos los bautizados tienen funciones importantes en la obra de la Iglesia.
- Como miembros de la Iglesia, somos uno en Cristo. Con el Espíritu Santo, podemos demostrarnos bondad los unos a los otros. Nos apoyamos, nos cuidamos y nos demostramos respeto como Jesús enseñó.

Para saber más sobre otras enseñanzas de la Iglesia, consulten el *Catecismo de la Iglesia Católica*, 751–776, 781–801, y 874–993, y el *Catecismo Católico de los Estados Unidos para los Adultos*, páginas 143–147.

Compartir la Palabra de Dios

Lean juntos Mateo 28:19–20, acerca de Jesús dándoles a los Apóstoles la misión de convertir en discípulos a todas las personas. O lean la adaptación del pasaje de la página 146. Esta misión se llama evangelización. Es la obra principal de la Iglesia. Enfaticen que hoy la Iglesia continúa la obra que Jesús encomendó a los primeros discípulos.

Vivimos como discípulos

El hogar cristiano con la familia es una escuela de discipulado. Elijan una o más de las siguientes actividades para hacer en familia, o creen una actividad similar ustedes mismos.

- Hablen acerca de las muchas maneras en que su familia ya participa en la obra de la Iglesia.
- **La bondad es** uno de los doce Frutos del Espíritu Santo. Cuando cooperamos con el Espíritu Santo, somos buenos con los demás. Como familia, involúcrense más en los ministerios de servicio de su parroquia para demostrar la bondad de Dios a los demás. Miren los dones especiales de su familia y luego decidan de qué maneras pueden ser buenos para los demás.

Nuestro viaje espiritual

Unidos a Cristo y a todos los miembros de la Iglesia en el Bautismo, nos fortalecemos y nos hacemos más fuertes con Cristo y con todos los santos en la celebración y la recepción de la Eucaristía. Participen frecuentemente de la Eucaristía. Su niño rezó una parte de la Letanía de los Santos. Lean y recen juntos la oración de la página 154. Agreguen el nombre sus santos preferidos.

Para hallar más ideas sobre las maneras en que su familia puede vivir como discípulos de Jesús, visiten **seanmisdiscipulos.com**

With My Family

This Week...

In chapter 8, "The Church," your child learned:

- The Church is the community of the faithful followers of Jesus.
- The Church is the People of God, the Body of Christ, and the Communion of Saints. Mary is the greatest saint and Mother of the Church.
- All of the baptized have important roles in the work of the Church.
- As members of the Church, we are one in Christ. With the Holy Spirit, we can show goodness to one another. We support and care for and show respect for one another as Jesus taught.

For more about related teachings of the Church, see the Catechism of the Catholic Church, 751–776, 781–801, and 874–993, and the United States Catholic Catechism for Adults, pages 143–147.

Sharing God's Word

Read together Matthew 28:19–20 about Jesus giving the Apostles the mission to make disciples of all people. Or read the adaptation of the passage on page 147. This mission is called evangelization. It is the primary work of the Church. Emphasize that the Church today continues the work Jesus gave to the first disciples.

We Live as Disciples

The Christian home and family is a school of discipleship. Choose one of the following activities to do as a family, or design a similar activity of your own:

- Talk about the many ways your family is already taking part in the work of the Church.
- **Goodness is** one of the twelve Fruits of the Holy Spirit. When we cooperate with the Holy Spirit, we are good to others. As a family, become more involved in your parish's outreach ministries to show the goodness of God to others. Look to your family's special gifts and then decide on ways you can be good to others.

Our Spiritual Journey

Joined to Christ and all the members of the Church at Baptism, we are strengthened and made stronger with Christ and with all the saints in the celebration and reception of the Eucharist. Take part in the Eucharist frequently. Your child prayed part of the Litany of the Saints. Read and pray together the prayer on page 155. Add the names of your favorite saints.

For more ideas on ways your family can live as disciples of Jesus, visit **www.BeMyDisciples.com**

Unidad 2: **Repaso**

Nombre ______________________

A. Elije la mejor palabra

Escribe en los espacios en blanco para completar las oraciones. Usa las palabras de la lista.

Pentecostés	Alianza	Pueblo de Dios
Bautismo	Crucifixión	

1. Dios hizo una ______________ solemne con su pueblo.

2. A la muerte de Jesús en la Cruz la llamamos

______________.

3. Dios envió al Espíritu Santo en el día de

______________.

4. Recibimos por primera vez al Espíritu Santo en el

Sacramento del ______________.

5. A la Iglesia también se la llama ______________.

B. Muestra lo que sabes

Une los elementos de la Columna A con los de la Columna B.

Columna A

1. Comunión de los Santos

2. Los fieles

3. Resurrección

4. Crucifixión

5. misericordia

Columna B

A. La virtud que nos ayuda a actuar con longanimidad hacia los demás de una forma u otra

B. Dios Padre hace volver a Jesús de entre los muertos a una nueva vida

C. La unión de todos los fieles seguidores de Jesús en la Tierra y de los que han muerto

D. El nombre que reciben los miembros de la Iglesia

E. El nombre que le damos a la muerte de Jesús en la Cruz

Unit 2 **Review** Name ____________________

A. Choose the Best Word

Fill in the blanks to complete each of the sentences. Use the words from the word bank.

Pentecost	Covenant	People of God
Baptism	Crucifixion	

1. God made a solemn ______________ with his people.
2. We call Jesus' dying on the Cross the ______________.
3. God sent the Holy Spirit on the day of ______________.
4. We first receive the Holy Spirit in the Sacrament of ______________.
5. The Church is also called the ______________.

B. Show What You Know

Match the items in Column A with those in Column B.

Column A

1. Communion of Saints
2. The Faithful
3. Resurrection
4. Crucifixion
5. mercy

Column B

A. The virtue that helps us to act with kindness toward others no matter what

B. God the Father raising Jesus from the dead to new life

C. The unity of all the faithful followers of Jesus on Earth and of those who have died

D. What members of the Church are called

E. What we call Jesus' dying on the Cross

C. La Escritura y tú

¿Cuál fue tu relato preferido acerca de Jesús en esta unidad? Dibuja algo que sucedió en el relato. Cuéntaselo a tu clase.

D. Sé un discípulo

1. *¿Acerca de qué santo o persona virtuosa disfrutaste aprender más en esta unidad? Escribe el nombre aquí. Cuenta a tu clase lo que esta persona hizo para seguir a Jesús.*

____

2. *¿Qué puedes hacer para ser un buen discípulo de Jesús?*

____

____

C. Connect with Scripture

What was your favorite story about Jesus in this unit? Draw something that happened in the story. Tell your class about it.

D. Be a Disciple

1. *What saint or holy person did you enjoy hearing about in this unit? Write the name here. Tell your class what this person did to follow Jesus.*

____

2. *What can you do to be a good disciple of Jesus?*

____

____

Costa Rica: Nuestra Señora de los Ángeles

Todos los años los costarricenses celebran la Fiesta de Nuestra Señora de los Ángeles el 2 de agosto.

Hace muchos años en Costa Rica, una joven mujer llamada Juana estaba recogiendo leña junto un camino. Allí, sobre una roca, encontró una estatua de María hecha en piedra. Era el 2 de agosto, Fiesta de María, Nuestra Señora de los Ángeles.

Juana se llevó la estatua a su casa y la guardó bajo llave. Pero de nuevo, dos veces, sucedió lo mismo: la estatua reaparecía sobre la roca. La tercera vez le llevó la estatua a un sacerdote y este la guardó bajo llave. Pero la estatua reapareció, ¡dos veces!

En ese lugar, la gente construyó una iglesia para honrar a María. Ahora, el 2 de agosto de cada año, llegan personas a visitar la estatua y la roca. Le rezan a Dios a través de María y se llevan agua que brota de la roca. Muchas personas dicen que las aguas los han curado.

? ¿Alguna vez has visitado un santuario o un lugar sagrado como este?
¿Qué otras maneras de honrar a María conoces?

Costa Rica: Our Lady of the Angels

Costa Ricans celebrate the Feast of Our Lady of the Angels each year on August 2.

Many years ago in Costa Rica, a young woman named Juana was gathering firewood along a path. There she found a stone statue of Mary resting on a rock. The day was August 2, the Feast of Mary, Our Lady of the Angels.

Juana took the statue home and locked it away. But twice again, the same thing happened and the statue reappeared on the rock. The third time she took the statue to a priest and he locked it away. But the statue reappeared—twice!

The people built a church on this spot to honor Mary. Now, every year on August 2, people come to visit the statue and the rock. They pray to God through Mary and take water that flows from the rock. Many people say that the waters have healed them.

? Have you every visited a shrine or holy place like this?
What other ways to honor Mary do you know?

UNIDAD **3** Celebramos

Parte Uno

Zaqueo y Jesús

Un hombre llamado Zaqueo vivía en la ciudad de Jericó. Él recaudaba dinero de las personas de la ciudad para dársela a los gobernantes.

Un día Jesús llegó a Jericó. Como era de estatura baja, Zaqueo no podía verlo, así que rápidamente se trepó a un árbol. Justo en ese momento, Jesús pasaba por ahí. Jesús le dijo: "¡Zaqueo baja! Quiero quedarme en tu casa."

Zaqueo bajó de un salto y recibió a Jesús. Jesús le enseñó a tratar a las personas de manera justa. Zaqueo dijo: "Daré la mitad de todo lo que poseo a los pobres."

Jesús sonrió y dijo: "Ya eres parte de la familia de Dios."

Basado en Lucas 19:1-10

We Worship UNIT 3

Part One

Zacchaeus and Jesus

A tiny man named Zacchaeus lived in the town of Jericho. He collected money from the town's people to give to the rulers.

One day Jesus came to Jericho. Tiny Zacchaeus could not see him, so he quickly climbed a tree. Just then, Jesus walked by. "Zacchaeus," Jesus shouted, "come down! I want to stay with you."

Zacchaeus hopped down and welcomed Jesus. Jesus taught him to treat people fairly. Zacchaeus said, "I will give half of all I own to the poor."

Jesus smiled and said, "You are part of God's family."

BASED ON LUKE 19:1-10

Lo que he aprendido

¿Qué es lo que ya sabes acerca de estas palabras de fe?

Pecado

____

____

Reconciliación

____

____

Palabras de fe para aprender

Escribe **X** junto a las palabras de fe que sabes.
Escribe **?** junto a las palabras de fe que necesitas aprender mejor.

Palabras de fe

____ adorar ____ gracia ____ Confirmación

____ Sacramentos ____ Bautismo

Tengo una pregunta

¿Qué pregunta te gustaría hacer acerca del perdón?

____

What I Have Learned

What is something you already know about these faith concepts?

Sin

___

___

Reconciliation

___

___

Faith Words to Know

Put an **X** next to the faith words you know. Put a **?** next to the faith words you need to learn more about.

Faith Words

___ worship ___ grace ___ Confirmation

___ Sacraments ___ Baptism

Questions I Have

What questions would you like to ask about forgiveness?

___

Celebramos el amor de Dios

¿Cuál es tu celebración preferida?

La Sagrada Familia celebraba junta el amor de Dios. Escucha una de las oraciones que rezaba.

Aclamemos gozosos a Dios.
Démosle honor, alabanza y gracias.
Celebremos el amor de Dios con alegría.
Lleguemos a él con cánticos de gozo.

Basado en el Salmo 100:1–2

¿Qué dices o qué haces cuando celebras el amor de Dios con tu familia parroquial?

We Celebrate God's Love

What is your favorite celebration?

The Holy Family celebrated God's love together. Listen to one of the prayers they prayed.

Shout with joy to God.
Give honor, praise, and thanks to God.
Celebrate God's love with gladness.
Sing God a song of joy. BASED ON PSALM 100:1–2

What are some things you say or do when you celebrate God's love with your parish family?

Poder de los discípulos

Piedad

La piedad es un don del Espíritu Santo. La piedad es el amor que sentimos por Dios. Ese amor nos hace querer adorar a Dios y darle gracias y alabanza.

La Iglesia sigue a **Jesús**

Beato Juan XXIII

El Papa Juan XXIII quería que todos los católicos celebraran el amor de Dios en la Misa. Él quería que todos se amaran y participaran en la Misa.

Hace muchos años, el Papa Juan XXIII llamó para una reunión a todos los obispos del mundo. Trabajaron juntos para cambiar algunas de las maneras en que celebramos la Misa.

Los obispos trabajaron juntos para asegurarse de que todo el mundo pudiera entender las palabras. Querían que todos pudieran adorar a Dios en la Misa en su propio idioma.

Hoy seguimos celebrando la Misa con un renovado amor por Dios. Las palabras que decimos y las acciones que hacemos nos ayudan a adorar a Dios con agradecimiento y alabanza.

? ¿Qué palabras y qué acciones de la Misa te gustan?

The Church Follows **Jesus**

Blessed John XXIII

Pope John XXIII wanted all Catholics to celebrate God's love in the Mass. He wanted everyone to love and take part in the Mass.

Many years ago Pope John XXIII called a meeting of all the bishops in the world. They worked together to make changes to some of the ways we celebrate the Mass.

The bishops worked together to make sure everyone could understand the words. They wanted to make sure that everyone could worship God at Mass in their own language.

Today we continue to celebrate Mass with renewed love for God. The words and actions we say and do at Mass help us worship God with thanks and praise.

? Which words and actions at Mass do you enjoy?

Disciple Power

Piety

Piety is a gift of the Holy Spirit. Piety is the love we have for God. That love makes us want to worship and give God thanks and praise.

Enfoque en la fe
¿Cómo adora la Iglesia a Dios?

Vocabulario de fe

adorar
Adorar significa honrar y amar a Dios por sobre todas las cosas.

Sacramentos
Los Sacramentos son los siete signos del amor de Dios por nosotros, que Jesús dio a la Iglesia. Compartimos el amor de Dios cuando celebramos los Sacramentos.

Adoramos a Dios

Jesús usaba palabras y acciones para mostrar el amor de Dios por nosotros. Una vez, Jairo fue a ver a Jesús. Jairo era un líder religioso que tenía una gran fe en Dios.

Jairo le pidió a Jesús que ayudara a su hija, que estaba muy enferma. Lee lo que pasó a continuación.

Jesús y sus discípulos siguieron a Jairo hasta su casa. Jesús entró en la casa y fue hasta donde estaba la hija de Jairo. Jesús la tomó de la mano y le dijo: "Niña, te lo digo, ¡levántate!". La niña se levantó de inmediato y empezó a caminar. BASADO EN MARCOS 5:22–24, 38, 41–42

Después de esto, más personas empezaron a creer en Jesús. Sus palabras y sus acciones las ayudaban a creer que Él es el Hijo de Dios.

Actividad

Con tus compañeros, crea una escena que muestre las palabras y las acciones de Jesús descritas en este relato del Evangelio. En tu escena, muestra cómo ayudó Jesús a que los demás creyeran que Él es el Hijo de Dios.

We Worship God

Jesus used words and actions to show God's love for us. One time Jairus came to Jesus. Jairus was a religious leader who had great faith in God.

Jairus asked Jesus to help his daughter who was very sick. Read what happened next.

Jesus and his disciples followed Jairus to his house. Jesus entered the house and went over to the daughter of Jairus. Jesus took her by the hand and said, "Little girl, I say to you, arise!" The girl got up immediately and walked around. BASED ON MARK 5:22–24, 38, 41–42

After this more people came to believe in Jesus. His words and actions helped them believe that he is the Son of God.

Faith Focus
How does the Church worship God?

Faith Vocabulary

worship
Worship means to honor and love God above all else.

Sacraments
The Sacraments are the seven signs of God's love for us that Jesus gave the Church. We share in God's love when we celebrate the Sacraments.

Activity

With your classmates, create a skit that shows the words and actions of Jesus in this Gospel story. In your skit, show how Jesus helped others believe that he is the Son of God.

Personas de fe

San Marcos

San Marcos es uno de los cuatro evangelistas. Él escribió uno de los cuatro Evangelios del Nuevo Testamento. En el Evangelio según Marcos, leemos acerca de las palabras y las acciones de Jesús. La Iglesia celebra el día de San Marcos Evangelista el 25 de abril.

Alabamos a Dios

Dios nos ama mucho. Una manera de mostrar nuestro amor por Dios es **adorarlo**. Adorar a Dios significa honrarlo y amarlo por sobre todas las cosas.

La Iglesia usa palabras y acciones en la Misa para adorar a Dios. Le decimos a Dios que creemos en Él, que tenemos esperanza en Él y que lo amamos.

Todas las palabras y las acciones que usamos en la Misa muestran que Dios está compartiendo su amor con nosotros. Las usamos para celebrar los **Sacramentos**. Los Sacramentos nos ayudan a dar gracias y alabanzas a Dios por todo lo que ha hecho por nosotros.

Cuando Adoramos a Dios, escuchamos a Dios. Le damos a Dios adoración y alabanza. Rezamos en voz alta y cantamos. Nos ponemos de pie, nos sentamos y caminamos en procesión.

Actividad

¿En cuál de estas fotografías reconoces celebraciones de la Iglesia? ¿Qué está pasando en cada fotografía? Cuéntale a un compañero.

1

2

3

We Praise God

God loves us very much. One way we show our love for God is to **worship** him. To worship God means to honor and love God above all else.

The Church uses words and actions in the Mass to worship God. They tell God we believe in him, hope in him, and love him.

All the words and actions we use in the Mass show that God is sharing his love with us. We use them to celebrate the **Sacraments**. The Sacraments help us to give thanks and praise to God for all he has done for us.

When we worship God, we listen to God. We give adoration to God and praise him. We pray aloud and we sing. We stand and sit and walk in procession.

Faith-Filled People

Saint Mark

Saint Mark is one of the four evangelists. He wrote one of the four Gospels in the New Testament. In Mark's Gospel, we read about the words and actions of Jesus. The Church celebrates the feast day of Saint Mark the Evangelist on April 25.

Activity

Which of these pictures do you recognize as celebrations of the Church? What is happening in each picture? Tell a partner.

1

2

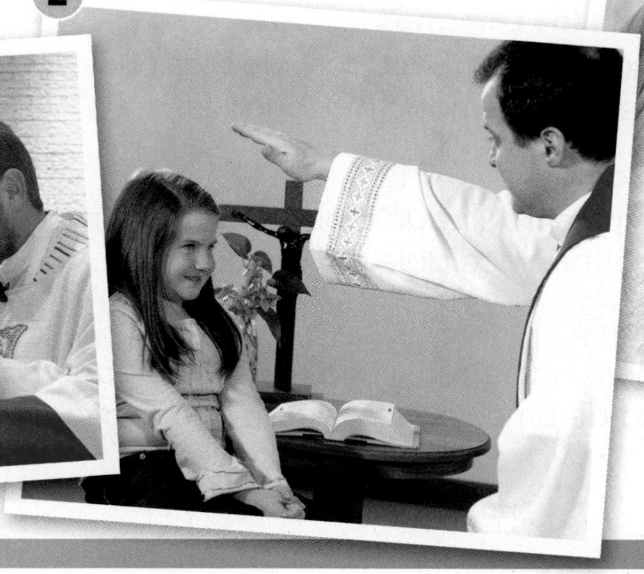

3

Los católicos creen

Sacramentales

La Iglesia usa objetos, bendiciones, palabras y acciones para ayudarnos a adorar a Dios. Estas cosas se llaman sacramentales. Uno de estos objetos es el agua bendita.

Los Siete Sacramentos

Jesús le dio a la Iglesia una manera especial de adorar. Le dio a la Iglesia los Siete Sacramentos.

Los Siete Sacramentos son signos del amor de Dios por nosotros. Jesús está presente con nosotros cuando celebramos los Sacramentos. El Espíritu Santo nos ayuda a celebrar los Sacramentos. Cuando celebramos los Sacramentos, compartimos el amor de Dios.

Actividad

Coloca un ✔ en la casilla que está al lado de los Sacramentos que hayas recibido o que hayas visto que otros recibieron. Comenta los que recuerdes.

☐ **Bautismo**
Nos unimos a Jesús y nos hacemos parte de su Iglesia.

☐ **Confirmación**
El Espíritu Santo nos ayuda a vivir como hijos de Dios.

☐ **Eucaristía**
Recibimos el Cuerpo y la Sangre de Jesús.

☐ **Penitencia y Reconciliación**
Recibimos el don del perdón y la misericordia de Dios.

☐ **Unción de los Enfermos**
Recibimos la fuerza sanadora de Dios cuando estamos gravemente enfermos o moribundos.

☐ **Orden Sagrado**
A un hombre bautizado Dios lo llama a servir a la Iglesia como obispo, sacerdote o diácono.

☐ **Matrimonio**
Un hombre bautizado y una mujer bautizada hacen una promesa de amarse y respetarse uno al otro para toda la vida.

The Seven Sacraments

Jesus gave the Church a special way to worship. He gave the Church the Seven Sacraments.

The Seven Sacraments are signs of God's love for us. Jesus is present with us when we celebrate the Sacraments. The Holy Spirit helps us to celebrate the Sacraments. When we celebrate the Sacraments, we share in God's love.

Catholics Believe

Sacramentals

The Church uses objects, blessings, words, and actions to help us worship God. These are called sacramentals. Holy water is one of these objects.

Activity

Place a ✔ in the box next to the Sacraments you have received or have seen others receive. Tell about which ones you remember.

☐ **Baptism**
We are joined to Jesus and become a part of his Church.

☐ **Confirmation**
The Holy Spirit helps us to live as children of God.

☐ **The Eucharist**
We receive the Body and Blood of Jesus.

☐ **Penance and Reconciliation**
We receive God's gift of forgiveness and mercy.

☐ **Anointing of the Sick**
We receive God's healing strength when we are seriously sick or dying.

☐ **Holy Orders**
A baptized man is called by God to serve the Church as a bishop, priest, or deacon.

☐ **Matrimony**
A baptized man and a baptized woman make a lifelong promise to love and respect each other.

Yo sigo a Jesús

Las palabras y las acciones de los Sacramentos son signos del amor de Dios. Tus palabras y tus acciones pueden ayudar a las personas a creer y a confiar en el amor de Dios. El don de la piedad que te da el Espíritu Santo te ayuda a ser un signo del amor de Dios.

Actividad

Rezar con acciones

Puedes usar muchas acciones cuando rezas. Termina cada verso de la oración. Reza tu oración con las acciones.

Con las manos extendidas,
te pido, Señor, por

______________________________.

Con las manos juntas,
te alabo, Señor, por

______________________________.

Con la cabeza inclinada,
te doy gracias, Señor, por

______________________________.

Con las manos levantadas,
muestro mi amor por ti, ¡oh, Dios! Amén.

Mi elección de fe

Esta semana rezaré usando palabras y también acciones.

Diré mi oración

- ☐ por la mañana.
- ☐ después de la escuela.
- ☐ en la cena.
- ☐ al acostarme.

Reza: "Oh, Espíritu Santo, que todas mis palabras y mis acciones den alabanza y gloria a Dios. Amén".

The words and actions of the Sacraments are signs of God's love. Your words and actions can help people believe and trust in God's love. The Holy Spirit's gift of piety helps you to be a sign of God's love.

I Follow Jesus

Activity

Praying with Actions

You can use many different actions when you pray. Finish each line of the prayer. Pray your prayer with the actions.

With hands outstretched
I ask you, God, for

____________________________.

With folded hands
I praise you, God, for

____________________________.

With head bowed
I thank you, God, for

____________________________.

With hands raised high,
I show my love for you, O God! Amen.

My Faith Choice

This week I will pray using both words and actions.

I will say my prayer

 in the morning. 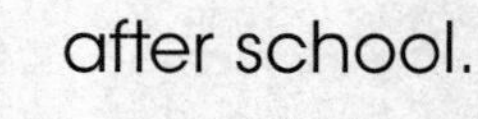 after school.

 at dinnertime. ☐ at bedtime.

Pray, "O Holy Spirit, let all my words and actions give praise and glory to God. Amen."

PARA RECORDAR

1. Adoramos a Dios con palabras y con acciones.
2. Adoramos a Dios cuando celebramos los Sacramentos.
3. El Espíritu Santo nos ayuda a celebrar los Sacramentos y a adorar a Dios.

Repaso del capítulo

Completa las oraciones con las siguientes palabras.

Sacramentos	**acciones**	**amor**

1. Las palabras y las acciones de Jesús ayudaban a las personas a conocer el ________ de Dios.
2. Cuando celebramos los ________________, participamos en el amor de Dios.
3. La Iglesia usa palabras y ________________ para adorar a Dios.

Gracias, Señor

Los gestos nos ayudan a rezar. Un gesto que podemos usar es arrodillarnos. Muestra que honramos a Dios.

Líder Arrodillémonos delante del crucifijo y recemos juntos como familia de Dios.

Todos **Te amamos, Señor.**

Líder Dios, somos tus hijos.

Todos **Gracias, Dios, por tus bendiciones. Amén.**

Chapter Review

Complete the sentences, using the words below.

Sacraments	**actions**	**love**

1. The words and actions of Jesus helped people to know God's ______________.

2. We share in God's love when we celebrate the ______________.

3. The Church uses words and ______________ to worship God.

TO HELP YOU REMEMBER

1. We worship God by using words and actions.
2. We worship God when we celebrate the Sacraments.
3. The Holy Spirit helps us to celebrate the Sacraments and worship God.

Thank You, God

Gestures help us pray. Kneeling is one gesture we can use. It shows that we honor God.

Leader Let us kneel before the crucifix and pray together as God's family.

All **We love you, God.**

Leader We are your children, God.

All **Thank you, God, for your blessings. Amen.**

Con mi familia

This Week...

En el capítulo 9, "Celebramos el amor de Dios", su niño aprendió que:

- La Iglesia se reúne para adorar a Dios.
- Las palabras y las acciones de Jesús ayudaban a que las personas creyeran en Dios y en su amor por nosotros.
- A través de la celebración de los Sacramentos, adoramos a Dios y nos hacemos partícipes en la vida y el amor de Dios.
- La Iglesia usa palabras y acciones especiales para celebrar los Sacramentos.
- La virtud de la piedad, un don especial del Espíritu Santo, fortalece nuestro deseo de adorar a Dios.

Para saber más sobre otras enseñanzas de la Iglesia, consulten el *Catecismo de la Iglesia Católica,* 1066–1186, y el *Catecismo Católico de los Estados Unidos para los Adultos,* páginas 168–169 y 295–298

Compartir la Palabra de Dios

Lean juntos Marcos 5:41–42, Jesús cura a la hija de Jairo. O lean la adaptación del relato en la página 172. Enfaticen que Jesús curaba a las personas para mostrarles el amor de Dios. Mencionen y comenten algunas de las palabras y las acciones de su familia que son signos del amor de Dios.

Vivimos como discípulos

El hogar cristiano con la familia es una escuela de discipulado. Elijan una o más de las siguientes actividades para hacer en familia, o creen una actividad similar ustedes mismos.

- Hablen de los Sacramentos que cada miembro de la familia ha recibido. ¿Qué palabras y qué acciones recuerdan de la celebración de cada sacramento? Comenten el significado de esas palabras y de esas acciones.
- El lenguaje corporal y los gestos nos ayudan a rezar. Esta semana tómense de las manos cuando recen en familia. Recuerden que todos ustedes pertenecen a la familia de Dios igual que a su familia.

Nuestro viaje espiritual

Nuestro viaje espiritual está señalado con carteles indicadores. La participación en los Sacramentos es decisiva y esencial para la vida cristiana, en particular, la participación en la Misa y la recepción frecuente de la Sagrada Comunión. Ayuden a sus niños a aprender a rezar en silencio después de la Sagrada Comunión para agradecerle con sus propias palabras a Dios por sus bendiciones.

Para hallar más ideas sobre las maneras en que su familia puede vivir como discípulos de Jesús, visiten **seanmisdiscipulos.com**

With My Family

This Week...

In chapter 9, "We Celebrate God's Love," your child learned:

- The Church comes together to worship God.
- The words and actions of Jesus helped people come to believe in God and in his love for us.
- Through the celebration of the Sacraments, we worship God, and we are made sharers in the life and love of God.
- The Church uses special words and actions to celebrate the Sacraments.
- The virtue of piety, a special gift of the Holy Spirit, strengthens our desire to worship God.

For more about related teachings of the Church, see *Catechism of the Catholic Church,* 1066–1186, and the *United States Catholic Catechism for Adults,* pages 168–169 and 295–298.

Sharing God's Word

Read together Mark 5:41–42, Jesus healing the daughter of Jairus. Or read the adaptation of the story on page 173. Emphasize that Jesus healed people to show them God's love. Name and talk about some of the words and actions of your family that are signs of God's love.

We Live as Disciples

The Christian home and family is a school of discipleship. Choose one of the following activities to do as a family or design a similar activity of your own.

- Talk about which Sacraments each family member has received. Which words and actions do you remember from the celebration of each sacrament? Discuss the meanings of those words and actions.
- Body language and gestures help us pray. This week hold hands when you pray as a family. Remember that you all belong to God's family as well as to your family.

Our Spiritual Journey

Our spiritual journey is marked by signposts. Participation in the Sacraments is vital and essential to the Christian life, in particular, participation in Mass and frequent reception of Holy Communion. Help your children learn to pray silently after Holy Communion thanking God for his blessings in their own words.

For more ideas on ways your family can live as disciples of Jesus, visit **www.BeMyDisciples.com**

CAPÍTULO 10

Nuestra Iglesia nos recibe

? ¿Quiénes son tus amigos? ¿Cómo se hicieron amigos?

San Pablo les escribió muchas cartas a los seguidores de Jesús. Escucha lo que escribió en esta carta.

Ustedes han sido bautizados en Cristo.
No importa de dónde vienen.
No hay diferencia entre niño o niña, o entre hombre y mujer.
Por el Bautismo, son todos amigos de Jesús.

Basado en Gálatas 3:26–28

? ¿Cómo le muestras a los demás que eres amigo de Jesús?

CHAPTER 10

Our Church Welcomes Us

Who are your friends? How did you become friends?

Saint Paul wrote many letters to Jesus' followers. Listen to what he wrote in this letter.

You have been baptized in Christ.
It does not matter where you come from.
It does not matter whether you are a boy or a girl, or a man or a woman. By Baptism, you are all friends of Jesus.

BASED ON GALATIANS 3:26–28

How do you show others that you are a friend of Jesus?

Poder de los discípulos

Fe

La virtud de la fe es un don de Dios. Nos da el poder de conocer a Dios y de creer en Él.

La Iglesia sigue a

Jesús

Santa Kateri

Kateri Tekakwitha era hija de un jefe guerrero de la tribu indígena americana mohawk. Cuando Kateri tenía solamente cuatro años, sus padres murieron de una enfermedad terrible. La misma enfermedad dejó a Kateri casi ciega y con marcas y cicatrices en la cara.

Un día, un sacerdote visitó su aldea. A todos les decía que podían hacerse seguidores de Jesús. Kateri aprendía cada vez más acerca de Jesús. Entonces dijo que quería bautizarse. Se hizo seguidora de Jesús, miembro de la Iglesia.

Kateri le rezaba a Dios todos los días. Ayudaba a los necesitados. Aun cuando los demás la trataban mal, ella estaba agradecida por su fe.

Kateri ayudó a que otros indígenas americanos formaran parte de la Iglesia Católica. Los ayudaba a ser seguidores de Jesús.

? ¿Cómo demostraba Kateri su fe en Dios?

The Church Follows **Jesus**

Saint Kateri

Kateri Tekakwitha was the daughter of a Native American Mohawk warrior chief. When Kateri was only four years old, her parents died from a terrible sickness. The same sickness left Kateri almost blind and with marks and scars on her face.

One day, a priest visited her village. He told everyone that they could become followers of Jesus. Kateri learned more and more about Jesus. Then she said she wanted to be baptized. She became a follower of Jesus, a member of the Church.

Kateri prayed to God every day. She helped people in need. Even when others treated her badly, she was thankful for her faith.

Kateri helped other Native Americans become part of the Catholic Church. She showed them how to be followers of Jesus.

? How did Kateri show her faith in God?

Disciple Power

Faith

The virtue of faith is a gift from God. It gives us the power to come to know God and believe in him.

Enfoque en la fe
¿Qué ocurre en el Bautismo?

Vocabulario de fe

Bautismo
El Bautismo es el Sacramento que nos une a Cristo y nos hace miembros de la Iglesia. Recibimos el don del Espíritu Santo y nos volvemos hijas e hijos adoptivos de Dios.

gracia
La gracia es el don de Dios de compartir su vida con nosotros y de ayudarnos a vivir como sus hijos.

Sacramento del Bautismo

En el capítulo anterior, aprendiste acerca de los Sacramentos. El primer sacramento que celebramos es el **Bautismo**. Muchas veces, la Iglesia celebra el Bautismo durante la Misa.

Esto es lo que nos sucede en el Bautismo. Nos unimos a Cristo. Celebramos que somos seguidores de Jesús. Nos reciben en la Iglesia.

Nos dan el don del Espíritu Santo. Nos dan un don especial llamado **gracia** santificante. Dios comparte su vida con nosotros. Somos llamados a vivir una vida santa.

Nos hacemos hijas e hijos adoptivos de Dios. Debemos amar a Dios y a nuestro prójimo como nos enseñó Jesús.

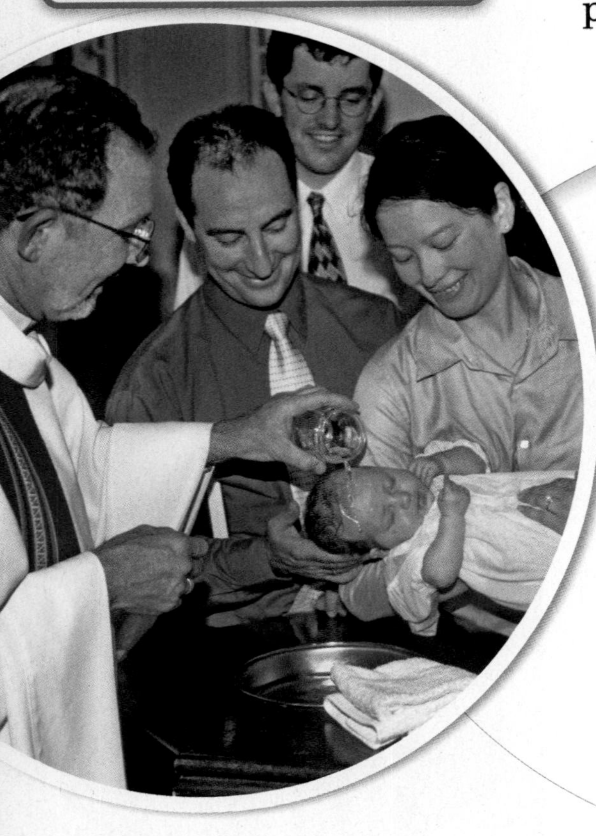

Actividad

Termina esta oración. Rézala en silencio, en tu corazón.

Querido Dios, Padre nuestro,

Cuando me bautizaron, recibí al

____________ ____________. Me hice

miembro de la ________________.

Ayúdame siempre a seguir

a tu Hijo, ________________. Amén.

Sacrament of Baptism

You learned about the Sacraments in the last chapter. **Baptism** is the first sacrament we celebrate. The Church often celebrates Baptism during Mass.

This is what happens to us at our Baptism. We are joined to Christ. We celebrate that we are followers of Jesus. We are welcomed into the Church.

We are given the gift of the Holy Spirit. We are given a special gift called sanctifying **grace**. God shares his life with us. We are called to live a holy life.

We become adopted sons and daughters of God. We are to love God and our neighbor as Jesus taught.

Faith Focus

What happens at Baptism?

Faith Vocabulary

Baptism
Baptism is the Sacrament that joins us to Christ and makes us members of the Church. We receive the gift of the Holy Spirit and become adopted sons and daughters of God.

grace
Grace is the gift of God sharing his life with us and helping us live as his children.

Activity

Finish this prayer. Pray it quietly in your heart.

Dear God our Father,

When I was baptized, I received the

__________ __________. I became

a member of the __________.

Help me always to follow your

Son, __________. Amen.

Personas de fe

San Pablo Apóstol

De joven Pablo odiaba a los cristianos. Un día, se le apareció Cristo Resucitado y le cambió la vida. Pablo se bautizó y se hizo amigo de Jesús. Pablo viajó por todas partes para hablarles a todos acerca de Jesús. Él recibió a mucha gente en la Iglesia.

Bienvenido a la Iglesia

La Biblia nos cuenta acerca del Bautismo de un hombre llamado Cornelio y su familia.

Cornelio era soldado del ejército romano. Un día le pidió a Pedro Apóstol que le hablara de Jesús.

Pedro le contó todo acerca de cómo Jesús mostraba su amor por Dios y por nosotros. Le contó cómo había muerto en la cruz por todas las personas. Luego le dijo que, al tercer día, había resucitado de entre los muertos.

Pedro invitó a Cornelio y a su familia a creer en Jesús. Pedro dijo: "Todos los que tengan fe en Jesús recibirán el perdón de los pecados". Cornelio y su familia sintieron que el Espíritu Santo los llenaba. Ellos creyeron y tuvieron fe. Entonces Pedro los bautizó.

BASADO EN HECHOS DE LOS APÓSTOLES 10:30–48

? ¿Quién te habla de Jesús?

Welcome to the Church

The Bible tells us about the Baptism of a man named Cornelius and his family.

Cornelius was a soldier in the Roman army. One day he asked Peter the Apostle to tell him about Jesus.

Peter told him all about how Jesus showed his love for God and for us. He told Cornelius about how Jesus died on the cross for all people. Then he told him that Jesus rose from the dead on the third day.

Peter invited Cornelius and his family to believe in Jesus. He said, "All who have faith in Jesus will receive forgiveness of sins." Cornelius and his family felt the Holy Spirit fill them. They believed and had faith. Peter then baptized them all.

BASED ON ACTS OF THE APOSTLES 10:30–48

? Who tells you about Jesus?

Faith-Filled People

Saint Paul the Apostle

As a young man, Paul hated Christians. One day, the Risen Christ appeared to him and changed his life. Paul was baptized and became a friend of Jesus. Paul traveled everywhere to tell everyone about Jesus. He welcomed many people into the Church.

Los católicos creen

Cirio bautismal

En el Bautismo, recibimos una vela encendida. El cirio bautismal se enciende con el cirio Pascual. Nos dan el cirio bautismal encendido como recordatorio de que debemos vivir nuestra fe todos los días.

Participar de la vida de Dios

Celebramos el Bautismo con palabras y con acciones. Nos sumergen en agua o derraman agua sobre nuestra cabeza tres veces. El sacerdote o el diácono dice: "Yo te bautizo en el nombre del Padre, y del Hijo, y del Espíritu Santo".

A continuación, el sacerdote o el diácono nos unge, o bendice, en la coronilla con un óleo especial. Luego nos visten con una vestidura blanca y recibimos una vela encendida.

Las palabras y las acciones del Bautismo muestran que participamos de la vida de Dios. Nos recuerdan que somos seguidores de Jesús. Debemos vivir como seguidores de Jesús, la Luz del mundo. Nosotros debemos ser luces en el mundo como Jesús.

Actividad

En cada recuadro, haz un dibujo que te ayude a recordar lo que ocurre con cada objeto cuando celebramos el Bautismo.

Agua

Óleo

Vestidura blanca

Vela encendida

Share in God's Life

We celebrate Baptism with words and actions. We are dipped into the water or water is poured over our head three times. The priest or deacon prays, "I baptize you in the name of the Father, and of the Son, and of the Holy Spirit."

Next, the priest or deacon anoints, or blesses, the top of our head with special oil. We are then dressed in a white garment, and receive a lighted candle.

The words and actions of Baptism show that we share in God's life. They remind us that we are followers of Jesus. We are to live as followers of Jesus, the Light of the world. We are to be lights in the world as Jesus is.

Catholics Believe

Baptismal Candle

At Baptism, we receive a lighted candle. The baptismal candle is lighted from the Easter candle. We are given the lighted baptismal candle to remind us that we are to live our faith every day.

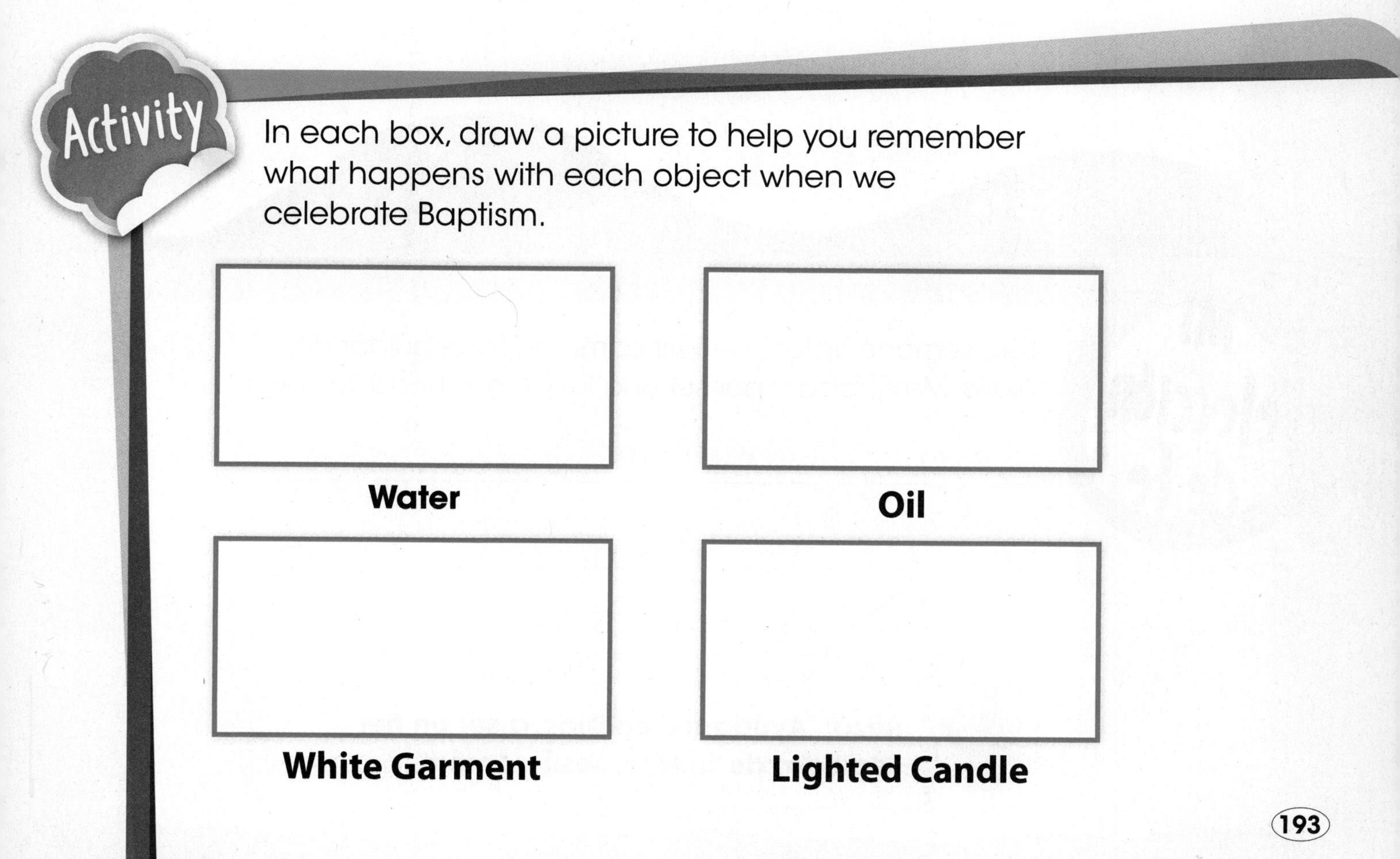

Yo sigo a Jesús

Cada vez que vives tu fe en Jesús, muestras tu amor por Dios. El Espíritu Santo te ayuda a vivir como un fiel seguidor de Jesús. Te ayuda a ser una luz en el mundo.

Los caminos de los fieles

Actividad

Piensa en cómo te ayuda el Espíritu Santo a vivir de acuerdo con tu Bautismo y tu fe. Escribe en el camino tres cosas que puedes hacer para vivir tu fe.

Esta semana trataré de vivir como un fiel seguidor de Jesús. Me esforzaré por ser una luz en el mundo. Yo voy a

____

____

____.

Reza: "Ayúdame, oh Dios, a ser un fiel seguidor de tu Hijo, Jesús. Amén".

Every time you live your faith in Jesus, you show your love for God. The Holy Spirit helps you to live as a faithful follower of Jesus. He helps you to be a light in the world.

I Follow Jesus

Activity

Faithful Ways

Think of how the Holy Spirit helps you live out your Baptism and your faith. On the pathway, write three things you can do to live your faith.

My Faith Choice

This week I will try to live as a faithful follower of Jesus. I will try my best to be a light in the world. I will

____

____

______________________________.

Pray, "Help me, O God, to be a faithful follower of your Son Jesus. Amen."

PARA RECORDAR

1. El Bautismo es el primer Sacramento que recibimos.
2. El Sacramento del Bautismo nos une a Cristo y nos hace miembros de la Iglesia.
3. Las palabras y las acciones del Bautismo muestran que participamos de la vida de Dios.

Repaso del capítulo

Busca las palabras relacionadas a los Sacramentos en la sopa de letras y enciérralas en un círculo. Haz oraciones con las palabras que encerraste.

Bautismo	**vela**	**vestidura blanca**
óleo	**agua**	**Espíritu Santo**

H G E S P Í R I T U S A N T O L

W J A G U A M D C V E L A E T N

P V E S T I D U R A B L A N C A

C B A U T I S M O P S A Ó L E O

Gloria a Dios

Una oración de adoración glorifica a Dios.

Líder Glorifiquemos a Dios, Padre nuestro.

Gloria a Dios, ahora y siempre.

Líder Vamos a bendecirnos.
(Todos pasan al frente y se bendicen.)

Gloria a Dios, ahora y siempre. Amén.

Chapter Review

Find and circle the Sacrament words in the puzzle. Use the words that you circled in sentences.

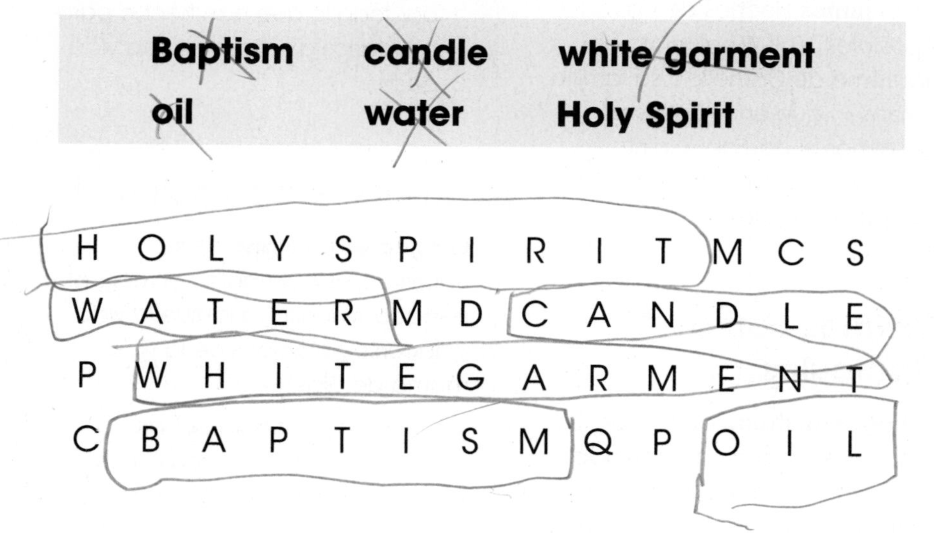

TO HELP YOU REMEMBER

1. Baptism is the first Sacrament we receive.
2. The Sacrament of Baptism joins us to Christ and makes us members of the Church.
3. The words and actions of Baptism show that we share in God's life.

Glory to God

A prayer of adoration gives glory to God.

Leader Let us give glory to God our Father.

All **Glory to God, now and forever.**

Leader Let us bless ourselves. *(All come forward and bless themselves.)*

All **Glory to God, now and forever. Amen.**

Con mi familia

Esta semana...

En el capítulo 10, "Nuestra Iglesia nos recibe", su niño aprendió que:

- El Bautismo es el primer Sacramento que recibimos.
- El Bautismo nos une a Cristo y nos hace miembros de la Iglesia. Recibimos el don del Espíritu Santo. Recibimos el don de la gracia santificante. Nos hacemos hijas e hijos adoptivos de Dios.
- La Iglesia usa agua y óleo en la celebración del Bautismo.
- La virtud de la fe es un don de Dios que nos da el poder de conocer a Dios y de creer en Él. Vivir como un fiel seguidor de Jesús significa vivir de acuerdo con nuestro Bautismo.

Para saber más sobre otras enseñanzas de la Iglesia, consulten el *Catecismo de la Iglesia Católica,* 1213–1284, y el *Catecismo Católico de los Estados Unidos para los Adultos,* páginas 183–197.

Compartir la Palabra de Dios

Lean juntos Hechos de los Apóstoles 10:1–49, el relato del Bautismo de Cornelio y su familia. Enfaticen que en el Bautismo recibimos el don del Espíritu Santo y nos volvemos hijas e hijos adoptivos de Dios.

Vivimos como discípulos

El hogar cristiano con la familia es una escuela de discipulado. Elijan una o más de las siguientes actividades para hacer en familia, o creen una actividad similar ustedes mismos.

- Después de la Misa de esta semana, visiten la pila bautismal de su parroquia. Hablen de por qué la Iglesia usa agua y otros símbolos bautismales.
- Inviten a todos los miembros de la familia a enviar notas de agradecimiento a sus padrinos por todo lo que han hecho para ayudarlos a crecer en una vida de fe.

Nuestro viaje espiritual

El agua es un signo de su Bautismo, que simboliza el morir al pecado, resucitar a la nueva vida y hacerse partícipes de la vida misma de Dios.

¿Con qué frecuencia beben agua en el día? Esas ocasiones son momentos naturales para reflexionar sobre su dignidad como cristianos y sobre su viaje espiritual. Inviten a sus niños a rezar cada día: "Gracias, Señor, por el don de mi Bautismo".

Para hallar más ideas sobre las maneras en que su familia puede vivir como discípulos de Jesús, visiten **seanmisdiscipulos.com**

With My Family

This Week...

In Chapter 10, "Our Church Welcomes Us," your child learned:

- Baptism is the first Sacrament we receive.
- Baptism joins us to Christ and makes us members of the Church. We receive the gift of the Holy Spirit. We receive the gift of sanctifying grace. We are made adopted sons and daughters of God.
- The Church uses water and oil in the celebration of Baptism.
- The virtue of faith is a gift from God that gives us the power to come to know God and believe in him. Living as a faithful follower of Jesus means living out our Baptism.

For more about related teachings of the Church, see the *Catechism of the Catholic Church,* 1213–1284, and the *United States Catholic Catechism for Adults,* pages 183–197.

Sharing God's Word

Read together Acts of the Apostles 10:1–49, the account of the Baptism of Cornelius and his family. Emphasize that at Baptism we receive the gift of the Holy Spirit and become adopted sons and daughters of God.

We Live as Disciples

The Christian home and family is a school of discipleship. Choose one of the following activities to do as a family, or design a similar activity of your own:

- After Mass this week visit the baptismal font in your parish church. Talk about why the Church uses water and other baptismal symbols.
- Invite all family members to send thank-you notes to their godparents for all they have done to help them grow up in a life of faith.

Our Spiritual Journey

Water is a sign of your Baptism, symbolizing dying to sin, rising to new life, and being made a sharer in the very life of God.

How often each day do you drink water? These times are natural moments to reflect on your dignity as a Christian and your spiritual journey. Invite your children to pray each day, "Thank you, God, for the gift of my Baptism."

For more ideas on ways your family can live as disciples of Jesus, visit **www.BeMyDisciples.com**

CAPÍTULO 11

Celebramos al Espíritu Santo

¿Qué dones o talentos especiales tienes?

San Pablo nos recuerda que todos tenemos dones especiales.

Hay diferentes dones, pero un solo Espíritu. El Espíritu Santo nos da todos estos dones para que los usemos para hacer cosas buenas.

BASADO EN 1.ª CORINTIOS 12:4–11

¿Cómo puedes usar tus dones para ayudar a los demás?

We Celebrate the Holy Spirit

What special gifts or talents do you have?

Saint Paul reminds us we all have special gifts.

There are different gifts, but one Spirit. The Spirit gives all these gifts so that we can use them to do good things.

Based on 1 Corinthians 12:4–11

How can you use your gifts to help others?

Poder de los discípulos

Ciencia

La virtud de la ciencia es uno de los dones del Espíritu Santo. La ciencia nos ayuda a escuchar y a entender mejor el significado de la Palabra de Dios.

La Iglesia sigue a **Jesús**

Dos santos con buenos dones

El Espíritu Santo nos da muchos dones para compartir. Los santos de la Iglesia nos enseñan muchas maneras de usar esos dones. Dos de estos santos son Santa Catalina de Siena y Santo Tomás de Aquino.

El Espíritu Santo le dio a Santa Catalina de Siena el don de la sabiduría. Catalina usaba este don para guiar a las personas a llevar una vida buena. Cuando había peleas, ella ayudaba a que la gente hiciera las paces. Ayudaba incluso al Papa a tomar decisiones sabias. El día de Santa Catalina de Siena es el 29 de abril.

El Espíritu Santo le dio a Santo Tomás de Aquino el don de la ciencia. Tomás escribió muchos libros acerca de la fe católica. Él ayudaba a la gente a aprender acerca de su fe. Celebramos su día el 28 de enero.

? Cómo usaron sus dones estos dos santos?

The Church Follows **Jesus**

Two Gifted Saints

The Holy Spirit gives us many gifts to share. The saints of the Church show us many ways to use those gifts. Saint Catherine of Siena and Saint Thomas Aquinas are two of these saints.

The Holy Spirit gave Saint Catherine of Siena the gift of wisdom. Catherine used this gift to guide people to live good lives. When there was fighting, she helped people make peace. She even helped the Pope make wise decisions. Saint Catherine of Siena's feast day is on April 29.

The Holy Spirit gave Saint Thomas Aquinas the gift of knowledge. Thomas wrote many books about the Catholic faith. He helped people learn about their faith. We celebrate his feast on January 28.

? How did these two saints use their gifts?

Disciple Power

Knowledge

The virtue of knowledge is one of the gifts of the Holy Spirit. Knowledge helps us better hear and understand the meaning of the Word of God.

Enfoque en la fe
¿Qué ocurre en la Confirmación?

Vocabulario de fe

Confirmación
La Confirmación es el Sacramento en el cual el don del Espíritu Santo nos fortalece para vivir nuestro Bautismo.

dones espirituales
El Espíritu Santo nos da dones espirituales para ayudarnos a amar y a servir a los demás, y así mostrar nuestro amor por Dios.

Confirmación

Después del Bautismo, recibimos el Sacramento de la **Confirmación**. En la Confirmación, celebramos y recibimos el don del Espíritu Santo.

El Espíritu Santo es nuestro maestro, nuestro protector y nuestro guía. En el Bautismo, el Espíritu Santo nos da siete **dones espirituales**. Estos siete Dones especiales del Espíritu Santo son la sabiduría, el entendimiento, el consejo, el valor, la ciencia, la piedad y la admiración y veneración. Estos dones aumentan en la Confirmación. Estos dones nos ayudan a vivir nuestro Bautismo. Nos ayudan a amar mejor a Dios y a los demás.

El Espíritu Santo nos guía en nuestra vida diaria. Nos ayuda a demostrar nuestro amor por Dios usando nuestros dones para ayudar a los demás.

Actividad

La ciencia es uno de los dones del Espíritu Santo. Dibuja o escribe algo acerca de cómo puedes usar este don.

Confirmation

We receive the Sacrament of **Confirmation** after Baptism. In Confirmation, we celebrate and receive the gift of the Holy Spirit.

The Holy Spirit is our teacher, helper, and guide. In Baptism, the Holy Spirit gives us seven **spiritual gifts**. These seven special Gifts of the Holy Spirit are wisdom, understanding, right judgment, courage, knowledge, piety, and wonder and awe. These gifts are increased in Confirmation. These gifts help us live our Baptism. They help us better love God and others.

The Holy Spirit guides us in our daily lives. He helps us show our love for God by using our gifts to help others.

Faith Focus
What happens at Confirmation?

Faith Vocabulary

Confirmation
Confirmation is the Sacrament in which the gift of the Holy Spirit strengthens us to live our Baptism.

spiritual gifts
The Holy Spirit gives us spiritual gifts to help us love and serve other people, and so show our love for God.

Activity

Knowledge is one of the Gifts of the Holy Spirit. Draw or write about how you can use this gift.

Personas de fe

San Esteban

Esteban ayudaba a los Apóstoles como diácono. Él usó el don del valor para hablar valientemente a todos acerca de Jesús. A algunos, que no eran seguidores de Cristo, no les gustaba lo que Esteban estaba haciendo. Lo mataron porque estaba contándole a todo el mundo acerca de Jesús. La Iglesia celebra el día de San Esteban el 26 de diciembre.

Usar nuestros dones espirituales

Ya has aprendido que San Pablo escribió muchas cartas a los primeros cristianos. En estas cartas, les recordaba que usaran sus dones. Este es el consejo que les escribió a los cristianos que vivían en Roma.

Todos ustedes forman parte del Cuerpo de Cristo. El Espíritu Santo les da diferentes dones. Ustedes deben usar sus dones para compartir el amor de Dios con los demás.

Muestren que se aman unos a otros. Apártense de lo malo. Sean valientes. Hagan lo correcto y lo bueno. Cuídense unos a otros y respétense. Confíen en las promesas de Dios y tengan esperanza. Recen y vivan juntos en paz.

BASADO EN ROMANOS 12:5–6, 9–12, 18, 21

Actividad

Marca **Sí**, si la persona está usando sus dones para compartir el amor de Dios. Marca **No**, si no lo hace.

Sí	No	
☐	☐	Cameron es un buen lector. No quiere ayudar a su hermanito menor a que aprenda a leer.
☐	☐	Yelina canta bien. Canta con el coro de niños en Misas.
☐	☐	Diego reza con su abuelo enfermo.
☐	☐	Linh es graciosa, se burla de los otros niños en la escuela.

Using Our Spiritual Gifts

You have learned that Saint Paul wrote many letters to the first Christians. In these letters, he reminded them to use their gifts. Here is advice he wrote to Christians living in Rome.

> *You are all part of the Body of Christ. The Holy Spirit gives you different gifts. You must use your gifts to share God's love with others.*
>
> *Show that you love one another. Turn away from what is wrong. Be brave. Do what is right and good. Care for one another. Respect one another. Trust in God's promises and be full of hope. Pray and live together in peace.*
>
> Based on Romans 12:5–6, 9–12, 18, 21

Faith-Filled People

Saint Stephen

Stephen helped the Apostles as a deacon. Stephen used the gift of courage to bravely tell everyone about Jesus. Some people, who were not followers of Christ, did not like what Stephen was doing. They killed him because he was telling everyone about Jesus. The Church celebrates the feast of Saint Stephen on December 26.

Check **Yes**, if the person is using gifts to share God's love. Check **No**, if the person is not.

Yes	No	
☐	☐	Cameron is a good reader. He does not want to help his little brother learn to read.
☐	☐	Yelina sings well. She sings with the children's choir at Mass.
☐	☐	Diego prays with his sick grandfather.
☐	☐	Linh is funny, so she makes fun of other children at school.

Los católicos creen

Santo Crisma

El Santo Crisma es un óleo especial que la Iglesia usa en la celebración de algunos Sacramentos. Está hecho de aceite de oliva y bálsamo. En la Confirmación, el obispo nos marca con el Santo Crisma en forma de cruz. Esto es un signo de que estamos recibiendo el don del Espíritu Santo.

Celebrar la Confirmación

En la Confirmación, el Espíritu Santo nos fortalece para vivir nuestro Bautismo. El Espíritu Santo nos ayuda a usar nuestros dones y a compartir el amor de Dios con los demás.

Celebramos el Sacramento de la Confirmación después de bautizarnos. Si nos bautizan de bebés, recibimos este Sacramento cuando somos más grandes. Los adultos que se bautizan reciben la Confirmación inmediatamente después de su Bautismo.

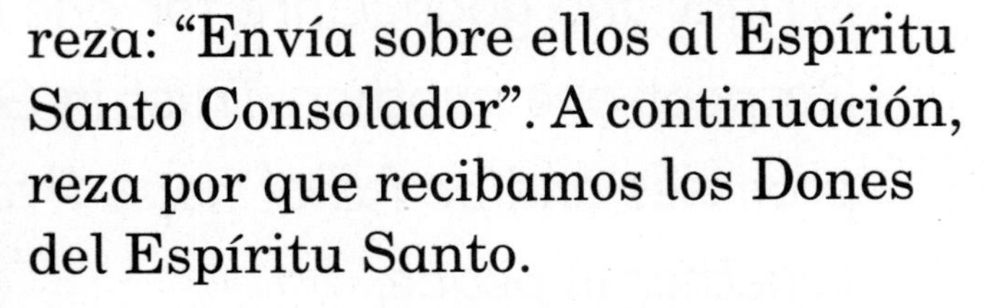

El obispo es quien generalmente conduce la celebración de la Confirmación. Durante la celebración, sostiene las manos en el aire y reza: "Envía sobre ellos al Espíritu Santo Consolador". A continuación, reza por que recibamos los Dones del Espíritu Santo.

Luego el obispo coloca la mano derecha sobre nuestra cabeza. Nos marca la frente con el Santo Crisma y reza: "Recibe por esta señal el don del Espíritu Santo". Nosotros respondemos: "Amén".

? ¿De qué manera serás un seguidor de Jesús?

Celebrating Confirmation

In Confirmation, the Holy Spirit strengthens us to live our Baptism. The Holy Spirit helps us to use our gifts and share God's love with others.

We celebrate the Sacrament of Confirmation after we are baptized. If we are baptized as infants, we receive this Sacrament when we are older. Grown-ups who are baptized receive Confirmation right after their Baptism.

The bishop usually leads the celebration of Confirmation. During the celebration, he holds hands in the air and prays, "Send your Holy Spirit upon them to be their Helper and Guide." Next, he prays that we will receive Gifts of the Holy Spirit.

Then the bishop places his right hand on top of our head. He signs our forehead with the Sacred Chrism as he prays, "Be sealed with the gift of the Holy Spirit." We respond, "Amen."

? How will you be a follower of Jesus?

Catholics Believe

Sacred Chrism

Sacred Chrism is special oil that the Church uses in the celebration of some of the Sacraments. It is made from olive oil and balsam. At Confirmation, the bishop marks us with Sacred Chrism in the form of the cross. This is a sign we are receiving the gift of the Holy Spirit.

Yo sigo a Jesús

Dios te invita a abrir tu corazón al Espíritu Santo. Dios quiere que uses los dones espirituales que el Espíritu Santo te ha dado. Tres de estos dones son la sabiduría, el valor y la ciencia.

Actividad

Un don que viene del corazón

Recuerda que el Espíritu Santo te ha dado dones espirituales para compartir. Dibújate en la figura de corazón atendiendo las necesidades de otras personas.

Mi elección de fe

Esta semana usaré el don de

______________________________.

Yo voy a

______________________________.

Reza: "Gracias, Espíritu Santo, por los dones que me has dado. Ayúdame a usar mis dones para ayudar a los demás. Amén".

God invites you to open your heart to the Holy Spirit. God wants you to use the spiritual gifts you have been given by the Holy Spirit. Three of these gifts are wisdom, courage, and knowledge.

A Gift from the Heart

Activity

Remember that the Holy Spirit has given you spiritual gifts to share. Draw yourself in the heart shape caring for the needs of others.

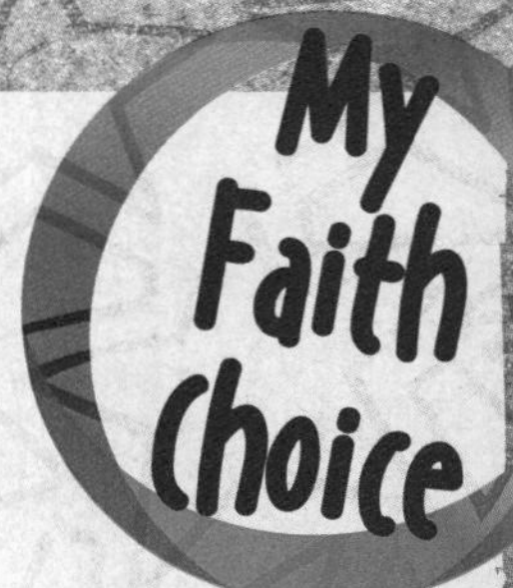

This week I will use the gift of

______________________________.

I will

______________________________.

Pray, "Thank you, Holy Spirit, for the gifts you have given me. Help me use my gifts to help others. Amen."

PARA RECORDAR

1. La Confirmación se recibe después del Sacramento del Bautismo.
2. En la Confirmación, el Espíritu Santo nos da dones espirituales para ayudarnos a amar y servir a Dios, y a amarnos y servirnos unos a otros.
3. El Sacramento de la Confirmación nos fortalece para vivir nuestro Bautismo.

Repaso del capítulo

Encierra en un círculo la palabra que completa mejor cada oración.

1. La Iglesia necesita los ________ de cada persona.

libros   dones   cuadros

2. El Espíritu Santo es nuestro ________, nuestro protector y nuestro guía.

sacerdote   padre   maestro

3. El don de la ________ nos ayuda a entender la Palabra de Dios.

ciencia   sabiduría   admiración

4. En la Confirmación, la Iglesia usa ________.

agua   el Santo Crisma   cenizas

5. El ________ es quien generalmente conduce la celebración de la Confirmación.

diácono   sacerdote   obispo

Envía tu Espíritu

Líder Recemos para que siempre podamos usar los Dones del Espíritu Santo. Oh, Señor, envía a tu Espíritu

Todos **a nuestro corazón para que podamos amar.**

Líder Oh, Señor, envía a tu Espíritu

Todos **a nuestra mente para que podamos entender.**

Líder Oh, Señor, envía a tu Espíritu

Todos **a nuestra vida para que podamos servir.**

Líder Espíritu Santo, sé nuestro maestro y nuestro protector.

Todos **Amén.**

Chapter Review

Circle the word that best completes each sentence.

1. The Church needs the ________ of each person.
   books   gifts   pictures
2. The Holy Spirit is our ________, helper, and guide.
   priest   parent   teacher
3. The gift of ________ helps us understand God's Word.
   knowledge   wisdom   wonder
4. In Confirmation, the Church uses ________.
   water   Sacred Chrism   ashes
5. The ________ usually leads the celebration of Confirmation.
   deacon   priest   bishop

TO HELP YOU REMEMBER

1. Confirmation is received after the Sacrament of Baptism.
2. In Confirmation, the Holy Spirit gives us spiritual gifts to help us love and serve God and one another.
3. The Sacrament of Confirmation strengthens us to live our Baptism.

Send Your Spirit

Leader Let us pray that we may always use the Gifts of the Holy Spirit. O God, send your Spirit

All **into our hearts that we may love.**

Leader O God, send your Spirit

All **into our minds that we may understand.**

Leader O God, send your Spirit

All **into our lives that we may serve.**

Leader Holy Spirit, be our teacher and helper.

All **Amen.**

Con mi familia

Esta semana...

En el capítulo 11, "Celebramos al Espíritu Santo", su niño aprendió que:

- Recibimos el Sacramento de la Confirmación después de haber recibido el Sacramento del Bautismo.
- En la celebración de la Confirmación, la Iglesia usa las acciones de la imposición de las manos y la unción con el Santo Crisma.
- En el Sacramento de la Confirmación, recibimos y celebramos al Espíritu Santo y sus siete dones.
- El don de la ciencia es uno de los Siete Dones del Espíritu Santo. Nos permite discernir el significado de la Palabra de Dios.

Para saber más sobre otras enseñanzas de la Iglesia, consulten el *Catecismo de la Iglesia Católica*, 1285–1314 y 1830–1845, y el *Catecismo Católico de los Estados Unidos para los Adultos*, páginas 203–209.

Compartir la Palabra de Dios

Lean juntos 1.ª Corintios 14:1, 12. Comenten los dones que su familia tiene para ayudar a los demás y para edificar la Iglesia. Hablen de cómo los usan para ser luces en el mundo.

Vivimos como discípulos

El hogar cristiano con la familia es una escuela de discipulado. Elijan una o más de las siguientes actividades para hacer en familia, o creen una actividad similar ustedes mismos.

- Después de la misa de esta semana, visiten el lugar donde se guardan los óleos sagrados. Expliquen que este lugar se llama caja de los santos óleos. Señalen los tres recipientes que contienen estos santos óleos: OI quiere decir Óleo de los Enfermos; OC, Óleo de los Catecúmenos y SC, Santo Crisma.
- Mencionen algunas de las ocasiones en que se hayan visto en casa usando entre ustedes el don del valor o el de la ciencia. Hablen acerca de ellas como momentos en los que están viviendo su Bautismo y son "luces" unos para otros.

Nuestro viaje espiritual

La limosna, o el compartir nuestras bendiciones con los demás, es una de las tres principales disciplinas espirituales de la Iglesia. Así como acostumbramos a compartir nuestras bendiciones materiales, como el dinero y los alimentos con los necesitados, también debemos compartir nuestras bendiciones espirituales. Animen a sus niños a dar una parte de todo el dinero que reciban por el bien de los demás y de la Iglesia.

Para hallar más ideas sobre las maneras en que su familia puede vivir como discípulos de Jesús, visiten **seanmisdiscipulos.com**

With My Family

This Week...

In chapter 11, "We Celebrate the Holy Spirit," your child learned:

- We receive the Sacrament of Confirmation after we receive the Sacrament of Baptism.
- The Church uses the actions of the laying on of hands and the anointing with Sacred Chrism in the celebration of Confirmation.
- In the Sacrament of Confirmation, we receive and celebrate the Holy Spirit and his seven gifts.
- The gift of knowledge is one of the seven Gifts of the Holy Spirit. It enables us to discern the meaning of God's Word.

For more about related teachings of the Church, see the *Catechism of the Catholic Church*, 1285–1314 and 1830–1845, and the *United States Catholic Catechism for Adults*, pages 203–209.

Sharing God's Word

Read together 1 Corinthians 14:1, 12. Share the gifts your family has to help others and to build up the Church. Talk about how you use them to be lights in the world.

We Live as Disciples

The Christian home and family is a school of discipleship. Choose one of the following activities to do as a family, or design a similar activity of your own:

- After Mass this week, visit the place where the sacred oils are kept. Explain that this place is called the ambry. Point out the three containers holding the holy oils; OI stands for Oil of the Sick, OC stands for Oil of Catechumens, and SC stands for Sacred Chrism.
- Name some of the times you have seen one another using the gift of courage or knowledge at home. Talk about these as they are moments you are living your Baptism and are "lights" to one another.

Our Spiritual Journey

Almsgiving, or sharing our blessings with others, is one of the three major spiritual disciplines of the Church. While we are used to sharing our material blessings, such as money and food with those in need, we are also to share our spiritual blessings. Encourage your children to give a portion of any money they receive for the good of others and the Church.

For more ideas on ways your family can live as disciples of Jesus, visit **www.BeMyDisciples.com**

Celebramos el perdón

¿Qué dices cuando necesitas que te perdonen?

Escucha atentamente lo que ocurre en el Cielo cuando alguien pide perdón por haber hecho algo malo.

Hay gran alegría en el cielo por uno solo que pida perdón. BASADO EN LUCAS 15:7

¿Por qué te parece que esto causa gran alegría en el Cielo?

CHAPTER 12

We Celebrate Forgiveness

What do you say when you need forgiveness?

Listen carefully to what happens in Heaven when someone asks forgiveness for doing wrong.

There is great joy in heaven for one who asks for forgiveness. BASED ON LUKE 15:7

Why do you think this causes great joy in Heaven?

Poder de los discípulos

Perdón

El perdón es un signo del amor. Pedimos perdón porque amamos a Dios. Queremos que todo vuelva a estar bien. Compartimos el perdón amoroso de Dios con los demás cuando perdonamos a las personas que nos hieren.

La Iglesia sigue a **Jesús**

San Juan Vianney

Jesús les enseñó a sus seguidores acerca del perdón. Les enseñó que debían perdonar una y otra vez.

San Juan Vianney fue un sacerdote. Era honrado y respetado por su bondad hacia las personas que se arrepentían de sus pecados. A través del perdón, le mostraba a la gente la misericordia y el amor de Dios.

Cuentan que se construyó un tramo de vías del ferrocarril hasta la aldea donde vivía el Padre Juan Vianney. El tramo de ferrocarril se construyó por la gran cantidad de gente de toda Francia que quería ir a confesarle sus pecados a Juan Vianney.

A Juan Vianney lo nombraron santo en 1925. Es el santo patrono de los párrocos.

? ¿Por qué fue San Juan Vianney un signo del perdón amoroso de Dios?

The Church Follows Jesus

Saint John Vianney

Jesus taught his followers about forgiveness. He taught them that they are to forgive over and over again.

Saint John Vianney was a priest. He was honored and respected because of his kindness to people who were sorry for their sins. Through forgiveness, he showed people God's mercy and love.

There is a story that a special railroad track was built to the village where Father John Vianney lived. The railroad track was built because so many people from all over France wanted to come to John Vianney to confess their sins.

John Vianney was named a saint in 1925. He is the patron saint of parish priests.

? How was Saint John Vianney a sign of God's forgiving love?

Disciple Power

Forgiveness

Forgiveness is a sign of love. We ask for forgiveness because we love God. We want everything to be right again. We share God's forgiving love with others when we forgive people who hurt us.

Enfoque en la fe
¿Qué ocurre en el Sacramento de la Penitencia y de la Reconciliación?

Vocabulario de fe

pecado
El pecado es la elección libre de hacer o decir algo que sabemos que Dios no quiere que hagamos o digamos.

reconciliación
Reconciliación significa volver a hacerse amigo de alguien.

penitencia
La penitencia es algo que hacemos o decimos para mostrar que estamos verdaderamente arrepentidos de haber elegido herir a alguien.

Penitencia y Reconciliación

Cada día tomamos decisiones. La mayoría de las veces tomamos buenas decisiones. A veces, elegimos hacer o decir algo que sabemos que Dios no quiere que hagamos o digamos. Esto se llama **pecado**. A veces, podemos elegir no hacer o no decir algo que sabemos que Dios sí quiere que hagamos o digamos. Esto también es un pecado. El pecado siempre daña nuestra amistad con Dios y con las otras personas.

Cuando pecamos, tenemos que pedir perdón. Tenemos que decir: "Lo siento. Por favor, perdóname". Además, cuando pecamos, tenemos que reparar lo que hicimos. Esto demuestra que estamos verdaderamente arrepentidos por nuestros pecados.

Dios nos perdona cuando decimos que nos arrepentimos de nuestros pecados.

Actividad

Practica decir con señas: "Lo siento".

Lo

siento.

Penance and Reconciliation

Each day we make many choices. Most of the time we make good choices. Sometimes we choose to do or say something that we know God does not want us to do or say. This is called a **sin**. Sometimes we may choose not to do or say something we know God wants us to do. This also is a sin. Sin always harms our friendship with God and with other people.

When we sin, we need to ask for forgiveness. We need to say, "I am sorry. Please forgive me." We also need to make things better when we sin. This shows we are truly sorry for our sins.

God forgives us when we say we are sorry for our sins.

Faith Focus
What happens in the Sacrament of Penance and Reconciliation?

Faith Vocabulary

sin
Sin is freely choosing to do or say something we know God does not want us to do or to say.

reconciliation
Reconciliation means to become friends again.

penance
Penance is something we do or say to show we are truly sorry for the choices we made to hurt someone.

Activity

Practice signing, "I'm sorry."

I'm

sorry.

Personas de fe

Zaqueo

Leemos acerca de Zaqueo en el Evangelio según San Lucas. Zaqueo era un cobrador de impuestos. Tomaba decisiones que herían a las personas. Se quedaba con su dinero injustamente. Después de escuchar a Jesús, Zaqueo prometió: "Devolveré el dinero que me tomé injustamente de las personas" (basado en Lucas 19:8).

El padre que perdonó

Jesús contó un relato acerca del perdón.

Un padre tenía dos hijos. El menor le dijo al padre: "Quiero ahora mi parte del dinero de la familia". El padre le dio al hijo su parte del dinero familiar. El hijo se fue de la casa y malgastó su dinero rápidamente. Se acordó de su hogar y de su padre. Estaba muy arrepentido por lo que había hecho y decidió volver a su casa.

El padre lo vio cuando venía caminando. Entonces corrió a recibir a su hijo que regresaba al hogar. Lo abrazó y lo besó. El hijo dijo: "Padre, estoy muy arrepentido".

El padre estaba tan feliz que dio una gran fiesta para celebrar.

Basado en Lucas 15:11–24

? ¿Qué te parece que estaba enseñando Jesús acerca de Dios en este relato?

The Forgiving Father

Jesus told a story about forgiveness.

A father had two sons. The younger son told his father, “I want my share of the family’s money now.” The father gave the son his share of the family money. The son left home and quickly wasted his money. He thought about his home and his father. He was very sorry for what he had done and decided to return home.

The father saw his son walking toward the family home. The father ran down the road to welcome his son back home. He hugged his son and kissed him. The son said, “Father, I am very sorry.”

The father was so happy that he gave a big party to celebrate.

BASED ON LUKE 15:11–24

? What do you think Jesus was teaching about God in this story?

Faith-Filled People

Zacchaeus

We read about Zacchaeus in Saint Luke’s Gospel. Zacchaeus was a tax collector. He made choices that hurt people. He took their money unfairly. After he listened to Jesus, Zacchaeus promised, “I will give back the money I took unfairly from the people” (based on Luke 19:8).

Los católicos creen

Oración del Penitente

Cuando celebramos el Sacramento de la Penitencia y de la Reconciliación, rezamos la Oración del Penitente. En esta oración, le decimos a Dios que nos arrepentimos de nuestros pecados, le pedimos perdón y le decimos que nos esforzaremos por no volver a pecar.

Celebramos la Reconciliación

También tenemos que pedir perdón cuando pecamos. Jesús nos dio un sacramento para ayudarnos a hacerlo. Se llama Sacramento de la **Penitencia** y de la **Reconciliación**.

En este sacramento, participamos en la misericordia y el perdón amoroso de Dios. Dios está siempre dispuesto a perdonarnos si nos arrepentimos de nuestros pecados. Nuestros pecados quedan perdonados. Recibimos la gracia de Dios. La gracia de Dios nos ayuda a tomar buenas decisiones y a vivir como hijos de Dios. Recibimos el don de la paz.

Todas las celebraciones de este Sacramento tienen siempre cuatro partes. Las cuatro partes son:

1. **Confesión.** Nos encontramos a solas con el sacerdote y le contamos nuestros pecados.
2. **Contrición.** Le decimos a Dios que estamos verdaderamente arrepentidos de nuestros pecados. Rezamos la Oración del Penitente.
3. **Penitencia.** Nos dan una penitencia. Cumplir nuestra penitencia ayuda a reparar, o curar, el daño que hemos causado con nuestros pecados.
4. **Absolución.** El sacerdote pone las manos sobre nuestra cabeza o las sostiene por encima de ella mientras dice una oración especial. Las palabras y las acciones del sacerdote nos indican que hemos recibido el perdón de Dios.

____

Actividad

Mira la fotografía de esta página. Debajo de la fotografía, escribe el nombre de la parte del Sacramento de la Penitencia y de la Reconciliación que muestra.

We Celebrate Reconciliation

We too need to ask for forgiveness when we sin. Jesus gave us a sacrament to help us do this. It is called the Sacrament of **Penance** and **Reconciliation**.

In this sacrament, we share in God's mercy and forgiving love. God is always ready to forgive us if we are sorry for our sins. Our sins are forgiven. We receive God's grace. God's grace helps us to make good choices to live as children of God. We receive the gift of peace.

Every celebration of this Sacrament always has four parts. The four parts are:

1. **Confession.** We meet with the priest by ourselves and tell him our sins.
2. **Contrition.** We tell God we are truly sorry for our sins. We pray an act of contrition.
3. **Penance.** We are given a penance. Doing our penance helps repair, or heal, the harm we have caused by our sins.
4. **Absolution.** The priest lays his hands on or over our head while he says a special prayer. The words and actions of the priest tell us we have received God's forgiveness.

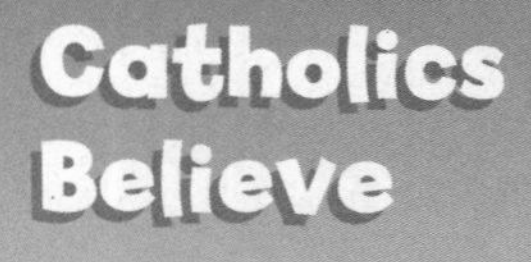

Catholics Believe

Act of Contrition

When we celebrate the Sacrament of Penance and Reconciliation, we pray an act of contrition. In this prayer, we tell God we are sorry for our sins, we ask for forgiveness, and tell God we will try our best to not sin again.

Activity

Look at the picture on this page. Under the picture, write the name of the part of the Sacrament of Penance and Reconciliation that is shown.

____

Yo sigo a Jesús

En el Sacramento de la Penitencia y de la Reconciliación, Dios te perdona. Tú tienes que perdonar a los demás, como Dios te perdona a ti. Cuando perdonas a los demás, estás actuando con longanimidad. Eres un mediador de paz.

Actividad

Compartir el don del perdón de Dios

Completa los espacios en blanco. Describe cómo puedes ser un mediador de paz.

Puedo pedirle al Espíritu Santo que me ayude a vivir como un mediador de paz.

Puedo perdonar ______________________________.

Puedo demostrar mi perdón diciendo ____________________.

Puedo demostrar mi perdón haciendo ____________________.

Esta semana perdonaré a los demás. Haré lo que escribí en los renglones de arriba.

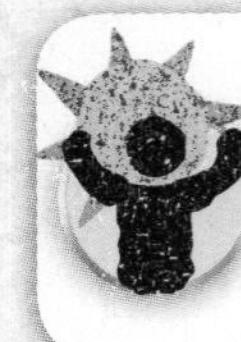

Reza: "Gracias, Padre, por tu misericordia y tu longanimidad. Espíritu Santo, enséñame y ayúdame a perdonar como Jesús enseñó. Amén".

In the Sacrament of Penance and Reconciliation, God forgives you. You need to forgive others as God forgives you. When you forgive others, you are acting with kindness. You are a peacemaker.

Activity

Sharing God's Gift of Forgiveness

Fill in the empty spaces. Describe how you can be a peacemaker.

I can ask the Holy Spirit to help me live as a peacemaker.

I can forgive ______________________________.

I can show my forgiveness by saying ______________.

I can show my forgiveness by doing ______________.

My Faith Choice

This week I will forgive others. I will do what I have written on the lines above.

Pray, "Thank you, Father, for your mercy and kindness. Holy Spirit, teach and help me to be forgiving as Jesus taught. Amen."

PARA RECORDAR

1. El pecado es hacer o decir algo que está en contra de Dios.
2. En el Sacramento de la Penitencia y de la Reconciliación, pedimos y recibimos perdón por nuestros pecados.
3. La contrición, la confesión, la penitencia y la absolución son siempre parte de la Reconciliación.

Repaso del capítulo

Completa las oraciones. Usa las palabras de la lista.

absolución	**confesión**
contrición	**penitencia**

1. La ________________ es contarle nuestros pecados al sacerdote.
2. La ________________ es el verdadero arrepentimiento de nuestros pecados.
3. La ________________ es una reparación por nuestros pecados.
4. La ________________ es recibir el perdón de Dios por nuestros pecados.

Oración de Petición

En una oración de petición creemos y confiamos en que Dios escucha nuestras oraciones y nos ayudará.

Líder Oremos. Señor, nuestro Dios, Tú siempre nos perdonas gracias a tu gran amor.

Todos **Llénanos el corazón de gozo.**

Líder Señor, nuestro Dios, Tú siempre nos perdonas.

Todos **Llénanos el corazón de paz. Amén.**

Chapter Review

Complete the sentences. Use the words in the word bank.

Absolution	**Confession**
Contrition	**Penance**

1. ______________ is the telling of our sins to the priest.

2. ______________ is true sorrow for our sins.

3. ______________ is making up for our sins.

4. ______________ is receiving God's forgiveness for our sins.

TO HELP YOU REMEMBER

1. Sin is choosing to do or say something against God.
2. In the Sacrament of Penance and Reconciliation, we ask for and receive forgiveness for our sins.
3. Contrition, confession, penance, and absolution are always part of Reconciliation.

Prayer of Petition

In a prayer of petition we believe and trust that God hears our prayers and will help us.

Leader Let us pray. Lord, our God, you always forgive us because of your great love.

All **Fill our hearts with joy.**

Leader Lord, our God, you always forgive us.

All **Fill our hearts with peace. Amen.**

Con mi familia

Esta semana...

En el capítulo 12, "Celebramos el perdón", su niño aprendió que:

- Jesús le dio a la Iglesia el Sacramento de la Penitencia y de la Reconciliación.
- El pecado daña nuestra relación con Dios y con los demás. Cuando pecamos, tenemos que buscar el perdón.
- En el Sacramento de la Penitencia y de la Reconciliación, pedimos y recibimos el perdón de Dios por los pecados que hemos cometido después del Bautismo. Este sacramento nos reconcilia con Dios y con la Iglesia.
- Cuando practicamos la virtud del perdón, ofrecemos a los demás el perdón amoroso de Dios.

Lean juntos sobre otras enseñanzas de la Iglesia, consulten el *Catecismo de la Iglesia Católica,* 545–546, 587–590, 976–983, 1439, 1465, 1846–1848 y 1420–1484, y el *Catecismo Católico de los Estados Unidos para los Adultos,* páginas 234–243.

Compartir la Palabra de Dios

Lean juntos Lucas 15:11–24, la parábola El hijo pródigo (Padre que perdona). O lean la adaptación de la parábola en la página 222. Enfaticen la alegría del padre que perdonó cuando su hijo pródigo regresó al hogar. Hablen de la alegría y la paz que experimentan los miembros de su familia cuando se perdonan mutuamente.

Vivimos como discípulos

El hogar cristiano con la familia es una escuela de discipulado. Elijan una o más de las siguientes actividades para hacer en familia, o creen una actividad similar ustedes mismos.

- Comenten las maneras en que los miembros de su familia se piden perdón y se perdonan unos a otros. Comenten por qué es importante perdonarse unos a otros. Enfaticen que, cuando perdonamos a alguien, no significa que esté bien lo que esa persona hizo para herirnos.
- Pidan a cada miembro de la familia que mencione alguna manera en la que haya sido mediador de paz en el hogar. Prométanse ayudarse unos a otros a vivir como una familia de mediadores de paz. A la hora de la cena, esta semana, récenle al Espíritu Santo para que los ayude a vivir como mediadores de paz.

Nuestro viaje espiritual

En el corazón de la obra de Jesús están el perdón y la reconciliación. La palabra *misericordia* tiene un origen hebreo que no es sencillo traducir al español. Señala la infinita *misericordia* de Dios y la naturaleza del inmerecido e ilimitado perdón divino. Este es el perdón que debemos mostrar a los demás. Esta semana recen una Oración de petición de perdón con su familia.

Para hallar más ideas sobre las maneras en que su familia puede vivir como discípulos de Jesús, visiten **seanmisdiscipulos.com**

With My Family

This Week...

In Chapter 12, "We Celebrate Forgiveness," your child learned:

- Jesus gave the Church the Sacrament of Penance and Reconciliation.
- Sin harms our relationship with God and others. When we sin, we need to seek forgiveness.
- In the Sacrament of Penance and Reconciliation, we ask for and receive God's forgiveness for the sins we have committed after Baptism. This sacrament reconciles us with God and with the Church.
- When we practice the virtue of forgiveness, we offer God's forgiving love to others.

For more about related teachings of the Church, see the *Catechism of the Catholic Church*, 545–546, 587–590, 976–983, 1439, 1465, 1846–1848 and 1420–1484, and the United States *Catholic Catechism for Adults*, pages 234–243.

Sharing God's Word

Read together Luke 15:11–24, the parable of the Prodigal Son (Forgiving Father). Or read the adaptation of the parable on page 223. Emphasize the joy of the forgiving father when his prodigal son returned home. Talk about the joy and peace the members of your family experience when you forgive one another.

We Live as Disciples

The Christian home and family is a school of discipleship. Choose one of the following activities to do as a family, or design a similar activity of your own:

- Discuss ways your family members ask for forgiveness and forgive one another. Discuss why it is important to forgive one another. Emphasize that when we forgive someone it does not mean that what the person did to hurt us is all right.
- Ask each family member to name some of the ways they have been a peacemaker at home. Promise to help one another live as a family of peacemakers. At dinnertime this week, pray to the Holy Spirit to help you live as peacemakers.

Our Spiritual Journey

At the heart of Jesus' work is forgiveness and reconciliation. The Hebrew word *mercy* cannot be easily translated into English. It points to the infinite *mercy* of God and the undeserved and limitless nature of divine forgiveness. This is the forgiveness we are to show others. Pray the Prayer of Petition for forgiveness with your family this week.

For more ideas on ways your family can live as disciples of Jesus, visit **www.BeMyDisciples.com**

Unidad 3: **Repaso**

Nombre ______________________

A. Elije la mejor palabra

Completa las oraciones. Colorea el círculo junto a la mejor opción.

1. Los Siete _______ son signos del amor de Dios por nosotros.

◯ Biblias ◯ Sacramentos ◯ Oraciones

2. El agua y el óleo se usan en el Sacramento _______.

◯ del Bautismo ◯ de la Penitencia y de la Reconciliación

◯ del Matrimonio

3. Jesús contó el relato del _______ que perdonó para enseñarnos acerca del perdón de Dios.

◯ Hijo ◯ Hermano ◯ Padre

4. En el Sacramento de la Confirmación, recibimos _______.

◯ a Jesús ◯ Dones Espirituales ◯ el perdón

5. _______ es la elección libre de hacer o decir algo que sabemos que Dios no quiere que hagamos o digamos.

◯ La Penitencia ◯ La Reconciliación ◯ El pecado

B. Muestra lo que sabes

Traza una línea para unir cada pista con el sacramento correcto.

Sacramento	**Pista**
1. Bautismo	**a.** nos fortalece por el Espíritu Santo
2. Confirmación	**b.** perdona los pecados cometidos después del Bautismo
3. Penitencia y Reconciliación	**c.** el primer Sacramento que recibimos

Unit 3 **Review**

Name ______________________

A. Choose the Best Word

Complete the sentences. Color the circle next to the best choice for each sentence.

1. The Seven ______ are signs of God's love for us.

○ Bibles ○ Sacraments ○ Prayers

2. Water and oil are used in the Sacrament of ______.

○ Baptism ○ Penance and Reconciliation

○ Matrimony

3. Jesus told the story of the forgiving ______ to teach us about God's forgiveness.

○ Son ○ Brother ○ Father

4. In the Sacrament of Confirmation we receive ______.

○ Jesus ○ Spiritual Gifts ○ forgiveness

5. ______ is freely choosing to do or say something we know God does not want us to do or to say.

○ Penance ○ Reconciliation ○ Sin

B. Show What You Know

Draw a line to connect each clue to the correct Sacrament.

Sacrament	**Clue**
1. Baptism	**a.** strengthens us by the Holy Spirit
2. Confirmation	**b.** forgives sins committed after Baptism
3. Penance and Reconciliation	**c.** first Sacrament we receive

C. La Escritura y tú

¿Cuál fue tu relato preferido acerca de Jesús en esta unidad? Dibuja algo que sucedió en el relato. Cuéntaselo a tu clase.

D. Sé un discípulo

1. *¿Acerca de qué santo o persona virtuosa disfrutaste aprender más en esta unidad? Escribe el nombre aquí. Cuenta a tu clase lo que esta persona hizo para seguir a Jesús.*

____

2. *¿Qué puedes hacer para ser un buen discípulo de Jesús?*

____

____

C. Connect with Scripture

What was your favorite story about Jesus in this unit? Draw something that happened in the story. Tell your class about it.

D. Be a Disciple

1. *What saint or holy person did you enjoy hearing about in this unit? Write the name here. Tell your class what this person did to follow Jesus.*

____

2. *What can you do to be a good disciple of Jesus?*

____

____

Devociones populares

Se celebra los Tres Reyes Magos durante la Solemnidad de la Epifanía, el 6 de enero.

España y América Latina: Los Tres Reyes Magos

La Biblia nos dice que Tres Reyes Magos de Oriente siguieron a una estrella para encontrar al Niño Jesús y ofrecerle regalos. Según la creencia de la tradición cristiana, había tres reyes porque llevaban tres regalos: oro, incienso y mirra, que es una especia de olor dulce.

En España y en algunos de los países de América Latina, los niños esperan que los Tres Reyes Magos les traigan regalos durante la Solemnidad de la Epifanía, en vez de Navidad. El 5 de enero, el día antes de la festividad, hay un gran desfile en muchas ciudades. Hombres vestidos como los Tres Reyes Magos desfilan a caballo y lanzan caramelos a los niños.

Antes de ir a dormir esa noche, los niños dejan sus zapatos afuera de su habitación, donde los vean los Reyes. Algunos también dejan pasto y agua para los camellos. En la mañana, los niños hallan presentes junto sus zapatos. En el desayuno, comen un bizcocho decorado con frutas que parecen piedras preciosas.

? ¿En qué se parece la tradición de los niños en Latinoamérica a la manera como tú celebras el nacimiento de Jesús?

Spain and Latin America: The Three Kings

> The celebration of the Three Kings takes place on the Feast of Epiphany, January 6.

The Bible tells us that Three Kings from the east followed a star to find the baby Jesus and bring him gifts. Church tradition thinks there were three kings because they brought three gifts: gold, frankincense, and myrrh, a sweet-smelling spice.

In Spain and in some Latin American countries, children wait for the Three Kings to give them gifts on the Feast of Epiphany instead of Christmas. On January 5, the day before the feast, there is a large parade in many cities. Men dressed as the Three Kings ride in the parade and throw candy to the children.

Before going to bed that night, children leave their shoes outside their doors where the Three Kings will see them. Some also leave grass and water for the camels. In the morning, children find presents by their shoes. At breakfast, they eat a cake decorated with fruits that look like the precious stones.

? How does the tradition of the children in Latin America compare with the way you celebrate the birth of Jesus?

Celebramos

Parte Dos

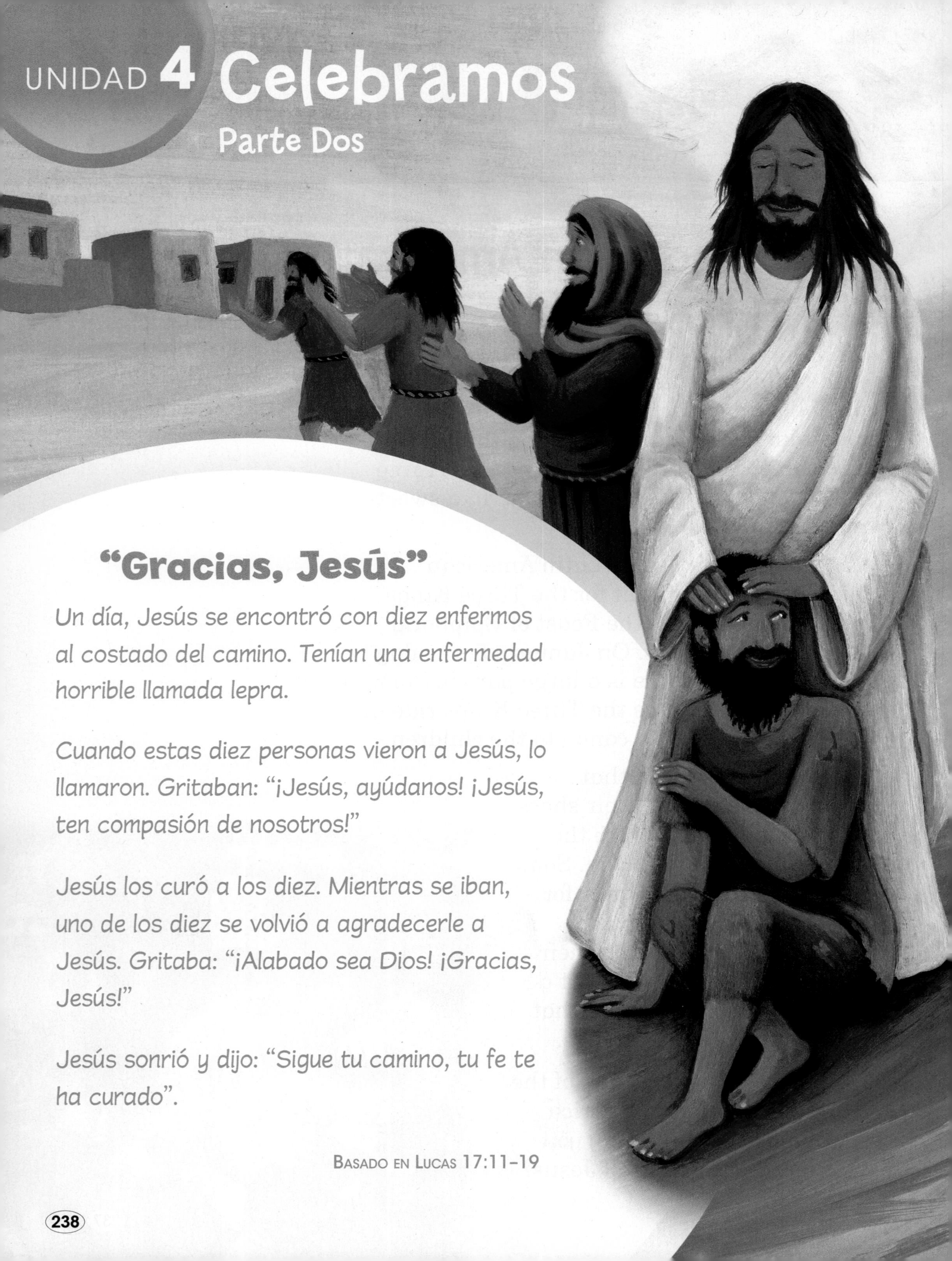

"Gracias, Jesús"

Un día, Jesús se encontró con diez enfermos al costado del camino. Tenían una enfermedad horrible llamada lepra.

Cuando estas diez personas vieron a Jesús, lo llamaron. Gritaban: "¡Jesús, ayúdanos! ¡Jesús, ten compasión de nosotros!"

Jesús los curó a los diez. Mientras se iban, uno de los diez se volvió a agradecerle a Jesús. Gritaba: "¡Alabado sea Dios! ¡Gracias, Jesús!"

Jesús sonrió y dijo: "Sigue tu camino, tu fe te ha curado".

Basado en Lucas 17:11–19

We Worship
Part Two

UNIT **4**

"Thank You, Jesus"

One day, Jesus met ten sick people by the side of the road. They had an awful sickness called leprosy.

When the ten saw Jesus, they called out to him. "Jesus, help us!" they shouted. "Jesus, have mercy on us!" they cried.

Jesus healed all ten people. As they were leaving, one of the ten turned right around to thank Jesus. "Praise God!" he shouted. "Thank you, Jesus!"

Jesus smiled and said, "Go on your way, your faith has made you well."

BASED ON LUKE 17:11–19

Lo que he aprendido

¿Qué es lo que ya sabes acerca de estas palabras de fe?

La Liturgia de la Palabra

____

____

Misión

____

____

Palabras de fe para aprender

Escribe **X** junto a las palabras de fe que sabes. Escribe **?** junto a las palabras de fe que necesitas aprender mejor.

Palabras de fe

____ Misa

____ la asamblea

____ Liturgia Eucarística

____ Eucaristía

____ procesión

Tengo una pregunta

¿Qué pregunta te gustaría hacer acerca de la Misa?

____

What I Have Learned

What is something you already know about these faith concepts?

The Liturgy of the Word

____

____

Mission

____

____

Faith Words to Know

Put an **X** next to the faith words you know. Put a **?** next to the faith words you need to learn more about.

Faith Words

____ Mass

____ the assembly

____ Liturgy of the Eucharist

____ Eucharist

____ procession

Questions I Have

What questions would you like to ask about the Mass?

____

Nos reunimos para la Misa

¿Cuándo se reúnen las familias para celebrar?

Dios nos invita a reunirnos para celebrar. Escucha lo que Dios le dice a su pueblo.

Congreguen a mi pueblo. Reúnan a toda la gente. Reúnan a los ancianos, a los jóvenes y hasta a los bebés. Alégrense y celebren. ¡Adoren al Señor, su Dios!

BASADO EN JOEL 2:15–16, 23

¿Cuándo se reúnen los católicos para adorar a Dios?

We Gather for Mass

When do families gather to celebrate?

God invites us to gather to celebrate. Listen to what God says to his people.

Call my people together. Gather all the people. Gather the old, the young, even the babies. Rejoice and celebrate. Worship the Lord, your God! BASED ON JOEL 2:15–16, 23

When do Catholics gather to worship God?

Poder de los discípulos

Caridad

La caridad es la más importante de todas las virtudes. La caridad nos da el poder de amar a Dios por sobre todas las cosas. También nos da el poder para servir a las personas por amor a Dios.

La Iglesia sigue a **Jesús**

Mantener viva la fe

Las personas de nuestro país son libres de adorar a Dios. Ir a la iglesia no está en contra de la ley. Esto no fue siempre así para las personas de otros países. Hace mucho tiempo, los cristianos tenían que reunirse en secreto para adorar a Dios.

Varios cientos de años atrás, los gobernantes de Irlanda declararon que la mayoría de los sacerdotes católicos estaban fuera de la ley. Esos sacerdotes se reunían en secreto con otros católicos para celebrar la Misa. Celebraban la Misa en cuevas, graneros y otros escondites.

No hace mucho tiempo, el gobierno de la República Checa no quería que la gente fuera católica. Pero el Padre Petr Pit'ha y muchos otros sacerdotes continuaron reuniendo a la gente para la Misa y otros Sacramentos. Todas estas personas sentían un gran amor por Dios. Hoy, los católicos de ese país pueden celebrar su fe sin temor.

? ¿Dónde te reúnes para celebrar la Misa? ¿Por qué es importante ir a Misa?

The Church Follows **Jesus**

To Keep the Faith Alive

People in our country are free to worship God. Going to church is not against the law. This was not always true for people in other countries. A long time ago, Christians had to gather in secret to worship God.

Several hundred years ago, the rulers of Ireland made most Catholic priests outlaws. They gathered in secret with other Catholics to celebrate Mass. They celebrated Mass in caves, barns, and other hidden places.

Not long ago, the government of the Czech Republic did not want people to be Catholic. But Father Petr Pit'ha and many other priests continued to gather people for Mass and other Sacraments. All these people had great love for God. Today, Catholics in that country can celebrate their faith without fear.

? Where do you gather to celebrate Mass? Why is it important to go to Mass?

Disciple Power

Love

Love is the greatest of all virtues. Love gives us the power to cherish God above all things. It also gives us the power to serve people for the sake of God.

Enfoque en la fe

¿Qué sucede cuando nos reunimos para la Misa?

Vocabulario de fe

Misa
La Misa es la celebración más importante de la Iglesia. En la Misa, nos reunimos para adorar a Dios. Escuchamos la Palabra de Dios. Celebramos y participamos de la Eucaristía.

asamblea
La asamblea es el pueblo de Dios reunido para celebrar la Misa. Todos los miembros de la asamblea participan de la celebración de la Misa.

Nos reunimos en la Misa

Jesús reunía a la gente en las laderas de las montañas, cerca de los lagos y alrededor de una mesa en las casas. Él reunía a la gente para compartir la buena nueva del amor de Dios. Jesús prometió:

"Donde están dos o tres reunidos en mi Nombre, allí estoy yo con ellos."

BASADO EN MATEO: 18:20

Después de que Jesús resucitara de entre los muertos y regresara a Dios, sus discípulos se reunían para rezar y escuchar la Palabra de Dios. Recordaban a Jesús y participaban de la Eucaristía.

Hoy nosotros también nos reunimos. Todos los domingos, nos congregamos para adorar a Dios en la celebración de la **Misa**.

En la Misa, los católicos se reúnen como una **asamblea**. Venimos a Misa. Rezamos en voz alta y cantamos. Nos ponemos de pie, nos sentamos y nos arrodillamos. Mostramos que somos discípulos de Jesús. Juntos adoramos a Dios Santísima Trinidad.

Actividad

Con un compañero, habla acerca de todas las cosas que haces en la Misa. Elige una cosa y dramatízala para la clase.

We Gather at Mass

Jesus gathered people on mountainsides, near lakes, and around tables in homes. He gathered people to share the good news of God's love. Jesus promised,

> *"Where two or three are gathered together in my name, I am there with them."*
>
> BASED ON MATTHEW 18:20

After Jesus rose from the dead and returned to God, his disciples came together to pray and listen to God's Word. They remembered Jesus and shared in the Eucharist.

Today we gather, too. Every Sunday, we come together to worship God in the celebration of the **Mass**.

At Mass, Catholics gather as an **assembly**. We come to Mass. We pray aloud and sing. We stand and sit and kneel. We show we are disciples of Jesus. Together we worship God the Holy Trinity.

Faith Focus
What happens when we gather for Mass?

Faith Vocabulary

Mass
The Mass is the most important celebration of the Church. At Mass, we gather to worship God. We listen to God's Word. We celebrate and share in the Eucharist.

assembly
The assembly is the people God gathered to celebrate Mass. All members of the assembly share in the celebration of Mass.

Activity
With a partner, talk about all of the things you do at Mass. Choose one thing and act it out for the class.

Personas de fe

San Justino

Justino vivió aproximadamente 100 años después de que Jesús resucitara de entre los muertos y regresara a su Padre en el Cielo. Justino escribió acerca de cómo se reunían los cristianos para adorar a Dios. Celebramos el día de San Justino el 1 de junio.

La Misa comienza

La Misa es la celebración más importante de la Iglesia. Nos reunimos en la iglesia con nuestra comunidad católica.

Cuando nos reunimos para la Misa, mostramos que somos discípulos de Jesús. Nos reunimos para alabar a Dios Padre por el gran don de Jesús y por todas nuestras bendiciones.

La entrada

Los Ritos Iniciales dan comienzo a la celebración de la Misa. El sacerdote o el obispo y los otros ministros entran en procesión. Solamente un sacerdote o un obispo puede guiarnos en la celebración de la Misa. Usa ropas especiales que se llaman vestiduras.

Nosotros nos ponemos de pie y cantamos. El cantor, o líder de canto, nos guía en el himno de entrada. El canto nos ayuda a unirnos. Cantamos nuestra alabanza y nuestro agradecimiento a Dios.

El saludo

El sacerdote nos da la bienvenida, o nos saluda. Nos guía para que hagamos la Señal de la Cruz. Esto nos recuerda cómo Jesús se entregó a sí mismo en la cruz por nosotros. Nos recuerda también nuestro Bautismo.

Luego el sacerdote nos saluda con los brazos abiertos diciendo: “El Señor esté con ustedes”. Nosotros respondemos: “Y con tu espíritu”. Estas palabras nos recuerdan que Dios está con nosotros en nuestra reunión.

? ¿Por qué nos reunimos para la Misa?

The Mass Begins

The Mass is the most important celebration of the Church. We gather together in church with our Catholic community.

When we gather for Mass, we show that we are disciples of Jesus. We gather to praise God the Father for the great gift of Jesus and for all our blessings.

The Entrance

The Introductory Rites begin the celebration of Mass. The priest or bishop and other ministers enter in procession. Only a priest or bishop can lead us in the celebration of Mass. He wears special clothes called vestments.

We stand and sing. The cantor, or song leader, leads us in the entrance hymn. Singing helps to join us together. We sing our praise and thanks to God.

The Greeting

The priest welcomes or greets us. He leads us in praying the Sign of the Cross. This reminds us how Jesus gave himself for us on the Cross. We also remember our Baptism.

Then the priest greets us with open arms, saying, "The Lord be with you." We respond, "And with your spirit." These words remind us that God is with us in our gathering.

? Why do we gather for Mass?

Faith-Filled People

Saint Justin

Justin lived about 100 years after Jesus rose from the dead and returned to his Father in Heaven. Justin wrote about the ways Christians gathered to worship God. We celebrate Saint Justin's feast on June 1.

Los católicos creen

Día del Señor

Para los cristianos, el domingo es el Día del Señor. Jesús resucitó de entre los muertos en domingo. Los católicos recuerdan a Jesús reuniéndose en asamblea el Día del Señor para celebrar la Misa.

El Acto Penitencial

Después del Saludo, el sacerdote nos invita a recordar el perdón amoroso de Dios. Rezamos en voz alta para pedir la misericordia del Señor.

El Gloria

La mayoría de los domingos, cantamos o rezamos un himno especial llamado Gloria. Es un hermoso himno de agradecimiento y alabanza. Empieza así:

Gloria a Dios en el cielo,
y en la tierra paz a los hombres
que ama el Señor.

La Oración Inicial

Luego el sacerdote dice: "Oremos". Pasamos unos minutos rezando en silencio. Entonces el sacerdote nos guía en la Oración Inicial. Esta oración reúne todas nuestras oraciones y las eleva a Dios Padre en el nombre de Jesús.

Líder de canto en la Misa

Actividad

Escribe los nombres de quienes te ayudaron a participar en la Misa el domingo pasado.

- Con quién te reuniste en asamblea?

____

- Quién condujo a la asamblea en los cantos?

____

- Quién condujo a la asamblea en las oraciones?

____

Penitential Act

After the Greeting, the priest invites us to remember God's forgiving love. We pray aloud, asking for the Lord's mercy.

The Gloria

On most Sundays, we sing or pray a special hymn called the Gloria. It is a beautiful hymn of thanks and praise. This is how it begins.

Glory to God in the highest,
and on earth peace to people of good will.

The Opening Prayer

The priest then says, "Let us pray." We spend a moment in silent prayer. Then the priest leads us in the Opening Prayer. This prayer collects all our prayers and brings them to God the Father in the name of Jesus.

Catholics Believe

The Lord's Day

Sunday is the Lord's Day for Christians. Jesus rose from the dead on Sunday. Catholics remember Jesus by gathering as an assembly on the Lord's Day to celebrate Masst.

Activity Write the names of those who helped you participate in Mass last Sunday.

- With whom did you assemble?

____

- Who led the assembly in song?

____

- Who led the assembly in prayer?

____

A song leader at Mass

Yo sigo a Jesús

Los domingos tú y tu familia se reúnen con la familia de la Iglesia para adorar a Dios. Juntos le ofrecen agradecimiento y alabanza a Dios.

Actividad

Dibújate reunido con tu familia de la Iglesia para el culto. En tu dibujo, muestra cómo estás adorando a Dios en la Misa.

La familia de la Iglesia se reúne

Prestaré atención en la Misa. Mostraré mi amor por Dios participando en la Misa del domingo. Yo voy a:

____

____.

Reza: "Recíbeme en tu amor, oh, Señor, para que pueda alabarte. Amén"

On Sunday you and your family gather with your Church family to worship God. You offer God thanks and praise together.

I Follow Jesus

The Church Family Gathers

Activity

Draw yourself gathered with your Church family for worship. In your picture, show how you are worshiping God at Mass.

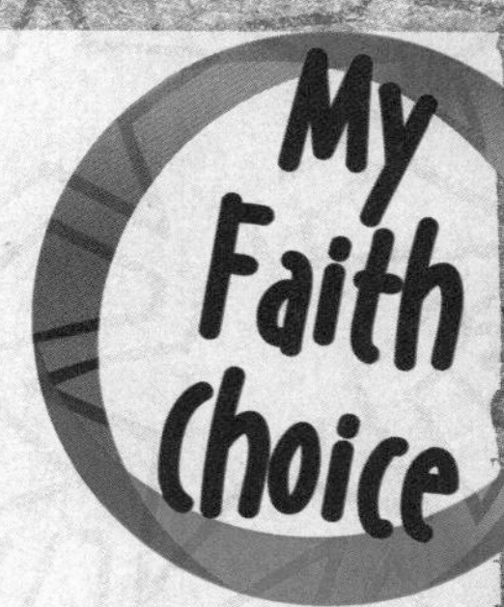

I will pay attention at Mass. I will show my love for God by taking part in Mass on Sunday. I will:

____

____.

Pray, "Gather me in your love, O God, so I can offer you praise. Amen."

PARA RECORDAR

1. La Misa es la celebración más importante de la Iglesia.
2. Todo el mundo tiene un papel que cumplir en la celebración de la Misa.
3. Los Ritos Iniciales de la Misa nos reúnen y nos preparan para adorar a Dios.

Repaso del capítulo

Numera las oraciones en el orden en que suceden en la Misa.

_____ **A.** El sacerdote nos saluda y nosotros hacemos la Señal de la Cruz.

_____ **B.** Cantamos o rezamos el Gloria en voz alta.

_____ **C.** El sacerdote nos guía en la Oración Inicial.

_____ **D.** Rezamos para pedir la misericordia del Señor.

_____ **E.** El sacerdote entra en procesión.

Alabanza a Dios

En la Misa ofrecemos gracias y alabanza a Dios. Rezamos en voz alta o cantamos con alegría. Reza este Salmo con tu clase.

Líder Dios amoroso, nos reunimos en tu nombre para darte gracias y alabanza.

Grupo 1 Aclame al Señor la tierra entera. Adoren al Señor con alegría. Lleguen a él con cánticos de gozo.

Todos **Aclame al Señor la tierra entera.**

Grupo 2 El Señor, nuestro Dios, es bueno;
Él es generoso y compasivo.
Su amor es fiel y dura por siempre.

Todos **Aclame al Señor la tierra entera.**

Basado en el Salmo 100

Chapter Review

Number the sentences in the order in which they happen at Mass.

_____ **A.** The priest greets us, and we pray the Sign of the Cross.

_____ **B.** We sing or pray aloud the Gloria.

_____ **C.** The priest leads us in the Opening Prayer.

_____ **D.** We pray for the Lord's mercy.

_____ **E.** The priest enters in procession.

TO HELP YOU REMEMBER

1. The Mass is the most important celebration of the Church.
2. Everyone at Mass has a part to play in the celebration of the Mass.
3. The Introductory Rites of the Mass gather us and prepare us to worship God.

Praise God

At Mass we offer God thanks and praise. We pray aloud or sing with joy. Pray this Psalm with your class.

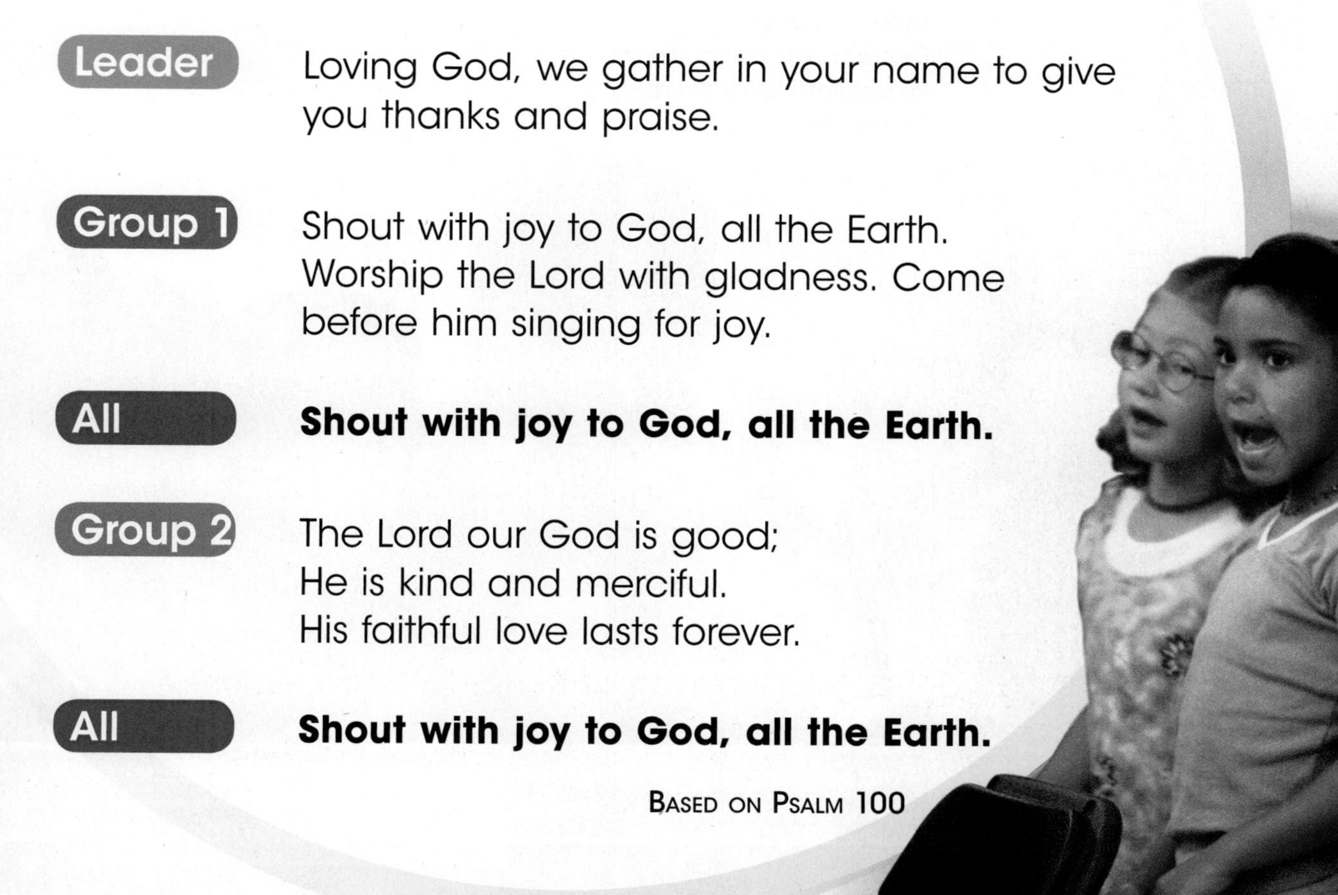

Leader Loving God, we gather in your name to give you thanks and praise.

Group 1 Shout with joy to God, all the Earth. Worship the Lord with gladness. Come before him singing for joy.

All **Shout with joy to God, all the Earth.**

Group 2 The Lord our God is good;
He is kind and merciful.
His faithful love lasts forever.

All **Shout with joy to God, all the Earth.**

BASED ON PSALM 100

Con mi familia

Esta semana...

En el capítulo 13, "Nos reunimos para la Misa", su niño aprendió que:

- La Misa es la celebración más importante de la Iglesia.
- En la Misa, nos reunimos en asamblea: la Iglesia, el Pueblo de Dios. Juntos participamos en la celebración eucarística.
- La celebración de la Misa empieza con los Ritos Iniciales. Nos preparamos para la celebración de la Palabra de Dios y de la Eucaristía.
- La virtud de la caridad nos confiere el poder de amar a Dios y a los demás por nuestro amor a Dios.

Para saber más sobre otras enseñanzas de la Iglesia, consulten el *Catecismo de la Iglesia Católica*, 1322–1332, 1346, 1348, y el *Catecismo Católico de los Estados Unidos para los Adultos*, páginas 215–218.

Compartir la Palabra de Dios

Lean juntos Hechos de los Apóstoles 2:42–47, un relato de las reuniones de la Iglesia primitiva. Enfaticen que, desde los inicios de la Iglesia, los cristianos se reunían para escuchar las enseñanzas y los escritos de los Apóstoles, y para celebrar la Eucaristía.

Vivimos como discípulos

El hogar cristiano con la familia es una escuela de discipulado. Elijan una o más de las siguientes actividades para hacer en familia, o creen una actividad similar ustedes mismos.

- Fórmense el hábito de leer las próximas lecturas de la semana antes de la Misa. Pueden encontrarlas en el sitio web de *Sean mis discípulos* o en los libros especiales para este propósito. De camino a casa, comenten las lecturas y la homilía del celebrante.
- Hablen acerca de cómo se prepara su familia para reunirse en la Misa. Señalen que todas estas actividades forman parte de la preparación para celebrar la Eucaristía. También estos momentos pueden ser una forma de oración.

Nuestro viaje espiritual

Las Virtudes Teologales de la fe, la esperanza y la caridad nos invitan a glorificar a Dios, y nos confieren el poder para hacerlo, en todo lo que decimos y en todo lo que hacemos. Profundicen su entendimiento de estas virtudes. Son la fuerza impulsora que les permite responder "Aquí estoy, Señor. Mándame a mí" y encauzar esa respuesta. Enséñenle esta oración a su niño.

Para hallar más ideas sobre las maneras en que su familia puede vivir como discípulos de Jesús, visiten **seanmisdiscipulos.com**

With My Family

This Week...

In chapter 13, "We Gather for Mass," your child learned that:

- The Mass is the Church's most important celebration.
- At Mass, we gather as an assembly—the Church, the People of God. Together we take our part in the Eucharistic celebration.
- The celebration of Mass begins with the Introductory Rites. We prepare ourselves for the celebration of God's Word and of the Eucharist.
- The virtue of love empowers us to love God and love others because of our love for God.

For more about related teachings of the Church, see the *Catechism of the Catholic Church*, 1322–1332, 1346, 1348, and the *United States Catholic Catechism for Adults*, pages 215–218.

Sharing God's Word

Read Acts of the Apostles 2:42–47 together, an account of the gathering of the early Church. Emphasize that from the beginning of the Church, Christians gathered to listen to the teachings and writings of the Apostles and to celebrate the Eucharist.

We Live as Disciples

The Christian home and family is a school of discipleship. Choose one of the following activities to do as a family or design a similar activity of your own.

- Form the habit of reading the upcoming readings of the week before Mass. You can find them at the Be My Disciples Web site, or in special books for this purpose. On the way home, discuss the readings and the celebrant's homily.
- Talk about the different ways your family gets ready to gather for Mass. Point out that these activities are all part of preparing to celebrate the Eucharist. These moments too, can be a form of prayer.

Our Spiritual Journey

The Theological Virtues of faith, hope, and love invite and empower us to glorify God in all we say and do. Deepen your understanding of these virtues. They are the driving power that enables you to respond and give direction to your response "Here I am. Lord. Send me." Teach this prayer to your child.

For more ideas on ways your family can live as disciples of Jesus, visit **www.BeMyDisciples.com**

Escuchamos la Palabra de Dios

¿Qué relatos o qué palabras te gusta escuchar una y otra vez?

Este es un relato que escuchamos en la Misa. Jesús estaba ayudando a las personas de una aldea. Estaba enseñándoles acerca del amor de Dios. Entonces algo sorprendente sucedió.

Una mujer levantó la voz y dijo: "Feliz tu madre por haber tenido un hijo tan maravilloso". Jesús le dijo a la mujer: "Felices los que escuchan la Palabra de Dios y la respetan".

BASADO EN LUCAS 11:27–28

¿Qué significa respetar la Palabra de Dios?

We Listen to God's Word

What stories or words do you like to hear over and over?

Here is a story we hear at Mass. Jesus was helping people in a village. He was teaching them about God's love. Then something surprising happened.

A woman said in a loud voice, "Blessed is your mother to have such a wonderful son." Jesus said to the woman, "Blessed are those who hear the Word of God and keep it." Based on Luke 11:27–28

What does it mean to keep the Word of God?

Poder de los discípulos

Compasión

La compasión significa preocuparse por los demás cuando sufren o están tristes. Tener compasión nos lleva a querer ayudarlos a sentirse mejor.

Anunciar la Palabra de Dios

Jesús nos dijo que Él es la Palabra de Dios. Cuando escuchamos a Jesús y hacemos lo que Él dice, somos felices. Somos amigos de Dios. Pero, ¿qué pasaría si no pudieras oír la Palabra de Dios?

La Iglesia Católica ayuda a que todos conozcan a Jesús. Le muestra compasión a todo aquel que necesite ayuda.

Los sordos pueden aprender a oír y a compartir la Palabra de Dios. Usan un lenguaje de gestos que se hacen con las manos llamado Lenguaje de Señas Estadounidense, o LSE.

En muchas parroquias, alguien hace estos gestos para expresar con señas las palabras que el sacerdote y las demás personas dicen en voz alta. Los sordos dan sus respuestas con señas.

Actividad

Aprende a decir con señas esta palabra que decimos o cantamos en la Misa.

The Church Follows **Jesus**

Disciple Power

Compassion

Compassion means to care about others when they are hurt or feeling sad. Having compassion makes us want to help them feel better.

Announcing God's Word

Jesus told us that he is the Word of God. When we listen to Jesus and do what he says, we are blessed. We are friends of God. But what if you could not hear God's Word?

The Catholic Church helps everyone come to know Jesus. They show compassion to all who need help.

Deaf people can learn to hear and share God's Word. They use a language of hand gestures called American Sign Language, or ASL.

In many parishes, someone uses these hand gestures to sign the words the priest and others say aloud. The deaf people sign their responses.

Activity

Learn to sign this word that we say or sing at Mass.

ALLELUIA!

Enfoque en la fe
¿Qué ocurre cuando celebramos la Liturgia de la Palabra?

Vocabulario de fe
Liturgia de la Palabra
La Liturgia de la Palabra es la primera parte principal de la Misa. Dios nos habla a través de las lecturas de la Biblia.

La Liturgia de la Palabra

Después de los Ritos Iniciales, celebramos la **Liturgia de la Palabra**. La Liturgia de la Palabra es la primera parte principal de la Misa. Escuchamos la Palabra de Dios y respondemos a ella.

Las lecturas de la Biblia

En la Misa del domingo y del sábado por la tarde, escuchamos tres lecturas. Para las dos primeras lecturas, nos sentamos.

La Primera Lectura es, por lo general, del Antiguo Testamento. Después de esta lectura, cantamos o rezamos el Salmo Responsorial. Luego escuchamos la Segunda Lectura. Es del Nuevo Testamento.

A continuación viene una lectura de uno de los cuatro Evangelios. Para prepararnos para escuchar el Evangelio, nos ponemos de pie y cantamos o rezamos en voz alta la Aclamación del Evangelio. Es un himno de alabanza corto. La mayoría de los días, nos ponemos de pie y cantamos el "Aleluya".

¿Por qué te parece que cantamos o decimos el "Aleluya" antes de escuchar el Evangelio?

The Liturgy of the Word

After the Introductory Rites, we celebrate the Liturgy of the Word. The **Liturgy of the Word** is the first main part of the Mass. We listen and respond to God's Word.

The Readings from the Bible

At Mass on Sundays and on Saturday evenings, we listen to three readings. We sit for the first two readings.

The First Reading is usually from the Old Testament. After this reading, we sing or pray the Responsorial Psalm. Then we hear the Second Reading. It is from the New Testament.

A reading from one of the four Gospels comes next. We get ready to listen to the Gospel by standing and singing or praying aloud the Gospel Acclamation. This is a short hymn of praise. On most days, we stand and sing "Alleluia."

? Why do you think we sing or say "Alleluia" before we listen to the Gospel?

Faith Focus
What happens when we celebrate the Liturgy of the Word?

Faith Vocabulary
Liturgy of the Word
The Liturgy of the Word is the first main part of the Mass. God speaks to us through the readings from the Bible.

Personas de fe

San Pablo Chong Hasang

Los católicos laicos, que no son sacerdotes ni monjas, fueron los primeros en llevar la Palabra de Dios al pueblo de Corea. Uno de esos laicos fue Pablo Chong Hasang. Las autoridades de Corea no querían que allí hubiera cristianos. Pablo trabajó toda su vida para compartir la Palabra de Dios. El día de San Pablo Chong Hasang es el 20 de septiembre.

Escuchamos la Palabra de Dios

El diácono o el sacerdote proclama el Evangelio. El Evangelio es la Buena Nueva de Jesucristo. Nos ponemos de pie para mostrar nuestro respeto.

Escucha esta lectura del Evangelio. Jesús dijo:

"Un sembrador salió a sembrar unas semillas. Algunas cayeron en el camino, y las aves se las comieron. Algunas cayeron sobre las rocas y se secaron. Algunas cayeron entre los cardos, las espinas crecieron y las ahogaron. Otras semillas cayeron en tierra buena. Echaron raíces, crecieron fuertes y dieron buenos frutos.

La semilla es como la palabra de Dios. Las personas son como los lugares donde la semilla cae... Algunos no escuchan la palabra de Dios o se la olvidan. Son como las rocas y las espinas.

Pero otras personas realmente escuchan la palabra de Dios. Responden a ella llevando una buena vida. Estas personas son como la tierra buena. La fe en Dios crece fuerte en ellas."

Basado en Mateo 13:1–9, 18–23

Cuando termina la lectura del Evangelio, respondemos: "Gloria a ti, Señor Jesús".

? ¿Por qué son como la tierra buena las personas que escuchan la Palabra de Dios?

We Listen to God's Word

The deacon or priest proclaims the Gospel. The Gospel is the Good News of Jesus Christ. We stand to show our respect.

Listen to this Gospel reading. Jesus said,

"A farmer went out to scatter some seeds. Some seeds fell on a path. Birds ate them up. Some fell on rocks. They dried up and died. Some seeds fell among thorns. The thorns grew and choked the seeds. Other seeds fell on good soil. They took root, grew strong, and produced good fruit.

"The seed is like God's word. People are like the places where the seed fell.... Some people do not listen to God's word or they forget it. They are like the rocks and thorns.

But some people really listen to God's word. They respond to it by living good lives. These people are like the good soil. Faith in God grows strong in them."

BASED ON MATTHEW 13:1–9, 18–23

When the Gospel reading is over, we respond "Praise to you, Lord Jesus Christ."

? How are people who listen to God's Word like the good soil?

Faith-Filled People

Saint Paul Chong Ha-sang

Catholic lay people, not priests or nuns, first brought the Word of God to the people of Korea. One of those lay people was Paul Chong Ha-sang. Korea's leaders did not want Christians there. Paul worked all his life to share God's Word. The feast day of Saint Paul Chong Ha-sang is September 20.

Los católicos creen

El santuario

El santuario es el lugar de la iglesia donde ves el altar y el ambón. La palabra *santuario* significa "lugar santo". El ambón es el sitio donde los lectores, el diácono y el sacerdote proclaman la Palabra de Dios.

Respondemos a la Palabra de Dios

La homilía

Después de que se proclama el Evangelio, nos sentamos. El sacerdote o el diácono nos habla. Nos ayuda a entender las lecturas. Esto se llama homilía.

La profesión de fe

Después de la homilía, nos ponemos de pie. Juntos respondemos a la Palabra de Dios Rezamos en voz alta una profesión de nuestra fe, o un credo de la Iglesia. Profesamos nuestra fe en Dios Padre, Dios Hijo y Dios Espíritu Santo.

La Oración de los Fieles

La última parte de la Liturgia de la Palabra es la Oración de los Fieles. Le pedimos a Dios que ayude a la Iglesia y a nuestro país. Rezamos por los demás y por nosotros.

Actividad

Numera las partes de la Liturgia de la Palabra en el orden correcto en que suceden durante la Misa. Trabaja con un compañero.

_____ Profesión de fe

_____ Oración de los Fieles

_____ Homilía

_____ Salmo Responsorial

_____ Lectura del Antiguo Testamento

_____ Lectura del Nuevo Testamento

_____ Evangelio

We Respond to God's Word

The Homily

After the Gospel is proclaimed, we sit. The priest or deacon talks to us. He helps us to understand the readings. This is called the homily.

The Profession of Faith

After the homily, we stand. Together we respond to God's Word. We pray aloud a profession of our faith, or a creed of the Church. We profess our faith in God the Father, God the Son, and God the Holy Spirit.

The Prayer of the Faithful

The last part of the Liturgy of the Word is the Prayer of the Faithful. We ask God to help the Church and our country. We pray for other people and for ourselves.

Catholics Believe

The Sanctuary

The sanctuary is the place in the church where you see the altar and the ambo. The word *sanctuary* means "holy place." The ambo is the stand where the readers, the deacon, and the priest proclaim the Word of God.

Activity

Number the parts of the Liturgy of the Word in the correct order that they happen during Mass. Work with a partner.

____ Profession of Faith

____ Prayer of the Faithful

____ Homily

____ Responsorial Psalm

____ Old Testament Reading

____ New Testament Reading

____ Gospel

Yo sigo a Jesús

En la Misa, tú eres parte de la asamblea. Participas en la celebración de la Misa de muchas maneras. Durante la Liturgia de la Palabra, escuchas la Palabra de Dios y respondes a ella.

Actividad

Yo escucho y respondo

Dibuja o escribe algo sobre un relato de la Biblia que hayas escuchado en la Misa. Escribe el título de tu relato en el renglón. Comparte lo que el relato te dice acerca del amor de Dios.

____

La próxima vez que participe en la Misa, yo voy a

- [ ] decir las respuestas
- [ ] cantar los himnos
- [ ] escuchar atentamente las lecturas
- [ ] rezar la profesión de fe
- [ ] ______________________________________.

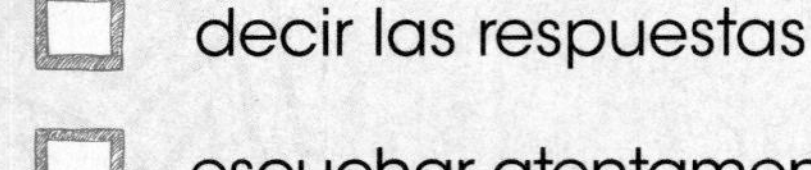

Reza: "Ábreme los oídos para que oiga tu Palabra, oh, Señor. Ábreme el corazón para que la viva todos los días. Amén".

At Mass you are part of the assembly. You take part in the celebration of Mass in many ways. During the Liturgy of the Word, you listen and respond to the Word of God.

I Follow Jesus

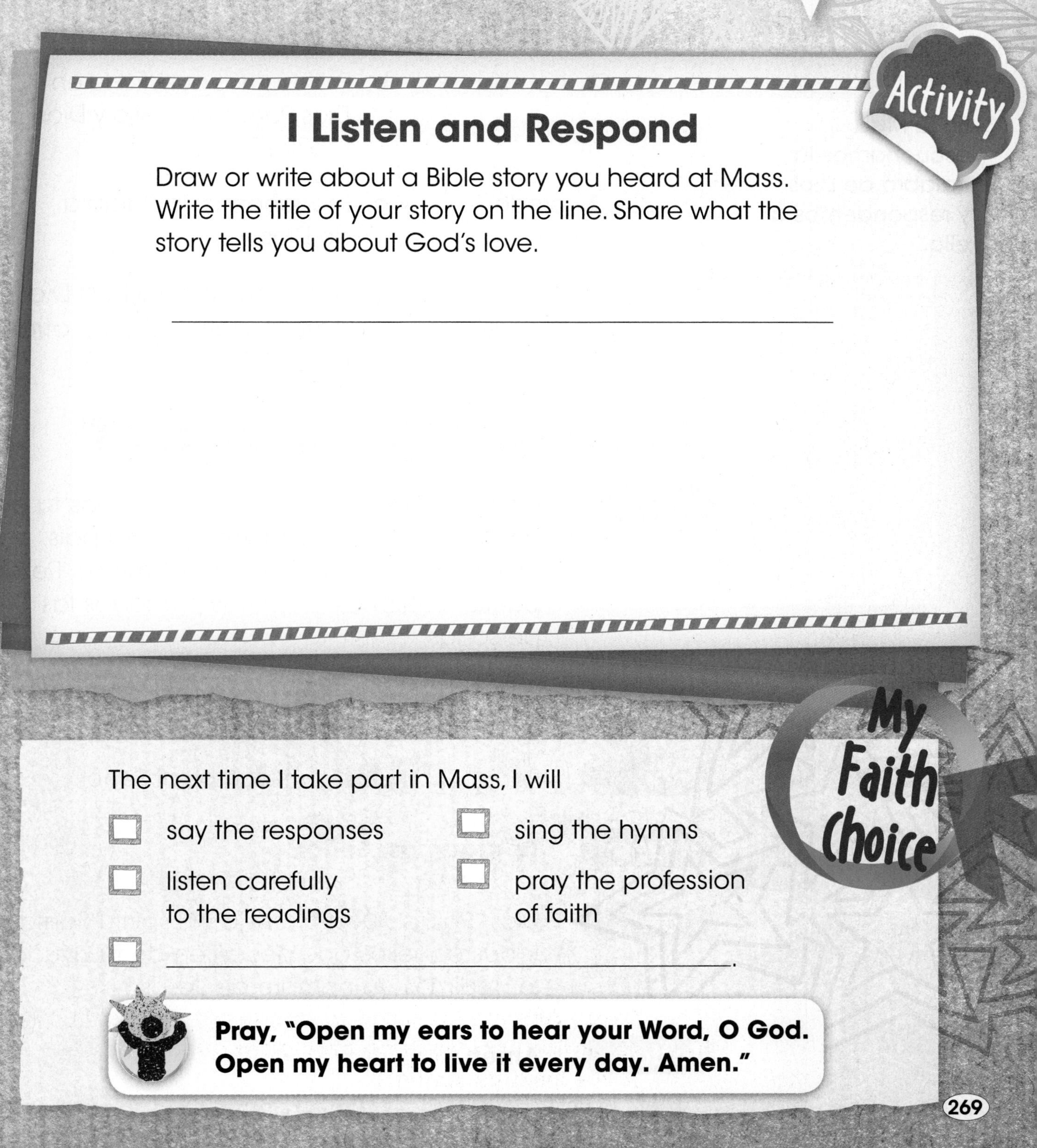

I Listen and Respond

Draw or write about a Bible story you heard at Mass. Write the title of your story on the line. Share what the story tells you about God's love.

____

My Faith Choice

The next time I take part in Mass, I will

- ☐ say the responses
- ☐ sing the hymns
- ☐ listen carefully to the readings
- ☐ pray the profession of faith
- ☐ ______________________________.

Pray, "Open my ears to hear your Word, O God. Open my heart to live it every day. Amen."

PARA RECORDAR

1. La Liturgia de la Palabra es la primera parte principal de la Misa.
2. El Evangelio es la parte principal de la Liturgia de la Palabra.
3. En la Misa, escuchamos la Palabra de Dios y respondemos a ella.

Repaso del capítulo

Une cada palabra con su descripción correcta.

Palabras	Descripciones
_____ 1. lecturas	a. El sacerdote o el diácono nos ayuda a entender la Palabra de Dios.
_____ 2. homilía	b. Profesamos nuestra fe en Dios Padre, Dios Hijo y Dios Espíritu Santo.
_____ 3. credo	c. Escuchamos la Palabra de Dios.
_____ 4. Oración de los Fieles	d. Le pedimos ayuda a Dios para nosotros y para otras personas.

Te rogamos, Señor

Líder Oremos. Dios, Padre nuestro, pedimos tu ayuda. Rezamos por la Iglesia, por nuestro país, por nuestra familia y por nuestros amigos. Rezamos por los enfermos. Rezamos por todas las personas.

Todos **Te rogamos, Señor.**

Niño Por _______________, rezamos al Señor.

Todos **Te rogamos, Señor.**

Líder Dios, Padre nuestro, envía el Espíritu Santo a todos aquellos que necesiten de tu ayuda. Te lo pedimos en nombre de Jesús.

Todos **Amén.**

Chapter Review

Match each word with its correct description.

Words	Descriptions
____ **1.** readings	**a.** The priest or deacon helps us understand God's Word.
____ **2.** homily	**b.** We profess our faith in God the Father, God the Son, and God the Holy Spirit.
____ **3.** creed	**c.** We listen to God's Word.
____ **4.** Prayer of the Faithful	**d.** We ask God to help us and other people.

TO HELP YOU REMEMBER

1. The Liturgy of the Word is the first main part of the Mass.
2. The Gospel is the main part of the Liturgy of the Word.
3. At Mass we listen and respond to the Word of God.

Lord, Hear Our Prayer

Leader Let us pray. God our Father, we ask for your help. We pray for the Church, for our country, for our family, and for our friends. We pray for people who are sick. We pray for all people.

All **Lord, hear our prayer.**

Child For ______________, we pray to the Lord.

All **Lord, hear our prayer.**

Leader God our Father, send the Holy Spirit upon all who need your help. We ask this in the name of Jesus.

All **Amen.**

Con mi familia

Esta semana...

En el capítulo 14, "Escuchamos la Palabra de Dios", su niño aprendió que:

- La Liturgia de la Palabra es la primera parte principal de la Misa.
- El Evangelio es el centro de la Liturgia de la Palabra.
- Durante la Liturgia de la Palabra, escuchamos la Palabra de Dios y la hacemos parte de nuestra vida.
- Profesamos nuestra fe y rezamos por los vivos y los muertos.
- La cualidad de la compasión nos ayuda a responder a las necesidades de los demás.

Para saber más sobre otras enseñanzas de la Iglesia, consulten el *Catecismo de la Iglesia Católica,* 1322–1332, 1346 y 1349, y el *Catecismo Católico de los Estados Unidos para los Adultos,* página 218.

Compartir la Palabra de Dios

Lean juntos 2.ª Timoteo 3:16. Comenten por qué la Sagrada Escritura es una fuente de conocimiento para su familia. Hablen de cómo pueden hacer que leer la Sagrada Escritura sea algo cotidiano en su familia.

Vivimos como discípulos

El hogar cristiano con la familia es una escuela de discipulado. Elijan una o más de las siguientes actividades para hacer en familia, o creen una actividad similar ustedes mismos.

- Léanle a su niño todos los días: cuentos, la Biblia, hasta el periódico. Escuchar una lectura no solamente es placentero, sino que ayuda a prepararnos para escuchar la proclamación de la Palabra de Dios en la liturgia.
- Repasen con su niño las respuestas a la Liturgia de la Palabra. Las pueden encontrar en las páginas 534-546 del libro de su niño. Saber las respuestas nos ayuda a participar mejor en la Misa.

Nuestro viaje espiritual

En la Misa, la Oración de los Fieles nos permite rezarle a Dios por las necesidades de los demás. Formar en su niño el hábito de rezar por las necesidades de los demás lo ayudará a ver el mundo desde una perspectiva más amplia y a recordar que Dios trae todas las bendiciones. Recen juntos en casa la oración de la página 270.

Para hallar más ideas sobre las maneras en que su familia puede vivir como discípulos de Jesús, visiten **seanmisdiscipulos.com**

With My Family

This Week...

In chapter 14, "We Listen to God's Word," your child learned:

- The Liturgy of the Word is the first main part of the Mass.
- The Gospel is the center of the Liturgy of the Word.
- During the Liturgy of the Word, we listen to God's Word and make it part of our lives.
- We profess our faith and pray for the living and the dead.
- The quality of compassion helps us to respond to the needs of others.

For more about related teachings of the Church, see the *Catechism of the Catholic Church*, 1322–1332 and 1346 and 1349, and the *United States Catholic Catechism for Adults*, page 218.

Sharing God's Word

Read 2 Timothy 3:16 together. Discuss how Scripture is a source of knowledge for your family. Talk about ways you can make reading the Scripture something your family can do each day.

We Live as Disciples

The Christian home and family is a school of discipleship. Choose one of the following activities to do as a family or design a similar activity of your own.

- Read to your child every day—stories, the Bible, even the daily paper. Listening to a reading is not only pleasing but helps prepare us to listen to the proclamation of God's Word in the liturgy.
- Review the responses for the Liturgy of the Word with your child. These can be found on pages 535–547 in your child's book. Knowing the responses helps us better participate in the Mass.

Our Spiritual Journey

At Mass, the Prayer of the Faithful allows us to pray to God for the needs of others. Helping your child to form the habit of praying for the needs of others helps him or her to see the world through a wider perspective and to remember that God brings all blessings. Pray the prayer on page 271 together at home.

For more ideas on ways your family can live as disciples of Jesus, visit **www.BeMyDisciples.com**

Damos

¿Qué dones has recibido?

Todas las cosas buenas vienen de Dios. Piensa en tus numerosas bendiciones. Únete a todo el pueblo de Dios y reza:

> *"Me uniré a tu pueblo, Señor Dios. Te daré gracias en la gran asamblea."*
>
> BASADO EN SALMO 35:18

¿Por qué dones quieres agradecer a Dios?

CHAPTER 15

We Give Thanks

What is a gift you have received?

All good things come from God. Think of your many blessings. Join with all God's people and pray,

"I will join with your people, Lord God.
I will thank you in the great assembly."

BASED ON PSALM 35:18

What do you want to thank God for?

Poder de los discípulos

Agradecimiento

Ser agradecidos es una parte importante de quiénes somos como discípulos de Jesús. Hemos recibido bendiciones y dones maravillosos. Jesús nos llama a ser personas agradecidas.

La Iglesia sigue a **Jesús**

Gracias, Señor

San Francisco de Asís sabía que todas sus bendiciones venían de Dios. Francisco era tan dichoso que cantaba frecuentemente dándole gracias a Dios.

Los católicos dan gracias a Dios por sus bendiciones de muchas maneras. Hoy los seguidores de San Francisco se llaman franciscanos. Los franciscanos de la Ciudad de Nueva York dan gracias a Dios todos los días. Una manera en la que lo hacen es compartiendo sus bendiciones con las personas.

Las personas de la Ciudad de Nueva York que necesitan comida o ropa van a la Iglesia de San Francisco de Asís. Los franciscanos están allí todas las mañanas para saludarlas.

Los franciscanos les dan a cada una sándwiches y algo de beber y, a veces, ropa para ponerse. Pero, principalmente, los franciscanos comparten una sonrisa y palabras de bienvenida.

Los franciscanos siguen compartiendo amor y respeto como lo hicieron Jesús y San Francisco.

? Cómo pueden tú y tu familia compartir con los demás de la manera en que Jesús nos llama a hacerlo?

The Church Follows **Jesus**

Thank You, Lord

Saint Francis of Assisi knew all his blessings came from God. Francis was so full of joy, he often sang his thanks to God.

Catholics thank God for their blessings in many ways. Today the followers of Saint Francis are called Franciscans. The Franciscans in New York City say thanks to God every day. One way they do this is by sharing their blessings with people.

People in New York City who need food or clothing come to the Church of Saint Francis of Assisi. The Franciscans are there every morning to greet them.

The Franciscans give each person sandwiches and something to drink and sometimes clothing to wear. Most importantly, the Franciscans share a smile and words of welcome.

Franciscans continue to share love and respect just as Jesus and Saint Francis did.

? What ways can you and your family share with others as Jesus calls us to do?

Disciple Power

Thankfulness

Thankfulness is a big part of who we are as disciples of Jesus. We have received wonderful blessings and gifts. Jesus calls us to be a thankful people.

Enfoque en la fe
¿Qué ocurre cuando la Iglesia celebra la Liturgia Eucarística?

Vocabulario de fe

Liturgia Eucarística
La Liturgia Eucarística es la segunda parte principal de la Misa. La Iglesia hace lo que hizo Jesús en la Última Cena.

Eucaristía
La Eucaristía es el Sacramento del Cuerpo y la Sangre de Jesucristo.

La Liturgia Eucarística

La Iglesia celebra la **Liturgia Eucarística** como la segunda parte principal de la Misa. La palabra Eucarística viene de *eucaristía* que significa "acción de gracias". En la Misa le damos gracias a Dios por el don de Jesús con la celebración de la Eucaristía.

Preparación de los dones

La Liturgia **Eucarística** empieza con la preparación de los dones. Miembros de la asamblea traen al altar nuestros dones del pan y el vino. El sacerdote le dice a Dios que todas nuestras bendiciones vienen de Él. Nosotros respondemos: "Bendito seas por siempre, Señor".

Después de lavarse las manos, el sacerdote nos invita a rezar. Luego nos guía en la Oración sobre las Ofrendas. Nosotros respondemos: "Amén".

Actividad

Piensa en las bendiciones que Dios les ha dado a ti y a tu familia. Llena el Cubo de las bendiciones con palabras e imágenes que indiquen las bendiciones que hayas recibido. Comparte su contenido con tus compañeros. Muestra que estás agradecido. Reza con tu clase: "Bendito seas por siempre, Señor."

The Liturgy of the Eucharist

The Church celebrates the **Liturgy of the Eucharist** as the second main part of the Mass. The word *eucharist* means "thanksgiving." At Mass we give thanks to God for the gift of Jesus.

The Preparation of the Gifts

The Liturgy of the **Eucharist** begins with the preparation of the gifts. Members of the assembly bring our gifts of bread and wine to the altar. The priest tells God all our blessings come from him. We respond, "Blessed be God for ever."

After he washes his hands, the priest invites us to pray. He then leads us in the Prayer over the Offerings. We respond, Amen."

Faith Focus

What happens when the Church celebrates the Liturgy of the Eucharist?

Faith Vocabulary

Liturgy of the Eucharist
The Liturgy of the Eucharist is the second main part of the Mass. The Church does what Jesus did at the Last Supper.

Eucharist
The Eucharist is the Sacrament of the Body and Blood of Jesus Christ.

Activity

Think of the blessings God has given you and your family. Fill the Blessings Bucket with words and images that tell of blessings you have received. Share what is in it with your classmates. Show that you are thankful. Pray with your class, "Blessed be God for ever."

Personas de fe

San Pío X

El Papa Pío X dictó una regla para que los católicos pudieran recibir la Sagrada Comunión a partir de los siete años de edad. También les dijo a los católicos que era importante que recibieran la Sagrada Comunión con frecuencia. La Iglesia celebra el día de San Pío X el 21 de agosto.

La Plegaria Eucarística

La Plegaria Eucarística es la gran oración de acción de gracias de la Iglesia. Es durante esta oración cuando nosotros hacemos lo que hizo Jesús en la Última Cena la noche anterior a su muerte.

Durante la comida, Jesús tomó pan entre las manos y dijo una oración de bendición. Partió el pan y, dándoselo a sus discípulos, dijo: "Tomen y coman. Este es mi cuerpo. Hagan esto en memoria mía".

Jesús tomó una copa de vino y le dio gracias a Dios. Dándoles la copa de vino a sus discípulos, dijo: "Beban". Y todos bebieron de la copa. Jesús dijo: "Esta es mi sangre, que es derramada por muchos".

BASADO EN LUCAS 22:17–20

¿Quién dice las palabras de Jesús en la Misa?

The Eucharistic Prayer

The Eucharistic Prayer is the Church's great prayer of thanksgiving. It is during this prayer that we do what Jesus did at the Last Supper the night before he died.

During the meal, Jesus took bread into his hands and said a blessing prayer. He broke the bread. Giving the bread to his disciples, Jesus said, "Take and eat. This is my body. Do this in memory of me."

Jesus took a cup of wine and gave thanks to God. Giving the cup of wine to his disciples, he said, "Drink it." They all drank from the cup. Jesus said, "This is my blood, which is poured out for many."

Based on Luke 22:17–20

? Who says the words of Jesus at Mass?

Faith-Filled People

Saint Pius X

Pope Pius X made a rule that Catholics who are seven years old or older could receive Holy Communion. He also told Catholics that it was important that they receive Holy Communion often. The Church celebrates the feast day of Saint Pius X on August 21.

Los católicos creen

Santo Sacrificio

La Misa se llama también Santo Sacrificio. El sacrificio de Jesús en la cruz es el acto más grande de amor por Dios Padre y por todas las personas. En la Misa, nos hacemos partícipes del sacrificio de Jesús. Nos unimos con Jesús y mostramos nuestro amor por Dios. Recibimos la gracia de Dios para amarnos unos a otros como nos encomendó Jesús.

La Consagración

El sacerdote toma pan y dice: "Tomen y coman todos de él, porque esto es mi Cuerpo, que será entregado por ustedes".

Luego toma el cáliz de vino y dice: "Tomen y beban todos de él, porque éste es el cáliz de mi Sangre, Sangre de la alianza nueva y eterna, que será derramada por ustedes y por todos los hombres para el perdón de los pecados. Hagan esto en conmemoración mía".

Estas son las palabras para la Consagración. A través de las palabras del sacerdote y del poder del Espíritu Santo, el pan y el vino se convierten en el Cuerpo y la Sangre de Cristo.

El Rito de la Comunión

Después de que compartimos una señal de la paz, el sacerdote nos invita a ir al frente para recibir la Sagrada Comunión. Recibimos el don de Jesús mismo. Recibimos fuerzas para vivir como sus discípulos.

El Rito de la Comunión termina con la Oración después de la Comunión.

Actividad

Completa esta oración:

El pan y el vino se convierten

en el _______________ y la

_______________ de Jesucristo.

The Consecration

The priest takes bread and says, "Take this, all of you, and eat of it, for this is my Body, which will be given up for you."

Then he takes the cup of wine and says, "Take this all of you, and drink from it, for this is the chalice of my Blood, the Blood of the new and eternal covenant, which will be poured out for you and for many for the forgiveness of sins. Do this in memory of me."

These are called the words of Consecration. Through the words of the priest and the power of the Holy Spirit, the bread and wine become the Body and Blood of Christ.

Catholics Believe

The Holy Sacrifice

The Mass is also called the Holy Sacrifice. Jesus' sacrifice on the cross is the greatest act of love for God the Father and for all people. At Mass, we are made sharers in the sacrifice of Jesus. We join with Jesus and show our love for God. We receive God's grace to love one another as Jesus commanded us to do.

The Communion Rite

After we share a sign of peace, the priest invites us to come forward to receive Holy Communion. We receive the gift of Jesus himself. We receive strength to live as his disciples.

The Communion Rite ends with the Prayer after Communion.

Activity

Complete this sentence:

The bread and wine are changed to the body **and** blood **of Jesus Christ.**

Yo sigo a Jesús

En la Misa, recibes el don del Cuerpo y la Sangre de Cristo. Una manera en la que puedes agradecer las bendiciones de Dios es compartiéndolas con las demás personas.

Actividad

Compartir mis bendiciones

Piensa en cómo te ayuda el Espíritu Santo a compartir las numerosas bendiciones que te han sido dadas. Escribe una oración de agradecimiento a Dios por todas sus bendiciones. Pídele al Espíritu Santo que te ayude a compartir tus bendiciones con los demás.

____

____

____

____

____

Esta semana compartiré las bendiciones que Dios me ha dado. Yo voy a

____

____.

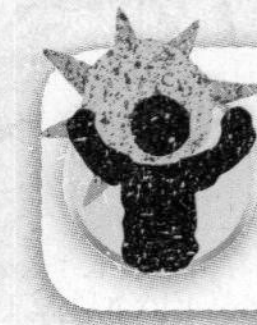

Reza: "Tú me has bendecido, oh, Señor. Enséñame y ayúdame a compartir mis bendiciones. Amén".

At Mass, you receive the gift of the Body and Blood of Christ. One way you can give thanks for the blessings God gives you is by sharing your blessings with other people.

I Follow Jesus

Sharing My Blessings

Activity

Think of how the Holy Spirit helps you share the many blessings you have been given. Write a prayer of thanks to God for all his blessings. Ask the Holy Spirit to help you share your blessings with others.

____

____

____

____

____

____

My Faith Choice

This week I will share the blessings God has given me. I will

____

____.

Pray, "You have blessed me, O Lord. Teach me and help me to share my blessings. Amen."

PARA RECORDAR

1. En la Última Cena, Jesús le dio a la Iglesia el Sacramento de la Eucaristía.
2. En la celebración de la Eucaristía, el pan y el vino se convierten en el Cuerpo y la Sangre de Jesús.
3. Recibimos el Cuerpo y la Sangre de Jesús en la Sagrada Comunión.

Repaso del capítulo

Traza una línea desde cada palabra de la columna izquierda hasta la oración que completa en la columna derecha.

Palabras	Oraciones
Sacramento	La ______ es la gran oración de acción de gracias de la Iglesia.
Plegaria Eucarística	En la Eucaristía, hacemos lo que hizo Jesús en la ______.
Última Cena	La Eucaristía es el ______ del Cuerpo y la Sangre de Cristo.

Bendito seas Señor

Las oraciones de bendición le dicen a Dios que creemos en qu· todas nuestras bendiciones vienen de Él. Aprende la respuesta "Bendito seas por siempre, Señor."

Líder Dios, Padre nuestro, te damos gracias por todas tus bendiciones.

Todos **Bendito seas por siempre, Señor.**

Líder Gracias, Señor, por ________________.

Todos **Bendito seas por siempre, Señor. Amén.**

Chapter Review

Draw a line from each word in the left column to the sentence it completes in the right column.

Words	Sentences
Sacrament	The ______ is the Church's great prayer of thanksgiving.
Eucharistic Prayer	At the Eucharist we do what Jesus did at the ______.
Last Supper	The Eucharist is the ______ of the Body and Blood of Christ.

TO HELP YOU REMEMBER

1. At the Last Supper, Jesus gave the Church the Sacrament of the Eucharist.
2. At the celebration of the Eucharist, the bread and wine become the Body and Blood of Jesus.
3. We receive the Body and Blood of Jesus in Holy Communion.

Blessed Be God

Blessing prayers tell God we believe that all our blessings come from him. Learn the response "Blessed be God for ever."

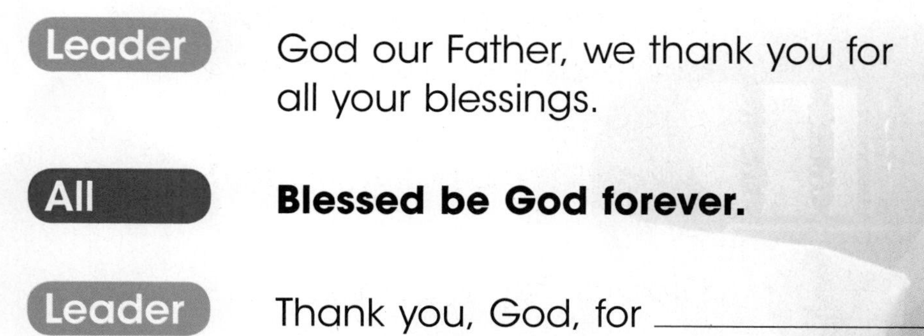

Leader God our Father, we thank you for all your blessings.

All **Blessed be God forever.**

Leader Thank you, God, for ______________.

All **Blessed be God forever. Amen.**

Con mi familia

Esta semana...

En el capítulo 15, "Damos gracias", su niño aprendió que:

- Jesús le dio a la Iglesia el Sacramento de la Eucaristía en la Última Cena.
- Durante la Plegaria Eucarística en la Misa, la Iglesia recuerda y hace lo que Jesús hizo en la Última Cena.
- En la Misa, el pan y el vino se convierten en el Cuerpo y la Sangre de Cristo a través del poder del Espíritu Santo y de las palabras del sacerdote. Jesús está real y verdaderamente presente bajo la apariencia del pan y del vino.
- En la Sagrada Comunión, recibimos el Cuerpo y la Sangre de Jesús.
- Le damos gracias a Dios por este maravilloso don a través de la manera en que vivimos nuestra vida.

Para saber más sobre otras enseñanzas de la Iglesia, consulten el *Catecismo de la Iglesia Católica*, 1345–1405 y 1830–1845, y el *Catecismo Católico de los Estados Unidos para los Adultos*, páginas 218–220.

Compartir la Palabra de Dios

Lean juntos Lucas 22:14–20, parte del relato de lo que sucedió en la Última Cena. Enfaticen que, en la Última Cena, Jesús le dio a la Iglesia el Sacramento de la Eucaristía.

Vivimos como discípulos

El hogar cristiano con la familia es una escuela de discipulado. Elijan una o más de las siguientes actividades para hacer en familia, o creen una actividad similar ustedes mismos.

- Esta semana, en la Misa, recuérdenle a su niño que lo que Jesús hizo en la Última Cena es parte de la Plegaria Eucarística. Después de la Misa, hablen con su niño acerca de la Última Cena y su relación con la Misa. Comenten la importancia de recibir la Sagrada Comunión.
- Compartir juntos comidas familiares es una manera práctica de ayudar a su niño a valorar y entender el significado de la Eucaristía. Cuando ustedes comparten las comidas en familia, están compartiendo el don de ustedes mismos. Asegúrense de darle gracias a Dios rezando la Oración antes de comer.

Nuestro viaje espiritual

Uno de los efectos de recibir el don de la Eucaristía en la Sagrada Comunión es vivir con un compromiso hacia los pobres. Practicar la disciplina espiritual de la limosna nos permite vivir de acuerdo con esa gracia y además darle gracias a Dios por todas sus bendiciones, no solo con nuestras palabras, sino también con nuestras acciones.

Para hallar más ideas sobre las maneras en que su familia puede vivir como discípulos de Jesús, visiten **seanmisdiscipulos.com**

With My Family

This Week...

In chapter 15, "We Give Thanks," your child learned:

- Jesus gave the Church the Sacrament of the Eucharist at the Last Supper.
- During the Eucharistic Prayer at Mass, the Church remembers and does what Jesus did at the Last Supper.
- At Mass, the bread and wine become the Body and Blood of Jesus through the power of the Holy Spirit and the words of the priest. Jesus is really and truly present under the appearances of bread and wine.
- In Holy Communion, we receive the Body and Blood of Jesus.
- We thank God for this wonderful gift by the way we live our lives.

For more about related teachings of the Church, see the *Catechism of the Catholic Church*, 1345–1405 and 1830–1845, and the *United States Catholic Catechism for Adults*, pages 218–220.

Sharing God's Word

Read together Luke 22:14–20, part of the account of what happened at the Last Supper. Emphasize that, at the Last Supper, Jesus gave the Church the Sacrament of the Eucharist.

We Live as Disciples

The Christian home and family is a school of discipleship. Choose one of the following activities to do as a family or design a similar activity of your own.

- This week at Mass remind your child that what Jesus did at the Last Supper is part of the Eucharistic Prayer. After Mass, talk with your child about the Last Supper and its connection with the Mass. Discuss the importance of receiving Holy Communion.
- Sharing family meals together is a practical way to help your child appreciate and understand the meaning of the Eucharist. When your family shares meals together, you are sharing the gift of yourselves. Be sure to give thanks to God by praying the Grace Before Meals.

Our Spiritual Journey

One of the effects of receiving the gift of the Eucharist in Holy Communion is living out a commitment to the poor. Practicing the spiritual discipline of almsgiving enables us to live out that grace and also to thank God for all his blessings, not only in words but also in our actions.

For more ideas on ways your family can live as disciples of Jesus, visit **www.BeMyDisciples.com**

Vivimos como discípulos de Jesús

 ¿Cuándo te llamó alguien para que hicieras algo importante?

Cada día Dios nos llama para que lo ayudemos. Cierra los ojos e imagina que viviste muchos años antes de que Jesús naciera. Escucha a Dios que te llama para que lo ayudes.

El Señor llamó: "¿Quién será mi mensajero?".

BASADO EN ISAÍAS 6:8

? ¿Qué mensaje le darías a alguien acerca de Jesús?

CHAPTER 16

We Live as Disciples of Jesus

When did someone call on you to do something important?

Each day God calls on us to help him. Close your eyes and imagine you lived many years before Jesus was born. Listen to God calling on you to help him.

The Lord called out, Who will be my messenger?"

Based on Isaiah 6:8

What message would you share about Jesus with another?

Poder de los discípulos

Valor

Recibimos el don del valor del Espíritu Santo en el Bautismo. Este don nos ayuda a que elijamos hacer el bien.

La Iglesia sigue a **Jesús**

Divulgar el Evangelio

Dios sigue llamando a las personas a que sean misioneras. Los misioneros comparten el mensaje del Evangelio con los demás. Mira cómo estas misioneras usaron el valor para escuchar el llamado de Dios.

Jean Donovan

Jean Donovan dejó su hogar en Ohio para irse a otro país, a El Salvador. Jean compartía el amor de Dios y mostraba su caridad especialmente a los pobres. Jean dirigía un hogar para los hambrientos y los enfermos. A Jean Donovan la mataron personas que no querían que ella fuera misionera en su país.

Santa Francisca Cabrini

Francisca Cabrini trajo a sus hermanas misioneras de Italia a Nueva York. Ellas ayudaban a los enfermos y cuidaban a los huérfanos. Construyeron escuelas y orfanatos en Estados Unidos y en Sudamérica. Francisca llegó a ser tan querida que la gente la llamaba "Madre Cabrini".

? Si fueras misionero, ¿adónde irías? ¿Cómo ayudarías?

The Church Follows **Jesus**

Spreading the Gospel

God continues to call on people to be missionaries. Missionaries share the message of the Gospel with others. See how these missionaries used courage to listen to God's call.

Jean Donovan

Jean Donovan left her home in Ohio to go to the country of El Salvador. Jean shared God's love and showed her love especially to people who were poor. Jean ran a home for the hungry and the sick. Jean Donovan was killed by people who did not want her to be a missionary in their country.

Saint Frances Cabrini

Frances Cabrini brought her missionary sisters from Italy to New York. They helped the sick and cared for orphans. They built schools and orphanages in the United States and South America. She became so loved by the people they called her "Mother Cabrini."

? If you were a missionary, where would you go? How would you help?

Disciple Power

Courage

We receive the gift of courage from the Holy Spirit at Baptism. This gift helps us choose to do what is good.

Enfoque en la fe
¿Qué nos envía a hacer la Misa?

Vocabulario de fe
procesión
Una procesión es un grupo de personas que caminan juntas con devoción. Es una oración en acción.

El Rito de Conclusión

El Rito de Conclusión termina la celebración de la Misa. Recibimos la bendición de Dios y nos vamos a contarles a los demás acerca de Jesús.

Bendición final

El sacerdote pide la bendición de Dios para nosotros. Nosotros nos bendecimos con la Señal de la Cruz.

Despedida

La palabra *misa* significa "enviar". Lo que hemos hecho en la Misa, ahora debemos hacerlo en el mundo. Debemos ser mensajeros de Dios en lo que decimos y en lo que hacemos. Esa es nuestra tarea como discípulos de Jesús.

El diácono o el sacerdote dice: "Glorifiquen al Señor con su vida. Pueden ir en paz". Nosotros respondemos: "Demos gracias a Dios".

Actividad

Haz un dibujo de ti mismo compartiendo uno de tus dones, o bendiciones.

The Concluding Rites

The Concluding Rites end the celebration of the Mass. We receive God's blessing and go forth to tell others about Jesus.

Final Blessing

The priest asks for God's blessing on us. We bless ourselves with the Sign of the Cross.

Dismissal

The word *mass* means "sending forth." What we have done at Mass, we must now do in the world. We are to be messengers of God by what we say and what we do. That is our work as disciples of Jesus.

The deacon or priest says, "Go in peace, glorifying the Lord by your life." We respond, "Thanks be to God."

Faith Focus
What does the Mass send us to do?

Faith Vocabulary
procession
A procession is people prayerfully walking together. It is a prayer in action.

Activity

Draw a picture of yourself sharing one of your gifts or blessings.

Personas de fe

San Damián de Veuster

Damián fue un sacerdote misionero en Hawái. Fue allí a ayudar a los enfermos. Estas personas eran obligadas a vivir y morir solas en una isla. Damián ayudó a que los enfermos se cuidaran unos a otros. Les mostró que Dios los amaba mucho. El día de San Damián es el 10 de mayo.

Jesús nos da una misión

En la Última Cena, Jesús nos dijo cómo debemos glorificar a Dios. Escucha lo que les dijo a sus discípulos.

En la Última Cena, Jesús se ató una toalla a la cintura y echó agua en un recipiente. Luego les lavó los pies a sus discípulos y se los secó con la toalla.

Cuando terminó, Jesús dijo: "Esto es lo que deben hacer. Deben amarse unos a otros como yo los he amado. Entonces todos sabrán que son mis discípulos".

BASADO EN JUAN 13:4–5, 13–14, 34–35

Jesús les enseñó a sus discípulos a glorificar a Dios con su vida. Debemos amarnos y servirnos unos a otros. Debemos hacer lo que Él hizo.

Actividad

Descubre una misión. Usa el código para descubrir lo que debemos hacer para amar y servir al Señor.

1 = A 2 = E 3 = O

__M__NS__ UN__S A __TR__S
1 2 2 3 1 3 3

C__M__ Y__ L__S H__ __M__D__.
3 3 3 3 2 1 1 3

Jesus Gives Us a Mission

At the Last Supper, Jesus told us how we are to glorify God. Listen to what he told his disciples.

> *At the Last Supper, Jesus tied a towel around his waist and poured water into a bowl. Then he washed his disciples' feet and dried them with the towel.*
>
> *When he finished, Jesus said, "Here is what you are to do. You are to love one another as I have loved you. Then everyone will know that you are my disciples."*
>
> BASED ON JOHN 13:4–5, 13–14, 34–35

Jesus showed his disciples how to glorify God by their lives. We are to love and serve one another. We are to do what he did.

Faith-Filled People

Saint Damien de Veuster

Damien was a missionary priest in Hawaii. He went to help the sick people. These people were forced to live and die all alone on an island. Damien helped the sick people take care of one another. He showed them that God loved them very much. Saint Damien's feast day is May 10.

Activity

Discover our mission. Use the code to find out what we must do to love and serve the Lord.

1 = A 2 = E 3 = O

L __(3) V __(2)   __(3) N __(2)   __(1) N __(3) T H __(2) R

__(1) S   I   H __(1) V __(2)   L __(3) V __(2) D   Y __(3) U.

Los católicos creen

Lavatorio de los pies

Cada año, el Jueves Santo, la Iglesia celebra la Misa Vespertina del Banquete del Señor. En esta Misa del Jueves Santo, celebramos el rito, o la ceremonia, del lavatorio de los pies. Recordamos que debemos servirnos unos a otros como Jesús nos sirvió.

La procesión final

Nos vamos de la iglesia a hacer lo que nos enviaron a hacer. Salimos juntos en **procesión**.

Las procesiones son oraciones en acción. Una procesión es un grupo de personas que caminan juntas con devoción. Hay cinco procesiones en la Misa.

1. La procesión de entrada al comienzo de la Misa.
2. La procesión del Evangelio durante la Liturgia de la Palabra.
3. La procesión de llevar los dones al altar al comienzo de la Liturgia Eucarística.
4. La procesión para recibir la Sagrada Comunión.
5. La procesión al finalizar la Misa.

Al final de la Misa, nos bendicen y nos envían a hacer la obra de Jesús. Nos envían desde la Iglesia a amar y a servir a Dios y a las personas. Sabemos que la Eucaristía nos da la fuerza para ser discípulos de Jesús.

? ¿Cuál es la obra que Jesús nos da para hacer?

The Concluding Procession

We leave the Church to do what we were sent to do. We leave together in **procession**.

Processions are prayers in action. A procession is people prayerfully walking together. There are five processions at Mass.

1. The entrance procession at the start of Mass
2. The Gospel procession during the Liturgy of the Word
3. The procession of bringing the gifts to the altar at the start of the Liturgy of the Eucharist
4. The procession to receive Holy Communion
5. The procession at the end of Mass

At the end of Mass we are blessed and sent forth to do the work of Jesus. We are sent from the Church to love and serve God and people. We know that the Eucharist gives us the strength to be disciples of Jesus.

? What is the work that Jesus gave us to do?

Catholics Believe

Washing of Feet

Each year on Holy Thursday, the Church celebrates the Evening Mass of the Lord's Supper. At this Mass on Holy Thursday, we celebrate the rite, or ceremony, of the washing of the feet. We remember that we must serve one another as Jesus served us.

Yo sigo a Jesús

Puedes darle gloria a Dios cuando vives como enseñó Jesús. Les demuestras amor a los demás. Puedes mostrar valor y hacer cosas difíciles gracias a tu amor por Dios. Cuando haces esto, amas a Dios y sirves a las personas como hizo Jesús.

Actividad

Amar y servir

El Espíritu Santo te ayuda a darle gloria a Dios. Piensa cómo vivirás y cómo amarás y servirás a los demás con valor. Coloca un ✔ junto a las maneras en las que puedes hacerlo. Haz una dramatización de una de estas maneras para tu clase.

_____ Puedo ayudar en casa.

_____ Puedo rezar por las personas del mundo que sufren por la pobreza.

_____ Puedo decir que no a las peleas y a las discusiones con mi familia.

_____ Puedo donar algunos de mis juguetes a niños que tienen menos que yo.

_____ Puedo escuchar respetuosamente en la escuela.

Mi elección de fe

Glorificaré al Señor esta semana. Yo voy a

____

____

____.

Reza: "Ayúdame a demostrar mi amor por ti, Señor, Dios, en todo lo que hago por los demás. Amén".

You can give glory to God when you live as Jesus taught. You show love to others. You can show courage and do things that are difficult because of your love for God. When you do this, you love God and serve people as Jesus did.

I Follow Jesus

To Love and Serve

Activity

The Holy Spirit helps you to give glory to God. Think of how you will live, love, and serve others with courage. Put a ✔ next to ways you can do this. Act out one of these ways for your class.

_____ I can help out at home.

_____ I can pray for people around the world who suffer from poverty.

_____ I can say no to fighting and arguing with my family.

_____ I can donate some of my toys to children who have less than I do.

_____ I can be a respectful listener at school.

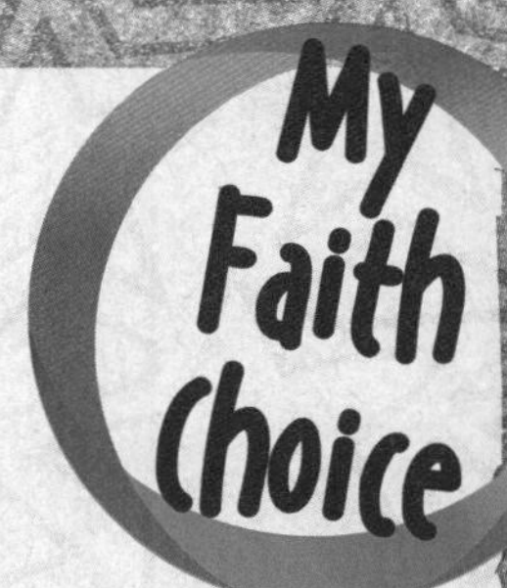

I will glorify the Lord this week. I will

____

____

____.

Pray, "Help me show my love for you, Lord God, in all I do for others. Amen."

PARA RECORDAR

1. Al final de la Misa, recibimos la bendición de Dios para vivir como discípulos de Jesús.
2. La despedida nos envía desde la Misa a glorificar a Dios.
3. La procesión final nos recuerda que somos personas enviadas a una misión.

Repaso del capítulo

Enumera las partes del Rito de Conclusión en el orden correcto.

_____ La procesión final

_____ La despedida

_____ La bendición final

Pregunta adicional: ¿Con qué otra palabra decimos "enviar"? ___________

Aquí estoy, Señor

La oración puede ayudarnos a contarles a los demás acerca del amor de Dios. Reza esta oración con tu clase.

Líder Señor amoroso, nos pides que seamos tus mensajeros.

Todos **"Aquí estoy, Señor. Mándame a mí."**

Líder Nos bendices y nos llamas a amarnos unos a otros.

Todos **"Aquí estoy, Señor. Mándame a mí."**

Líder Nos bendices y nos llamas a servir a los demás.

Chapter Review

Number the parts of the Concluding Rites in the correct order.

____ The Concluding Procession

____ The Dismissal

____ The Final Blessing

Bonus Question: What is another word for "sending forth"? __________

TO HELP YOU REMEMBER

1. At the end of Mass, we receive God's blessing to live as Jesus' disciples.
2. The Dismissal sends us forth from Mass to glorify God.
3. The concluding procession reminds us that we are people sent on a mission.

Here I Am Lord

Prayer can help us tell others about God's love. Say this prayer with your class.

Leader Loving Lord, you ask us to be your messengers.

All **"Here I am, Lord. Send me."**

Leader You bless and call us to love one another.

All **"Here I am, Lord. Send me."**

Leader You bless us and call us to serve others.

All **"Here I am, Lord. Send me. Amen."**

Con mi familia

Esta semana...

En el capítulo 16, "Vivimos como discípulos de Jesús", su niño aprendió que:

- El Rito de Conclusión termina la celebración de la Misa.
- En el Rito de Conclusión de la Misa, nos bendicen y nos envían como mensajeros del Evangelio.
- La procesión final nos alerta del hecho de que nos envían juntos y de que debemos trabajar juntos como mensajeros del Evangelio.
- El ejercicio del valor para vivir como enseñó Jesús es una característica importante de los discípulos de Jesús.

Para saber más sobre otras enseñanzas de la Iglesia, consulten el *Catecismo de la Iglesia Católica*, 1333–1405 y 1822–1823, y el *Catecismo Católico de los Estados Unidos para los Adultos*, páginas 220–227.

Compartir la Palabra de Dios

Lean juntos Juan 13:1–15 y 33–34, el relato de cuando Jesús les dio el Nuevo Mandamiento a sus discípulos. O lean la adaptación del relato en la página 296. Señalen cómo nos llama Jesús a servir a los demás como Él lo hizo. Debemos amar y servir a los demás como Él lo hizo.

Vivimos como discípulos

El hogar cristiano con la familia es una escuela de discipulado. Elijan una o más de las siguientes actividades para hacer en familia, o creen una actividad similar ustedes mismos.

- Repasen las respuestas de la asamblea a la bendición y a la despedida del Rito de Conclusión. Asegúrense de que su niño las sepa de memoria. Esto lo ayudará a participar más plena y activamente en la celebración de la Misa.
- Comenten y decidan cómo puede su familia glorificar a Dios con su vida; por ejemplo, participando en un proyecto de servicio de su parroquia destinado a su vecindario o a su comunidad local.

Nuestro viaje espiritual

El desarrollo de las virtudes puede producirse por el esfuerzo humano —diligencia, práctica constante y valor— con la ayuda de la gracia de Dios. En este capítulo, se le presentó a su niño la virtud del valor. Sean modelos de esta virtud; ayuden a que su niño la aprenda y la practique a través del ejemplo de ustedes.

Para hallar más ideas sobre las maneras en que su familia puede vivir como discípulos de Jesús, visiten **seanmisdiscipulos.com**

With My Family

This Week...

In chapter 16, "We Live as Disciples of Jesus," your child learned:

- The Concluding Rites end the celebration of Mass.
- In the Concluding Rites of the Mass, we are blessed and sent forth as messengers of the Gospel.
- The concluding procession alerts us to the fact that we are sent forth together and are to work together as messengers of the Gospel.
- Exercising courage in living as Jesus taught is an important characteristic of Jesus' disciples.

For more about related teachings of the Church, see the *Catechism of the Catholic Church*, 1333–1405 and 1822–1823, and the *United States Catholic Catechism for Adults*, pages 220–227.

Sharing God's Word

Read John 13:1-15 and 33-34 together, the account of Jesus giving the disciples his New Commandment. Or read the adaptation of the story on page 297. Point out how Jesus calls us to serve others as he did. We are to love and serve others as he did.

We Live as Disciples

The Christian home and family is a school of discipleship. Choose one of the following activities to do as a family or design a similar activity of your own.

- Review the assembly's responses to the Blessing and Dismissal in the Concluding Rites. Make sure your child knows them by heart. This will help your child participate more fully and actively in the celebration of Mass.
- Discuss and decide how your family can glorify God by your lives; for example, by taking part in a service project of your parish that serves your neighborhood or local community.

Our Spiritual Journey

Developing the virtues can occur through human effort—diligence, consistent practice, and courage—assisted by God's grace. In this chapter, your child was introduced to the virtue of courage. Model this virtue; help your child learn and practice it through your example.

For more ideas on ways your family can live as disciples of Jesus, visit **www.BeMyDisciples.com**

Unidad 4: Repaso

Nombre ______________________________

A. Elije la mejor palabra

Escribe en los espacios en blanco para completar las oraciones. Usa las palabras de la lista.

Palabra Misa Amén Última Cena Asamblea

1. La ________________ es la celebración más importante de la Iglesia.
2. A las personas que Dios reúne para celebrar la Misa las llamamos ________________.
3. La Liturgia de la ________________ es la primera parte principal de la Misa.
4. En la Liturgia Eucarística, la Iglesia hace lo que Jesús hizo en la ________________.
5. Cuando en la Sagrada Comunión recibimos el pan y el vino consagrados, decimos "________________."

B. Muestra lo que sabes

Une los elementos de la columna A con los de la columna B.

Columna A	**Columna B**
1. Los Ritos Iniciales	**A.** Sacramento del Cuerpo y la Sangre de Cristo
2. ciencia	**B.** la más importante de todas las virtudes
3. La Eucaristía	**C.** ritos que nos reúnen y nos preparan para adorar a Dios
4. la Plegaria Eucarística	**D.** virtud que nos ayuda a escuchar y a entender mejor el significado de la Palabra de Dios
5. caridad	**E.** la gran oración de acción de gracias de la Iglesia

Unit 4 Review

Name ____________________

A. Choose the Best Word

Fill in the blanks to complete each of the sentences. Use the words from the word bank.

Word	Mass	Amen	Last Supper	Assembly

1. The ____________ is the most important celebration of the Church.
2. We call the people God gathers to celebrate Mass the ____________.
3. The Liturgy of the ____________ is the first main part of the Mass.
4. In the Liturgy of the Eucharist, the Church does what Jesus did at the ____________.
5. When we receive the consecrated bread and wine in Holy Communion, we say "____________."

B. Show What You Know

Match the items in column A with those in column B.

Column A

1. The Introductory Rites
2. knowledge
3. the Eucharist
4. the Eucharistic Prayer
5. love

Column B

A. Sacrament of the Body and Blood of Christ
B. the greatest of all virtues
C. rites that gather and prepare us to worship God
D. virtue that helps us to better hear and understand the meaning of God's Word
E. the Church's great prayer of thanksgiving

C. La Escritura y tú

¿Cuál fue tu relato preferido acerca de Jesús en esta unidad? Dibuja algo que sucedió en el relato. Cuéntaselo a tu clase.

D. Sé un discípulo

1. *¿Acerca de qué santo o persona virtuosa disfrutaste aprender más en esta unidad? Escribe el nombre aquí. Cuenta a tu clase lo que esta persona hizo para seguir a Jesús.*

____

2. *¿Qué puedes hacer para ser un buen discípulo de Jesús?*

____

____

C. Connect with Scripture

What was your favorite story about Jesus in this unit? Draw something that happened in the story. Tell your class about it.

D. Be a Disciple

1. *What saint or holy person did you enjoy hearing about in this unit? Write the name here. Tell your class what this person did to follow Jesus.*

____

2. *What can you do to be a good disciple of Jesus?*

____

____

La procesión en honor al Señor de los Milagros es el 18 y 19 de octubre de cada año.

Perú: El Señor de los Milagros

Hace más de 300 años, en el lejano país de Perú, Dios le habló al pueblo de Lima de una manera sorprendente. El relato empieza con un esclavo africano liberto que se convirtió al cristianismo. Él pintó un hermoso retrato de Jesús en la Cruz en el muro de una capilla. Pero poco después, un terrible terremoto destruyó la capilla. ¡Lo único que quedó en pie fue el cuadro de Jesús!

Cortesía Arzobispado de Lima

Los católicos comenzaron a llamar a la imagen El Señor de los Milagros, porque había sobrevivido. Desde entonces, a muchas personas que honran la estatua se les han concedido favores cuando le rezan al Señor de los Milagros. Cada año tienen una procesión especial para honrarlo.

El 18 y 19 de octubre de cada año, cientos de miles de devotos católicos se unen a la procesión, vestidos de morado. Una copia de la imagen es transportada por las calles durante veinticuatro horas. Las personas cantan y bailan para mostrar su amor por Jesús, el Señor de los Milagros.

? ¿Por qué piensas que la gente en la procesión se viste de morado? ¿Cómo honras a Dios en tu propia vida?

Popular Devotions

Peru: El Señor de los Milagros

The procession honoring the Lord of Miracles takes place each year on October 18 and 19.

Over 300 years ago, in the faraway country of Peru, God spoke to the people of Lima in an amazing way. The story begins with a freed African slave who had become a Christian. He painted a beautiful picture of Jesus on the Cross on the wall of a chapel. But soon after that, a terrible earthquake destroyed the chapel. The only thing left standing was the picture of Jesus!

Catholics began to call the image the Lord of Miracles because it had survived. Since then, many people who honor the statue have had special favors granted when they prayed to the Lord of Miracles. They have a special procession every year to honor him.

Each year on October 18 and 19, hundreds of thousands of faithful Catholics join the procession dressed in purple. A copy of the image is carried through the streets for twenty-four hours. The people sing and dance to show their love for Jesus, the Lord of Miracles.

? Why do you think the people in the procession choose to dress in purple? How do you honor Jesus in your own life?

Courtesy Archbishopric of Lima

Vivimos

Parte Uno

Bendecidos por Dios

Jesús fue un maestro admirable. Un día enseñó a sus seguidores ocho maneras especiales de vivir llamadas Bienaventuranzas. Bienaventuranza significa "bendición".

Jesús le dijo a la gente que Dios bendecirá, o cuidará, a los que tengan más necesidades. Él también bendecirá a los que ayuden y cuiden a los demás.

El Reino de Dios pertenecerá a quienes hagan lo correcto.

BASADO EN MATEO 5:3–10

We Live
Part One

UNIT 5

Blessed by God

Jesus was a wonderful teacher. One day Jesus taught his followers eight special ways to live called the Beatitudes. Beatitude means "blessing."

Jesus told the crowds that God will bless, or take care of the people who have the most needs. He will also bless those who help others and care for them.

God's Kingdom will belong to those who do what is right.

Based on Matthew 5:3–10

Lo que he aprendido

¿Qué es lo que ya sabes acerca de estas palabras de fe?

Ser santo

____

____

Diez Mandamientos

____

____

Palabras de fe para aprender

Escribe **X** junto a las palabras de fe que sabes. Escribe **?** junto a las palabras de fe que necesitas aprender mejor.

Palabras de fe

____ gracia	____ rabino	____ falso testimonio
____ honrar	____ Gran Mandamiento	____ justicia

Tengo una pregunta

¿Qué pregunta te gustaría hacer acerca de vivir los Diez Mandamientos?

____

What I Have Learned

What is something you already know about these faith concepts?

Being Holy

___

___

Ten Commandments

___

___

Faith Words to Know

Put an **X** next to the faith words you know. Put a **?** next to the faith words you need to learn more about.

Faith Words

____ grace	____ Rabbi	____ false witness
____ honor	____ Great Commandment	____ justice

Questions I Have

What questions would you like to ask about living the Ten Commandments?

___

CAPÍTULO 17

A imagen de Dios

 ¿Quiénes son algunas de las personas que te aman? ¿Cuáles son las maneras en que muestran que te aman?

Escucha para descubrir cuánto te ama Dios:

Miren qué amor nos ha tenido el Padre: que él nos llama hijos suyos.

BASADO EN 1.ª JUAN 3:1

¿Qué crees que significa que Dios nos llame sus hijos?

CHAPTER 17

In God's Image

 Who are some of the people who love you? What are some of the ways they show you they love you?

Listen to find out how much God loves you:

See how very much God the Father loves us. He calls us his own children!

BASED ON 1 JOHN 3:1

? What do you think it means that God calls you his child?

Poder de los discípulos

Longanimidad

Actuamos con longanimidad cuando hacemos cosas que muestran que nos preocupamos por los demás. Somos amables cuando tratamos a las demás personas como queremos que nos traten.

La Florecita

Santa Teresa del Niño Jesús estaba orgullosa de ser hija de Dios. Teresa se esforzaba todo lo posible para hacer pequeñas cosas bien.

Cuando era niña, cultivaba flores y cuidaba de sus aves. Trataba a todos con longanimidad.

A los quince años, Teresa se hizo hermana religiosa. Decía que ella era la "florecita" de Dios. Quería dar gloria a Dios de maneras simples, como lo hacen las flores.

La Iglesia ha nombrado santa a Teresa. Su día es el 1 de octubre.

¿Cuáles son algunas de las pequeñas cosas que tú haces para mostrar respeto por Dios y por los demás?

The Church Follows
Jesus

The Little Flower

Thérèse of Lisieux was proud to be a child of God. Thérèse tried her best to do little things well.

When she was a young girl, she grew flowers and took care of her pet birds. She treated everyone with kindness.

When Thérèse was fifteen, she became a religious sister. She called herself God's "little flower." She wanted to give glory to God in small ways, just as flowers do.

The Church has named Thérèse a saint. Her feast day is October 1.

? What are some of the little things that you do to show respect for God and others?

Disciple Power

Kindness

We are kind when we do things that show we care. We are kind when we treat other people as we want to be treated.

Enfoque en la fe
¿Qué hacemos para vivir como hijos de Dios?

Vocabulario de fe
honrar
Honrar a alguien es tratarlo con longanimidad, respeto y amor.

Somos santos

La Biblia enseña que Dios da un gran **honor** a todas las personas. Dios crea a todas las personas a su imagen y semejanza. Dios comparte su vida con nosotros Nos crea para que seamos santos. Somos hijos de Dios.

Jesús nos enseñó a honrar a Dios, a nosotros mismos y a los demás. Nos enseñó a tratar a las personas con longanimidad, respeto y amor. Jesús nos enseñó a honrar a las demás personas como hijos de Dios. Dijo:

> *"Si aman a Dios como niños, entrarán en el Reino de los Cielos".*

BASADO EN MATEO 18:3

Actividad

Imagina que eres uno de los niños del dibujo. Haz una dramatización de la escena con un compañero. ¿Qué le dirías a Jesús?

We Are Holy

The Bible teaches that God gives every person a great **honor**. He creates every person in his image and likeness. God shares his life with us. He creates us to be holy. We are children of God.

Jesus taught us to honor God, ourselves, and other people. He taught us to treat people with kindness, respect, and love. Jesus taught us to honor all people as children of God. He said,

> *"Love God as this child loves him. If you do, God will welcome you into heaven."*
>
> BASED ON MATTHEW 18:3

Faith Focus
What do we do to live as children of God?

Faith Vocabulary
honor
To honor someone is to treat them with kindness, respect, and love.

Imagine that you are one of the children in the picture. Act out the scene with a partner. What would you say to Jesus?

Personas de fe

Teresa de Ávila

Santa Teresa de Ávila vivía en España. La Iglesia la honra como una de las Doctoras de la Iglesia. Esto significa que la honra como gran maestra de la fe. La Iglesia celebra el día de Santa Teresa de Ávila el 15 de octubre.

Jesús es nuestro Maestro

Los discípulos de Jesús lo honraban de muchas maneras. Lo llamaban *Maestro* como signo de gran honor y respeto.

Jesús dijo a sus discípulos:

> "Yo soy el Camino, la Verdad y la Vida. Yo los llevaré a Dios".
>
> BASADO EN JUAN 14:6

Los discípulos de Jesús lo escuchaban con atención y hacían lo que Él decía.

Jesús también es nuestro Maestro. Lo escuchamos y aprendemos de Él. Hacemos todo lo posible por vivir como Él enseñó.

Actividad

Sigue cada sendero hacia Jesús. Pídele a Jesús que te enseñe a vivir como hijo de Dios.

Camino

Vida

Verdad

Jesus Is Our Teacher

The disciples of Jesus honored him in many ways. They called him *Teacher* as a sign of great honor and respect.

Jesus told his disciples:

> *"I am the way, the truth, and the life. I will lead you to God."*
>
> BASED ON JOHN 14:6

Jesus' disciples listened to him carefully and did as he said.

Jesus is our Teacher, too. We listen to him. We learn from him. We try our best to live as he taught.

Faith-Filled People

Teresa of Ávila

Saint Teresa of Ávila lived in Spain. The Church honors her as one of the Doctors of the Church. This means that the Church honors her as a great teacher of the faith. The Church celebrates Saint Teresa of Ávila's feast day on October 15.

Activity

Follow each path to Jesus. Ask Jesus to teach you to live as a child of God.

Way

Life

Truth

Los católicos creen

Frutos del Espíritu Santo

La Biblia nombra algunos signos que muestran que estamos tratando de vivir como hijos de Dios. Tres de estos signos son el gozo, la benignidad y la longanimidad. Llamamos a estos signos Frutos del Espíritu Santo.

Hacer buenas elecciones

Jesús nos enseñó a hacer buenas elecciones. Cuando hacemos buenas elecciones, mostramos que estamos orgullosos de ser hijos de Dios.

Cuando hacemos buenas elecciones, vivimos como hijos de Dios. Mostramos que estamos tratando de hacer todo lo posible para vivir como hijos de Dios. Crecemos en longanimidad. Amamos a Dios, a nosotros mismos y a los demás como Jesús lo hizo.

El Espíritu Santo nos ayuda a hacer buenas elecciones. Nos da su gracia, o ayuda, para hacer buenas elecciones. Cuando hacemos buenas elecciones, crecemos como hijos de Dios.

? Quiénes te han ayudado a hacer buenas elecciones para vivir como hijo de Dios? ¿Cómo has ayudado a los demás? Cuéntale a un compañero.

Making Good Choices

Jesus taught us how to make good choices. We show that we are proud to be children of God when we make good choices.

We live as children of God when we make good choices. We show that we are trying our best to live as children of God. We grow in kindness. We love God, ourselves, and other people as Jesus did.

God the Holy Spirit helps us to make good choices. He gives us his grace, or help, to make good choices. When we make good choices, we grow as children of God.

? Who has helped you make good choices to live as a child of God? How have you helped others? Tell a partner.

Catholics Believe

Fruits of the Holy Spirit

The Bible names some signs that show when we are trying to live as children of God. Three of these signs are joy, generosity, and kindness. We call these signs Fruits of the Holy Spirit.

Yo sigo a Jesús

El Espíritu Santo te ayuda a hacer buenas elecciones. Te ayuda a ser amable, o sea longánimo. Te ayuda a ser justo. Cuando eres amable y justo, muestras que estás orgulloso de ser hijo de Dios.

Actividad

Vivir como hijo de Dios

Escribe algunas palabras de longanimidad que acostumbras decir. Luego escribe algunos actos de longanimidad que haces para mostrar que eres hijo de Dios.

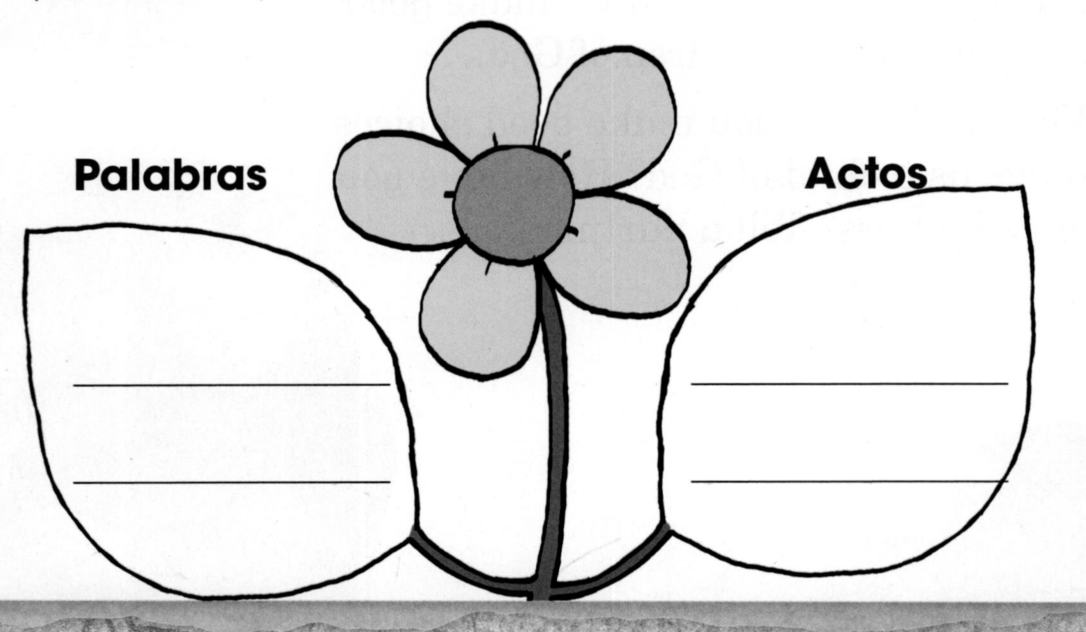

Esta semana sorprenderé a alguien con este acto de longanimidad. Yo voy a

____

____

Reza: "Padre, gracias por amarme tanto. Ayúdame con tu gracia a hacer buenas elecciones. Ayúdame a crecer como hijo tuyo. Amén".

The Holy Spirit helps you to make good choices. He helps you to be kind. He helps you be fair. When you are kind and fair, you show that you are proud to be a child of God.

I Follow Jesus

Activity

Living as a Child of God

Write some words of kindness that you say. Then write acts of kindness that you do to show that you are a child of God.

Words	Acts
Thank you	share
plesa	hele
I am sorry	eat

My Faith Choice

This week I will surprise someone with this act of kindness.
I will

I will hele mom cook

Pray, "Father, thank you for loving me so much. Help me with your grace to make good choices. Help me to grow as your child. Amen."

PARA RECORDAR

1. Todas las personas deben ser honradas y respetadas. Dios nos ha creado a todos para que seamos hijos de Dios.
2. Jesús enseñó que debemos vivir como hijos de Dios.
3. El Espíritu Santo nos ayuda a hacer buenas elecciones para vivir como hijos de Dios.

Repaso del capítulo

Busca y encierra en un círculo las palabras escondidas en la sopa de letras. Usa estas palabras para contarle a un compañero cómo puedes vivir como hijo de Dios.

respecto	**longanimidad**	**buenas**	**amor**
seguir	**elecciones**	**honrar**	**fe**

R E S P E T O L K I B U E N A S

S E G U I R W P N Z H O N R A R

E L E C C I O N E S L O A M O R

Y L O N G A N I M I D A D W F E

Que Dios nos bendiga

Reza esta oración para pedir a Dios que bendiga a tu clase. Pídele que los ayude a vivir como hijos de Dios.

Líder — Padre, te pedimos que nos bendigas.

Todos — **Padre, somos tus hijos.**

Líder — Guíanos para elegir el bien y para hacer tu voluntad.

Todos — **Padre, somos tus hijos.**
(Cada niño se adelanta para recibir una bendición.)

Líder — Que Dios los bendiga y los guarde.

Todos — **Amén.**

Chapter Review

Find and circle the words hidden in the puzzle. Use these words to share with a partner how you can live as a child of God.

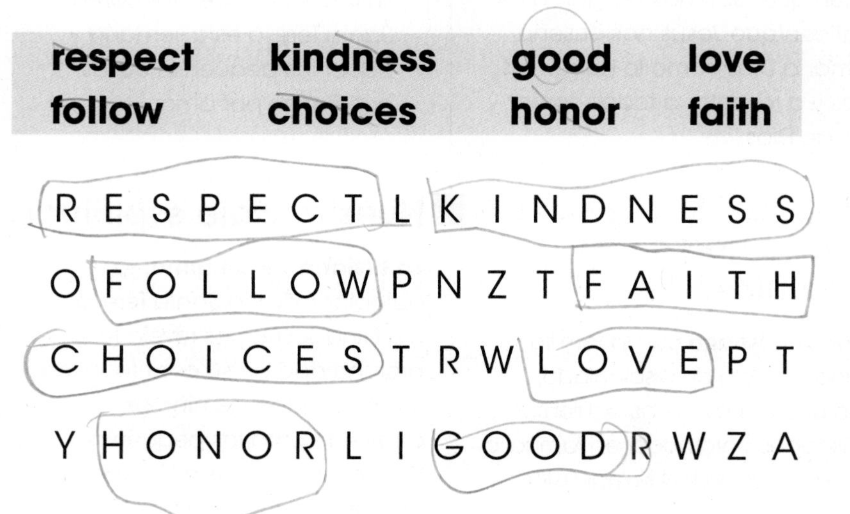

TO HELP YOU REMEMBER

1. All people are to be honored and respected. God has created everyone to be a child of God.
2. Jesus taught that we are to live as children of God.
3. The Holy Spirit helps us to make choices to live as children of God.

May God Bless Us

Pray this prayer to ask God to bless your class. Ask him to help you live as children of God.

Leader Father, we ask your blessing on us.

All **Father, we are your children.**

Leader Guide us to choose what is good and to do your will.

All **Father, we are your children.** *(Each child comes forward for a blessing.)*

Leader May God bless you and keep you.

All **Amen.**

Con mi familia

Esta semana...

En el capítulo 17, "A imagen de Dios", su niño aprendió que:

- Honramos y respetamos a todas las personas. Todos tenemos la dignidad de ser hijos de Dios porque somos creados a imagen y semejanza de Dios.
- Jesús es nuestro Maestro. Él nos muestra la manera de vivir como hijos de Dios. Dijo: "Yo soy el Camino, la Verdad y la Vida. Nadie va al Padre sino por mí" (Basado en Juan 14:6).
- Honramos y respetamos a Jesús como nuestro Maestro cuando tratamos de hacer todo lo posible para vivir como Él enseñó.
- Crecemos en la virtud de la longanimidad cuando tratamos de que todas nuestras palabras y acciones muestren respeto por Dios, por los demás y por nosotros mismos.

Para saber más sobre otras enseñanzas de la Iglesia, consulten el *Catecismo de la Iglesia Católica*, 1699–1756, y el *Catecismo Católico de los Estados Unidos para los Adultos*, páginas 307–309, 328–330, 351–354.

Compartir la Palabra de Dios

Lean juntos Marcos 10:13–16, "Dejen que los niños vengan a mí". Enfaticen que Jesús nos enseñó a amar a Dios como lo hacen los niños y a respetar a todos como hijos de Dios.

Vivimos como discípulos

El hogar cristiano con la familia es una escuela de discipulado. Elijan una o más de las siguientes actividades para hacer en familia, o creen una actividad similar ustedes mismos.

- Adviertan cuando su niño hace buenas elecciones. Felicítenlo y señalen que la Iglesia nos ayuda a hacer buenas elecciones. Elógienlo por hacer todo lo posible para vivir como Jesús enseñó.
- Santa Teresa del Niño Jesús se centró en hacer las pequeñas cosas de la vida por amor. Decidan juntos de qué manera su familia puede vivir como Santa Teresa esta semana y hacer las pequeñas cosas cotidianas por amor.

Nuestro viaje espiritual

La historia de un alma, la autobiografía de Santa Teresa del Niño Jesús, nos revela la profundidad de su espiritualidad. Su simplicidad de niño es atrayente para los pequeños. Recen juntos estas palabras de un poema de Santa Teresa esta semana: "Ven y reina en mi pecho y dame tu sonrisa ¡nada más que por hoy!".

Para hallar más ideas sobre las maneras en que su familia puede vivir como discípulos de Jesús, visiten **seanmisdiscipulos.com**

With My Family

This Week...

In chapter 17, "In God's Image," your child learned:

- We are to honor and respect all people. Every person has the dignity of being a child of God because we are created in the image and likeness of God.
- Jesus is our Teacher. He showed us how to live as children of God. He said, "I am the way, the truth, and the life. I will lead you to God" (Based on John 14:6).
- We honor and respect Jesus as our Teacher when we try our best to live as he taught.
- We grow in the virtue of kindness when we try to have all our words and actions show respect for God, for other people, and for ourselves.

For more about related teachings of the Church, see the *Catechism of the Catholic Church*, 1699–1756 and 1996–2016, and the *United States Catholic Catechism for Adults*, pages 307–309, 328–330, 351–354.

Sharing God's Word

Read Mark 10:13–16 together, "Jesus and the Children." Emphasize that Jesus taught us to love God as children do and to respect all people as children of God.

We Live as Disciples

The Christian home and family form a school of discipleship. Choose one of the following activities to do as a family, or design a similar activity of your own.

- Notice when your child makes good choices. Compliment him or her, and point out how the Church helps us make good choices. Praise your child for doing his or her best to live as Jesus taught.
- Saint Thérèse of Lisieux focused on doing the little things in life out of love. Decide together how your family can live this week as Saint Thérèse did and do the kind things that are part of daily life out of love.

Our Spiritual Journey

The Story of a Soul, the autobiography of Saint Thérèse of Lisieux, reveals to us the depth of her spirituality. Her childlike simplicity is appealing to young children. Pray these words from a poem of Saint Thérèse together this week: "Come reign within my heart, smile tenderly on me, today, dear Lord, today."

For more ideas on ways your family can live as disciples of Jesus, visit **www.BeMyDisciples.com**

Vivimos como hijos de Dios

¿Qué has aprendido de un catequista?

Esta es una oración de la Biblia. Escucha con atención el pedido que esta persona le hace a Dios:

Haz, Señor, que conozca tus caminos, muéstrame tus senderos. Ayúdame a conocer y vivir tu verdad, enséñame, tú que eres mi Dios.

Basada en el Salmo 25:4–5

¿Qué te gustaría pedirle a Dios que te enseñara?

We Live as Children of God

What is something you have learned from a catechist?

Here is a prayer from the Bible. Listen carefully to what the person is asking God:

Lord God, help me know and understand your ways; teach me to live the way you want me to live. Help me know and live your truth and teach it to me, for you are my God.

Based on Psalm 25:4–5

What would you like to ask God to teach you?

Poder de los discípulos

Fortaleza

Fortaleza es otra palabra para valor. La fortaleza nos ayuda a permanecer fuertes, a dar lo mejor y a hacer lo correcto y lo que está bien incluso cuando es difícil. El Espíritu Santo nos da el don de la fortaleza para vivir de la manera en que Dios quiere que vivamos.

La Iglesia sigue a **Jesús**

San Pedro

Pedro Calungsod vivía en la isla de Cebú, en las Filipinas. Cuando era adolescente, practicaba deportes. Trabajaba como carpintero. Pedro se hizo catequista. Enseñaba a los demás acerca de Dios y de su Hijo, Jesús.

Pedro dejó su hogar para hacerse misionero y enseñar a los que no conocían a Dios. Necesitaba valor para hacer esta tarea. Tenía que cruzar altas montañas. Tenía que atravesar densas selvas. No era fácil, pero Pedro no abandonó su labor. Quería hacer todo lo posible para enseñar a todos acerca de la Santísima Trinidad.

Los habitantes de las Filipinas honran a Pedro todos los años con un festival. La Iglesia honra a Pedro llamándolo San Pedro Calungsod.

? ¿Cómo vivió el San Pedro la virtud de la fortaleza, o valor?

The Church Follows **Jesus**

Saint Pedro

Pedro Calungsod lived on the island of Cebu in the Philippines. When he was a teenager, he played sports. He had a job as a carpenter. Pedro became a catechist. He taught others about God and his Son, Jesus.

Pedro left his home to become a missionary to people who did not know about God. Pedro needed courage to do this work. He had to cross over high mountains. He had to go through deep jungles. It was not easy, but Pedro did not give up. He wanted to do his best to teach people about the Holy Trinity.

The people of the Philippines honor Pedro each year with a festival. The Church honors Pedro by calling him Saint Pedro Calungsod.

? How did Saint Pedro live the virtue of fortitude, or courage?

Disciple Power

Fortitude

Fortitude is another word for courage. Fortitude helps us to stay strong, to do our best, and to do what is right and good when it is hard to do so. The Holy Spirit gives us the gift of fortitude to live the way that God wants us to live.

Enfoque en la fe
¿Qué nos ayuda a hacer el Gran Mandamiento?

Vocabulario de fe

rabino
Rabino es una palabra hebrea que significa "maestro".

Gran Mandamiento
El Gran Mandamiento es amar a Dios por sobre todas las cosas y amar a los demás como a nosotros mismos.

Un maestro diferente

Durante la época de Jesús, había muchos maestros de la ley de Dios. Se llamaban rabinos. **Rabino** significa "maestro".

Las multitudes seguían a Jesús adonde fuera. Las personas querían que Él les enseñara acerca de Dios. Decían que nunca habían oído a un maestro como Jesús.

Jesús era diferente de los otros rabinos. En la época de Jesús, todos los maestros de religión se basaban en otros maestros. Necesitaban otros maestros respetados para demostrar que sus enseñanzas eran correctas, pero Jesús no.

Jesús enseñaba por sí mismo acerca de Dios. Él es Dios, la Segunda Persona de la Santísima Trinidad. Jesús dijo:

> *"El que me ve a mí ve al Padre".* Juan 14:9.

Actividad

Descubre lo que dijo Jesús acerca de sí mismo. Ordena la oración.

ve que Padre mí El a ve me al

________ ________ ________

________ ________ ________

________ ________ ________.

A Different Teacher

There were many teachers of God's law during Jesus' time. They were called rabbis. **Rabbi** means "teacher."

Crowds of people followed Jesus everywhere. People wanted to learn about God from him. They said that they had never before heard a teacher like Jesus.

Jesus was different from the other rabbis. All of the religious teachers of Jesus' time relied on other teachers. They needed other respected teachers to prove that their teaching was right, but Jesus did not.

Jesus, taught about God on his own. He is God, the Second Person of the Holy Trinity. Jesus said,

> *"Whoever has seen me has seen the Father."*
>
> JOHN 14:9

Faith Focus

What does the Great Commandment help us to do?

Faith Vocabulary

rabbi
Rabbi is a Hebrew word that means teacher.

Great Commandment
The Great Commandment is to love God above all else and to love others as we love ourselves.

Activity

Find out what Jesus said about himself. Unscramble the sentence.

seen has Father me Whoever seen has the

__________ __________ __________

__________ __________ __________

__________ __________.

Personas de fe

San Pedro

San Pedro fue uno de los doce Apóstoles de Jesús. Fue el primero en reconocer que Jesús es el Salvador. Cuando Jesús resucitó de entre los muertos, le pidió a Pedro que cuidara de la Iglesia y de todos sus miembros. Pedro fue el primer Papa. Su día es el 29 de junio.

Jesús enseña

Un día, un maestro de la Ley se acercó a Jesús y le preguntó:

> *"Maestro, ¿cuál es el mandamiento de Dios más importante?". Jesús le dijo: "Amarás al Señor tu Dios con todo tu corazón, con toda tu alma y con toda tu mente. Este el primer mandamiento y el más importante. El segundo mandamiento es muy parecido al primero: Amarás a tu prójimo como a ti mismo".*
>
> Basado en Mateo 22:36–39

Los dos mandamientos juntos forman el **Gran Mandamiento**.

Actividad

Lee de nuevo los versículos de la Sagrada Escritura. Nombra las dos partes del Gran Mandamiento.

____

____

____

____

____

____

Jesus Teaches

One day, a teacher of the Law came to Jesus and asked,

"Rabbi, which commandment of God is the greatest?" Jesus said, "You shall love the Lord your God with all your heart, with all your soul, and with all your mind. This is the first and greatest commandment. The second commandment is like the first one. You shall love your neighbor as yourself."

BASED ON MATTHEW 22:37–40

Together both commandments make up one **Great Commandment**.

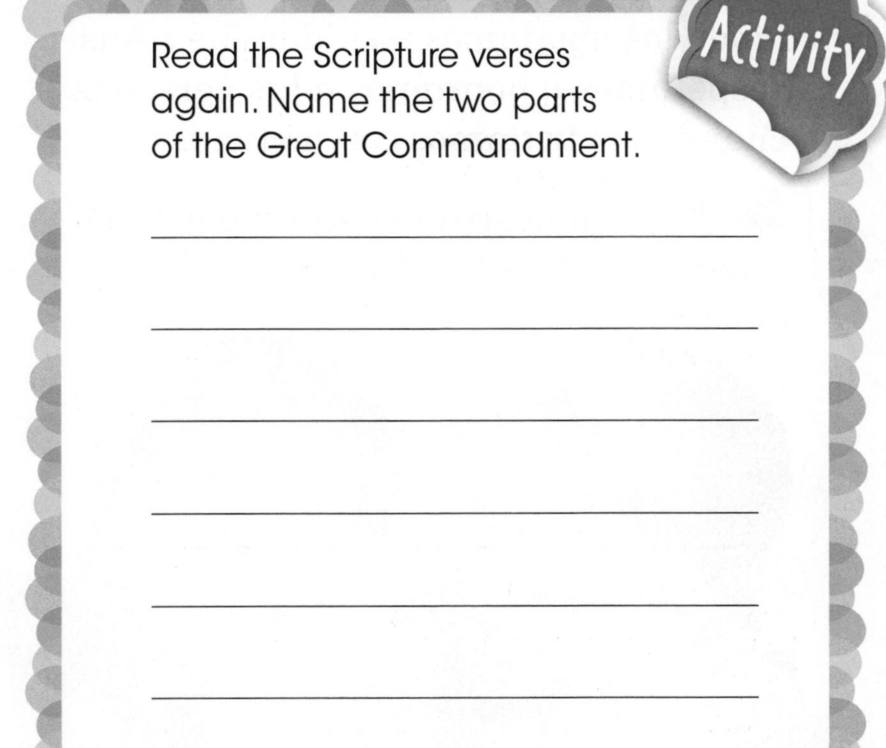

Activity

Read the Scripture verses again. Name the two parts of the Great Commandment.

____

____

____

____

____

____

Faith-Filled People

Saint Peter

Saint Peter was one of Jesus' twelve Apostles. He was the first one to recognize that Jesus is the Savior. After he rose from the dead, Jesus asked Peter to care for the Church and all its members. Peter was the first Pope. His feast day is June 29.

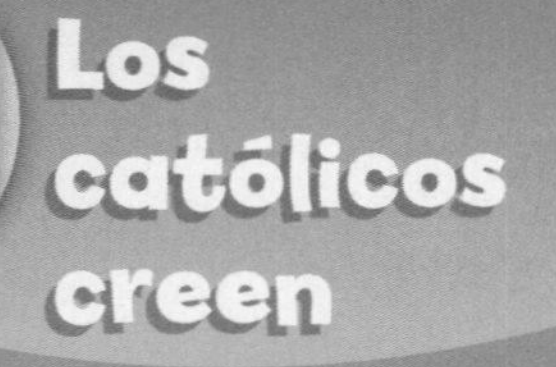

Los católicos creen

La Cruz

La Cruz es una señal de cómo vivió Jesús el Gran Mandamiento. Al morir en la Cruz, Jesús mostró su gran amor por Dios Padre. Al morir en la Cruz, Jesús, nuestro Salvador, mostró su gran amor por nosotros. La Cruz nos recuerda que tenemos que amar a Dios y a los demás como lo hizo Jesús.

El Gran Mandamiento

El Gran Mandamiento resume todas las leyes de Dios. La primera parte del Gran Mandamiento enseña que Dios es el centro de nuestra vida. Jesús nos enseña a amar a Dios por sobre todas las cosas.

Vivimos la primera parte del Gran Mandamiento de muchas maneras. Mostramos nuestro amor por Dios cuando lo honramos y lo respetamos en todo lo que hacemos y decimos. Mostramos nuestro amor por Dios cuando rezamos.

La segunda parte del Gran Mandamiento nos enseña a tratar a los demás como nos gusta que nos traten. Vivimos esta parte del Gran Mandamiento de muchas maneras. Debemos respetar y honrar a todas las personas como a nosotros mismos. Respetamos y honramos a los demás cuando los ayudamos a cuidar sus cosas. Respetamos y honramos a las personas cuando las tratamos con justicia.

? ¿Cómo muestran su amor por Dios y por los demás las personas de las fotografías?

The Great Commandment

The Great Commandment sums up all of God's laws. The first part of the Great Commandment teaches that God is the center of our life. Jesus teaches us to love God above all else.

We live the first part of the Great Commandment in many ways. We show our love for God when we honor and respect God in all we do and say. We show our love for God when we pray.

The second part of the Great Commandment teaches us to treat others as we like to be treated. We live this part of the Great Commandment in many ways. We are to respect and honor all people as ourselves. We respect and honor others when we help them care for their things. We respect and honor people when we treat them fairly.

? How are the people in the pictures showing love for God and for one another?

Catholics Believe

The Cross

The Cross is a sign of how Jesus lived the Great Commandment. Jesus showed his great love for God the Father when he died on the Cross. Jesus our Savior also showed his great love for us when he died on the Cross. The Cross reminds us to love God and others as Jesus did.

Yo sigo a Jesús

Porque Dios te ama, puedes amar a los demás. El Espíritu Santo te ayuda a vivir el Gran Mandamiento. Puedes amar a Dios por sobre todas las cosas. Puedes amar a los demás como a ti mismo.

Actividad

Enseñar a los demás

Imagina que estás enseñando el Gran Mandamiento a una clase. Haz dos dibujos que muestren lo que significa.

Amar a Dios	Amar a los demás

Esta semana, mostraré fortaleza y viviré el Gran Mandamiento. Yo voy a

____

____.

Reza: "Dios amoroso, sé siempre mi maestro. Enséñame el camino para amarte y amar a los demás con todo mi corazón, con toda mi alma y con toda mi mente. Amén".

Because God loves you, you can love others. The Holy Spirit helps you to live the Great Commandment. You can love God above all else. You can love others as you love yourself.

I Follow Jesus

Activity

Teaching Others

Pretend that you are teaching a class about the Great Commandment. Draw two pictures to show what it means.

Love God	Love Others

My Faith Choice

I will show fortitude and live the Great Commandment this week. I will

____

____.

Pray, "Loving God, always be my teacher. Teach me the way to love you and others with all my heart, soul, and mind. Amen."

PARA RECORDAR

1. Jesús enseñó que el Gran Mandamiento es el mandamiento más importante.
2. La primera parte del Gran Mandamiento nos dice que debemos amar a Dios.
3. La segunda parte del Gran Mandamiento nos dice que debemos amar las personas como a nosotros mismos.

Repaso del capítulo

Completa correctamente los espacios en blanco de cada oración.

Gran Mandamiento	**justamente**	**respetamos**

1. El ______________________________ resume todas las leyes de Dios.

2. Mostramos que honramos a Dios cuando ________________ sus leyes.

3. El Gran Mandamiento nos dice que debemos tratar a los demás ________________.

Acto de caridad

Dios está con nosotros durante todo el día. Dedica un tiempo cada día para decirle a Dios que lo amas.

Digámosle a Dios que queremos vivir el Gran Mandamiento.

Todos

Oh, Dios mío,
te amo por sobre todas las cosas.
Te amo con todo mi corazón
y con toda mi alma.
Amo a mi prójimo como
a mí mismo por amor a ti.
Amén.

Chapter Review

Fill in the blank for each sentence correctly.

Great Commandment	**fairly**	**respect**

1. The ______________________ sums up all God's laws.

2. We show we honor God when we ______________ his laws.

3. The Great Commandment tells us to treat others ______________.

TO HELP YOU REMEMBER

1. Jesus taught that the Great Commandment is the greatest commandment.
2. The first part of the Great Commandment tells us to love God.
3. The second part of the Great Commandment tells us to love other people as we love ourselves.

An Act of Love

God is with us all day long. Take time each day to tell God you love him.

Leader Let us tell God that we want to live the Great Commandment.

All **O my God,**
I love you above all things.
I love you with my whole
heart and soul.
I love my neighbor as
myself because of my
love for you.
Amen.

Con mi familia

Esta semana...

En el capítulo 18, "Vivimos como hijos de Dios", su niño aprendió que:

- Jesús enseñó que el centro de la Ley de Dios es el Gran Mandamiento.
- El espíritu conductor de todas las leyes de Dios se resume, principalmente, en dos mandamientos: amar a Dios y amar a los demás como a uno mismo.
- El don de la fortaleza o valor nos ayuda a vivir el Gran Mandamiento.

Para saber más sobre otras enseñanzas de la Iglesia, consulten el *Catecismo de la Iglesia Católica*, 2052–2055, 2083 y 2196, y el *Catecismo Católico de los Estados Unidos para los Adultos*, páginas 307–309.

Compartir la Palabra de Dios

Lean juntos Mateo 22:34–40, la enseñanza de Jesús sobre el Gran Mandamiento, o lean la adaptación del relato de la página 338. Enfaticen que el Gran Mandamiento tiene dos partes relacionadas: amar a Dios y amar al prójimo como a uno mismo. Este mandamiento resume el núcleo y el propósito de las leyes de Dios.

Vivimos como discípulos

El hogar cristiano con la familia es una escuela de discipulado. Elijan una o más de las siguientes actividades para hacer en familia, o creen una actividad similar ustedes mismos.

- Hagan un corazón grande con papel para carteles. Escriban dentro del corazón el Gran Mandamiento. Exhiban el corazón para que le recuerde a toda la familia vivir el Gran Mandamiento.
- El Gran Mandamiento nos dice que debemos tratar a los demás como nos gustaría que nos trataran. Hablen de algunas maneras prácticas en que su familia está viviendo esta parte de Gran Mandamiento. Animen a sus niños a preguntarse a la hora de acostarse cómo vivieron el Gran Mandamiento ese día.

Nuestro viaje espiritual

Las virtudes morales nos dan fuerza para vivir la vida moral, pero estas virtudes se adquieren mediante un esfuerzo deliberado y mucha práctica. La virtud de la fortaleza nos ayuda a cumplir el Gran Mandamiento, una tarea nada simple. Seguir el Gran Mandamiento significa abrazar al Maestro, Jesús mismo, o, con más exactitud, permitir que Él nos abrace. Ayuden a su niño a memorizar el Acto de caridad de la página 344 y récenlo juntos.

Para hallar más ideas sobre las maneras en que su familia puede vivir como discípulos de Jesús, visiten **seanmisdiscipulos.com**

With My Family

This Week...

In chapter 18, "We Live as Children of God," your child learned:

- Jesus taught that the heart of God's Law is the Great Commandment.
- The driving spirit of all God's laws is summarized in two commandments, namely, to love God and love others as yourself.
- The gift of fortitude or courage helps us live the Great Commandment.

For more about related teachings of the Church, see the *Catechism of the Catholic Church*, 2052–2055, 2083, and 2196, and the *United States Catholic Catechism for Adults*, pages 307–309.

Sharing God's Word

Read Matthew 22:34-40 together, Jesus' teaching on the Great Commandment, or read the adaptation of the story on page 339. Emphasize that the Great Commandment has two connected parts: love God, and love your neighbor as yourself. This commandment sums up the heart and purpose of God's laws.

We Live as Disciples

The Christian home and family form a school of discipleship. Choose one of the following activities to do as a family, or design a similar activity of your own.

- Create a large heart out of poster paper. Write the Great Commandment within the heart. Display the heart as a reminder to the whole family to live the Great Commandment.
- The Great Commandment tells us to treat others as we would like to be treated. Talk about some of the practical ways that your family is living this part of the Great Commandment. Encourage your children to ask themselves at bedtime how well they lived the Great Commandment that day.

Our Spiritual Journey

The moral virtues give us strength to live the moral life, but these virtues are acquired through deliberate effort and much practice. The virtue of fortitude helps us keep the Great Commandment—no simple task. Following the Great Commandment means embracing the Teacher, Jesus himself—or, to be exact, allowing him to embrace us. Help your child memorize the Act of Love on page 345 and pray it together.

For more ideas on ways your family can live as disciples of Jesus, visit **www.BeMyDisciples.com**

CAPÍTULO 19

Amamos a Dios

¿Cuál es una regla de tu familia que todos sus miembros deben seguir?

En la Biblia Dios dice por qué nos da las reglas. Presta atención a lo que descubrió el escritor de este Salmo.

Dichosos los que obedecen las reglas de Dios.

Dichosos los que cumplen las leyes de Dios.

Ellos van camino a Dios. BASADO EN EL SALMO 119:1–3

¿Por qué obedecer las reglas de Dios nos hace personas dichosas?

CHAPTER 19

We Love God

What is one rule your family has that everyone has to follow?

In the Bible God tells why he gives us rules. Listen to what the writer of this psalm discovered.

Happy are those who obey God's rules. Happy are those who keep God's laws. They are on their way to God. Based on Psalm 119:1–3

Why does obeying God's rules make a person happy?

Poder de los discípulos

Obediencia

La autoridad es un don de Dios. Dios da a las personas autoridad para ayudarnos a seguir las leyes de Dios. Las personas con autoridad, como padres y abuelos, maestros y directores, sacerdotes y obispos, merecen respeto. La virtud de la obediencia nos fortalece para honrar y respetar a las personas con autoridad.

La Iglesia sigue a **Jesús**

San Benito

Hace muchos años, un niño llamado Benito aprendió la importancia de las buenas reglas. En la escuela, vio que desobedecer las reglas hacía infelices a las personas.

Cuando Benito creció, se fue a vivir solo al campo. Pasaba cada día rezando y leyendo la Palabra de Dios. Muchas familias enviaron a sus hijos con Benito. Querían que él les enseñara acerca de las oraciones y de la Biblia.

Benito decidió construir un monasterio donde los hombres pudieran vivir, trabajar y rezar juntos. Su monasterio era un lugar donde todos obedecían las mismas reglas.

Las reglas de Benito ayudaban a esos hombres y a otras personas a aprender a rezar, a amar la Palabra de Dios y a trabajar juntos. Estas reglas hoy continúan ayudando a muchos a llevar una vida santa y feliz.

? Qué reglas ayudarían a los miembros de tu familia a llevar una vida feliz y santa?

The Church Follows **Jesus**

Saint Benedict

Many years ago, a boy named Benedict learned the importance of good rules. At school, he saw that not obeying rules made people very unhappy.

When Benedict was older, he went to the countryside to live on his own. He spent each day praying and reading God's Word. Many families sent their sons to Benedict. They wanted him to teach their children about prayer and the Bible.

Benedict decided to build a monastery where men could live, work, and pray together. His monastery became a place where everyone obeyed the same rules.

Benedict's rules helped the men and others learn how to pray, to love God's Word, and to work together. These rules continue to help many people live holy and happy lives today.

? Which rules would help people in your family live happy and holy lives?

Disciple Power

Obedience

Authority is a gift from God. God gives people authority to help us follow God's laws. People in authority, such as parents and grandparents, teachers and principals, priests and bishops, deserve respect. The virtue of obedience gives us strength to honor and respect people in authority.

Enfoque en la fe
¿De qué manera el Primero, Segundo y Tercer Mandamiento ayudan a las personas a amar y respetar a Dios?

Vocabulario de fe
Diez Mandamientos
Los Diez Mandamientos son las leyes que Dios le dio a Moisés. Nos enseñan a vivir como el pueblo de Dios. Nos ayudan a llevar una vida feliz y santa.

Reglas de Dios

Hace mucho tiempo, Dios eligió a Moisés para que liberara a su pueblo de la esclavitud en Egipto. El pueblo de Dios no vivía como Dios quería que viviera. Por lo tanto, Dios dio a Moisés los **Diez Mandamientos**.

Los Diez Mandamientos son las reglas de Dios para ayudar a todas las personas a llevar una vida feliz y santa. Los Diez Mandamientos son las reglas de Dios para todos los pueblos. Los tres primeros de los Diez Mandamientos nos enseñan maneras en que debemos amar y honrar a Dios. Los siete siguientes nos muestran maneras de amar y honrar a las personas. Todos los Mandamientos nos enseñan a vivir como hijos de Dios.

Actividad

Escribe una manera en que muestras que amas y honras a Dios.

____

____

Escribe una manera en que muestras que amas y honras a las personas.

____

____

God's Rules

Long ago, God chose Moses to lead his people out of slavery in Egypt. God's people were not living as God wanted them to live. So, God gave Moses the **Ten Commandments**.

The Ten Commandments are God's rules to help all people live happy and holy lives. The Ten Commandments are God's Laws for all people. The first three of the Ten Commandments teach us ways we are to love and honor God. The next seven show us the ways to love and honor all people. All the Commandments teach us how to live as children of God.

Faith Focus
How do the First, Second, and Third Commandments help people to love and respect God?

Faith Vocabulary
Ten Commandments
The Ten Commandments are the laws that God gave Moses. They teach us to live as God's people. They help us live happy and holy lives.

Write one way you show your love and honor for God.

go to mas every sunday

Write one way you show your love and honor for people.

give mony to the poor

Personas de fe

Santa Escolástica

Escolástica era la hermana melliza de San Benito. Ella fundó un monasterio para mujeres. Ella y las monjas que vivían en el monasterio seguían las reglas de San Benito. Ella es la santa patrona de todas las monjas. La Iglesia celebra el día de Santa Escolástica el 10 de febrero.

Poner a Dios en primer lugar

Los tres primeros Mandamientos nombran maneras en que debemos honrar y amar a Dios.

1. Yo soy el Señor, tu Dios. No tendrás otros dioses fuera de mí.

El Primer Mandamiento nos dice que hay solo un Dios. Debemos adorar solo a Dios. Debemos tener fe en Dios, tener esperanza en Él y amarlo más que a cualquier otra cosa.

2. No tomes en vano el nombre del Señor, tu Dios.

El Segundo Mandamiento nos enseña que el nombre de Dios es sagrado. Debemos hablar de Él siempre con respeto y amor. También debemos mostrar respeto por las personas, las cosas y los lugares santos.

3. Acuérdate del Día del Señor, para santificarlo.

El Tercer Mandamiento nos enseña que debemos guardar el domingo como Día del Señor. Cada domingo, los católicos tienen la responsabilidad de reunirse para celebrar la Eucaristía.

? Cuáles son algunas maneras en que puedes obedecer los tres primeros Mandamientos?

Keeping God First

The first three Commandments name ways that we are to honor and love God.

1. I am the Lord your God: you shall not have strange gods before me.

The First Commandment tells us that there is only one God. We are to worship God alone. We are to have faith in God, to hope in him, and to love him more than all else.

2. You shall not take the name of the Lord your God in vain.

The Second Commandment teaches us that God's name is holy. We are always to speak it with respect and love. We are also to show respect for holy people, places, and things.

3. Remember to keep holy the Lord's Day.

The Third Commandment teaches us that we are to keep Sunday as the Lord's Day. Each Sunday, Catholics have the responsibility to gather to celebrate the Eucharist.

? What are some ways you can obey the first three Commandments?

Faith-Filled People

Saint Scholastica

Scholastica was Saint Benedict's twin sister. She established a monastery for women. She and the nuns living in the monastery followed the rules of Saint Benedict. She is the patron saint of all nuns. The Church celebrates Saint Scholastica's feast day on February 10.

Los católicos creen

El lema del Obispo

Un lema es una frase corta. Por ejemplo, el lema de los benedictinos es "Ora y trabaja". El Cardenal Donald Wuerl, Arzobispo de Washington, DC, usa un lema para describir su trabajo. Eligió como su lema "Venga tu Reino".

Dichos sabios para vivir

Los escritores de la Biblia recolectaron muchos dichos sabios para ayudarnos a seguir la Ley de Dios. Estos dichos sabios se llaman proverbios. Puedes leerlos en el Libro de los Proverbios, que se encuentra en el Antiguo Testamento.

Estos proverbios nos ayudan a mostrar nuestro amor por Dios.

Confía en el Señor con todo el corazón, y no pienses que tienes todas las respuestas. Dios te mostrará el camino.

Basado en Proverbios 3:5–6

Actividad

Usa las palabras de la lista para hallar acciones que muestren que sigues los tres primeros de los Diez Mandamientos. Busca y encierra en un círculo cada acción en la sopa de letras.

CREER	OBEDECER	REZAR
DESCANSAR	ADORAR	HONRAR

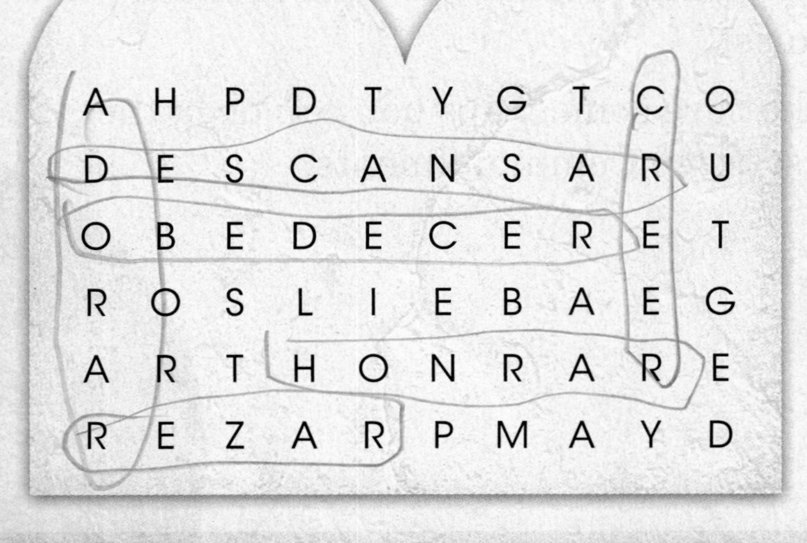

Wise Sayings to Live By

The writers of the Bible collected many wise sayings to help us follow God's Law. These wise sayings are called proverbs. You can read them in the Book of Proverbs found in the Old Testament.

This proverb helps us show our love for God.

Trust God with all your heart. Do not think you always have the answers. God will show you the right way.

Based on Proverbs 3:5–6

Catholics Believe

The Bishop's Motto

A motto is a short saying. For example, the motto of the Benedictines is "Work and Pray." Cardinal Donald Wuerl, Archbishop of Washington, DC, uses a motto to describe his work. He chose as his motto "Thy Kingdom Come."

Activity

Use the words in the word bank to find actions that show you follow the first three of the Ten Commandments. Find and circle each action in the puzzle.

BELIEVE	OBEY	PRAY
REST	WORSHIP	HONOR

X	H	P	D	T	Y	G	T	U	O
W	O	R	S	H	I	P	M	J	U
L	N	E	L	H	O	N	O	R	T
D	O	S	L	I	E	B	A	Y	G
V	R	T	B	E	L	I	E	V	E
E	D	S	H	W	P	R	A	Y	D

Yo sigo a Jesús

El Espíritu Santo te ayudará siempre a hacer elecciones sabias. Te dará la gracia para obedecer los Diez Mandamientos. Te ayudará a hacer elecciones para vivir una vida feliz y santa.

Actividad

Consejo para mi familia

¿Qué buen consejo puedes dar a tu familia para ayudarlos a todos a amar y honrar a Dios? Escribe tu consejo aquí y compártelo con ellos.

____

____

____

____

____

Esta semana mostraré mi amor por Dios al

____

______________________________.

Reza: "Dios amoroso, estoy feliz por obedecer tus mandamientos. Ayúdame a crecer cada día más en el amor por ti. Amén".

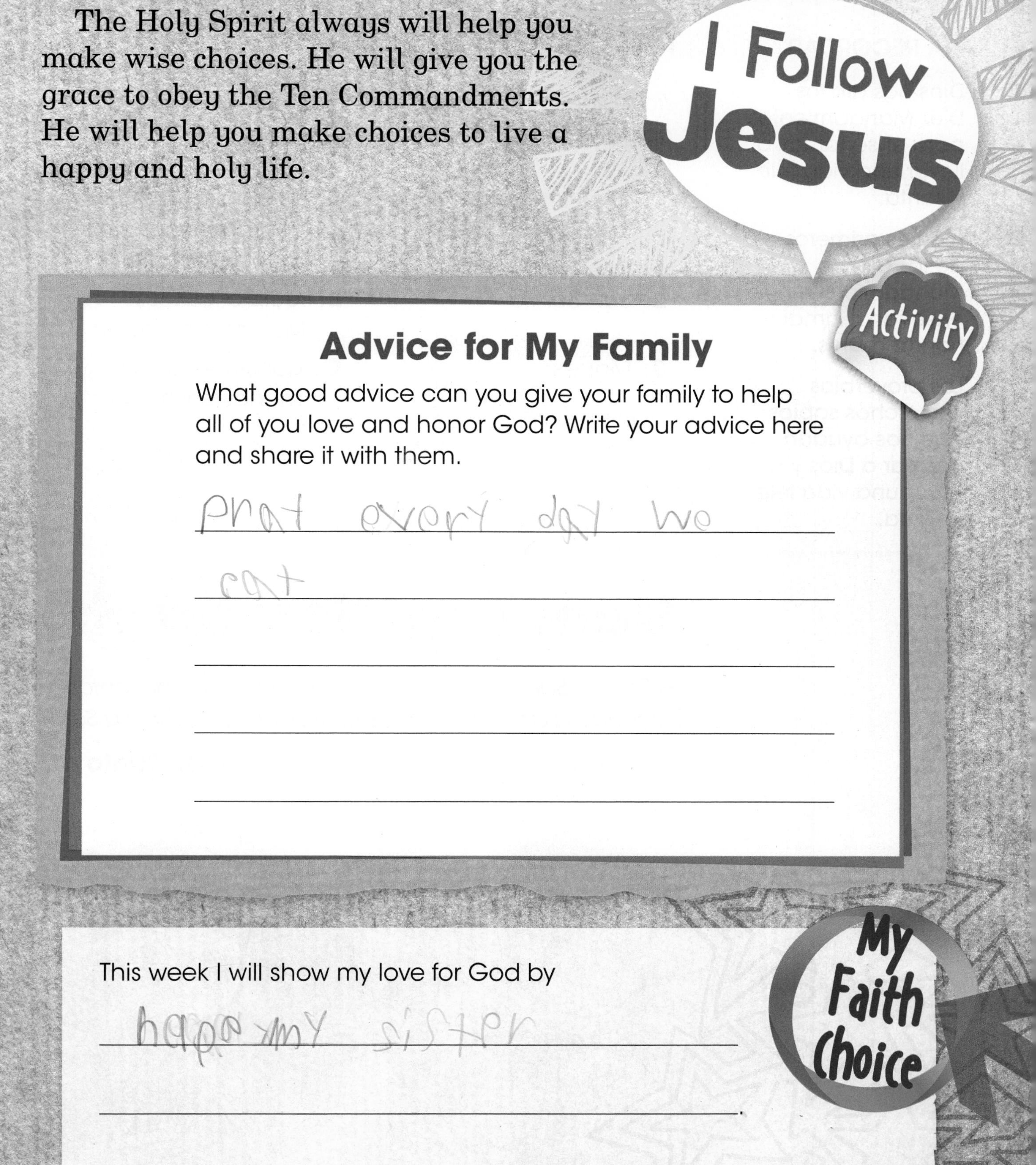

I Follow Jesus

The Holy Spirit always will help you make wise choices. He will give you the grace to obey the Ten Commandments. He will help you make choices to live a happy and holy life.

Activity

Advice for My Family

What good advice can you give your family to help all of you love and honor God? Write your advice here and share it with them.

prat every day we cat

My Faith Choice

This week I will show my love for God by

happy my sister

Pray, "Loving God, I am happy to obey your commandments. Help me grow in love for you more and more each day. Amen."

PARA RECORDAR

1. Dios nos dio los Diez Mandamientos para enseñarnos a llevar una vida feliz y santa.
2. Los tres primeros de los Diez Mandamientos nos enseñan a amar y honrar a Dios.
3. Los proverbios son dichos sabios que nos ayudan a amar a Dios y a llevar una vida feliz y santa.

Repaso del capítulo

Traza líneas que vayan de la columna izquierda a la columna derecha para formar oraciones correctas.

1. Dios	**a.** es alguien a quien honramos por sobre todos los demás.
2. San Benito	**b.** recibió los Diez Mandamientos de Dios.
3. Moisés	**c.** construyó un monasterios.

Ven, Espíritu Santo

El Espíritu Santo te ayuda a cumplir los Mandamientos de Dios. Aprende a decir con señas la oración "Ven, Espíritu Santo".

Ven **Espíritu Santo**

Chapter Review

Draw lines from the left column to the right column to make correct sentences.

1. God — **a.** is the one we honor above all others.

2. Saint Benedict — **b.** received the Ten Commandments from God.

3. Moses — **c.** built a monastery.

TO HELP YOU REMEMBER

1. God gave us the Ten Commandments to teach us to live happy and holy lives.
2. The first three of the Ten Commandments teach us to love and honor God.
3. Proverbs are wise sayings that help us to love God and to live happy and holy lives.

Come, Holy Spirit

The Holy Spirit helps you keep God's Commandments. Learn to sign the prayer "Come, Holy Spirit."

Come **Holy Spirit**

Con mi familia

Esta semana...

En el capítulo 19, "Amamos a Dios", su niño aprendió que:

- Los Diez Mandamientos nos guían para que llevemos una vida feliz y santa.
- Los tres primeros de los Diez Mandamientos nombran maneras en que debemos amar y honrar a Dios.
- Los proverbios de la Biblia son breves dichos sabios que nos ayudan a seguir la Ley de Dios y a llevar una vida feliz y santa.
- La virtud de la obediencia nos fortalece para honrar a las personas que tienen autoridad. La autoridad es un don de Dios que Él da a las personas para ayudarlas a vivir su Ley.

Para saber más sobre otras enseñanzas de la Iglesia, consulten el *Catecismo de la Iglesia Católica*, 2083–2136, 2142–2165, 2168–2188 y 2194, y el *Catecismo Católico de los Estados Unidos para los Adultos*, páginas 341–369.

Compartir la Palabra de Dios

Lean juntos Éxodo 20:1-3, 7-17. Enfaticen que los Diez Mandamientos son Leyes de Dios. Conversen acerca de cómo nos ayudan los Diez Mandamientos a vivir una vida santa y feliz.

Vivimos como discípulos

El hogar cristiano con la familia es una escuela de discipulado. Elijan una o más de las siguientes actividades para hacer en familia, o creen una actividad similar ustedes mismos.

- Hagan tablas de oración para llevar en el bolsillo. Úsenlas como recordatorio para dedicar tiempo a la oración a menudo durante el día. Cuando introduzcan la mano en el bolsillo, se acordarán de rezar. También se acordarán de que Dios está siempre con ustedes.
- Destaquen cuando su niño es obediente y felicítenlo. Compartan que también ustedes son obedientes con los demás. Ayuden a su niño a ver que ser obediente es mostrar respeto por los que tienen la autoridad.

Nuestro viaje espiritual

Recuerden el relato del Evangelio de Marta y María (Lucas 10:38–42). Es un relato sobre el equilibrio entre el trabajo y la oración en nuestra vida diaria. Es un relato acerca de ocuparnos de las tareas cotidianas teniendo a Dios en el centro de nuestra vida, como San Benito enseñó en su Regla. Recen juntos: "Ven, Espíritu Santo, llena nuestro corazón con tu amor".

Para hallar más ideas sobre las maneras en que su familia puede vivir como discípulos de Jesús, visiten **seanmisdiscipulos.com**

With My Family

This Week...

In chapter 19, "We Love God," your child learned:

- ▶ The Ten Commandments guide us in living happy and holy lives.
- ▶ The first three of the Ten Commandments name ways that we are to love and honor God.
- ▶ Proverbs in the Bible are short wise sayings that help us to follow God's Law and to live happy and holy lives.
- ▶ The virtue of obedience strengthens us to show honor to those who have authority. Authority is a gift from God that he gives people to help them live his Law.

For more about related teachings of the Church, see the *Catechism of the Catholic Church*, 2083–2136, 2142–2165, 2168–2188 and 2194, and the *United States Catholic Catechism for Adults*, pages 341–369.

Sharing God's Word

Read together Exodus 20:1-3, 7-17. Emphasize that the Ten Commandments are God's Laws. Talk about how the Ten Commandments help us to live holy and happy lives.

We Live as Disciples

The Christian home and family is a school of discipleship. Grow in your love of God together. Choose one of the following activities to do as a family or design a similar activity of your own.

- ▶ Make prayer rocks to carry in your pockets. Use them as reminders to set aside time to pray often throughout the day. When you put your hand into your pocket, you will be reminded to pray. You will also be reminded that God is always with you.
- ▶ Point out and compliment your child when he or she is obedient. Share ways that you, too, are obedient to others. Help your child see that being obedient is showing respect for those in proper authority.

Our Spiritual Journey

Remember the Gospel story of Martha and Mary (Luke 10:38–42). It is a story of balancing work and prayer in our daily lives. It is a story about going about our daily lives keeping God at the center of our lives, just as Saint Benedict taught in his Rule. Pray together, "Come, Holy Spirit, fill our hearts with your love."

For more ideas on ways your family can live as disciples of Jesus, visit **www.BeMyDisciples.com**

Amamos a los demás

¿Cómo te gusta que te traten las personas?

Escucha lo que Jesús dice acerca de cómo tratar a los demás.

Jesús les dijo a sus discípulos: "Traten a los demás de la misma manera en que ustedes desean de los traten". Basado en Mateo 7:12

Esto se llama la Regla de Oro.

¿Por qué es esta una buena regla?

We Love Others

How do you like other people to treat you?

Listen to what Jesus says about how we are to treat others.

Jesus told his disciples, "Treat other people the same way you want them to treat you." BASED ON MATTHEW 7:12

This is called the Golden Rule.

Why is this a good rule?

Poder de los discípulos

Justicia

Practicamos la justicia cuando siempre damos lo mejor de nosotros para ser justos con los demás.

La Iglesia sigue a **Jesús**

Cuidar a los demás

San Vicente de Paúl vivía la Regla de Oro. Cuidaba a los enfermos. Les daba ropa y alimentos a los que no tenían dinero. Trataba a los demás como quería que lo trataran a él. Es un santo de la Iglesia.

Ahora algunos miembros de parroquias católicas viven la Regla de Oro como lo hacía Vicente de Paúl. Son miembros de la Sociedad de San Vicente de Paúl. Viven las virtudes de la caridad y la justicia. Ayudan a construir un mundo generoso y justo.

? ¿Cómo vive tu parroquia la Regla de Oro?

The Church Follows **Jesus**

Caring for Others

Vincent de Paul lived the Golden Rule. He took care of people who were sick. He gave clothes and food to people who had no money. Vincent treated others as he wanted to be treated. He is a saint of the Church.

Today, people in Catholic parishes live the Golden Rule as Vincent de Paul did. They are members of the Saint Vincent de Paul Society. They live the virtues of charity and justice. They help build a kind and fair world.

? How does your parish live the Golden Rule?

Disciple Power

Justice

We practice justice when we do our very best to always be fair to others.

Enfoque en la fe
¿De qué manera los Mandamientos, del Cuarto al Décimo, ayudan a las personas para que amen y respeten a los demás y a sí mismas?

Vocabulario de fe

codiciar
Codiciamos cuando deseamos algo de manera enfermiza.

falso testimonio
Dar falso testimonio significa decir mentiras.

Vivir la Regla de Oro

Los Mandamientos, del Cuarto al Décimo, nos ayudan a vivir la Regla de Oro.

4. Respeta a tu padre y a tu madre.

El Cuarto Mandamiento nos enseña a honrar y obedecer a nuestros padres. También honramos y obedecemos a otras personas a quienes los padres piden ayuda para guiar a sus hijos.

5. No mates.

El Quinto Mandamiento nos enseña que debemos cuidar nuestra propia vida y la vida de otras personas.

6. No cometas adulterio.

9. No codicies la mujer de tu prójimo.

Estos dos mandamientos nos enseñan que debemos respetar nuestro propio cuerpo y el cuerpo de los demás. No debemos permitir que nos toquen de manera inapropiada. Debemos ayudar a las familias a llevar una vida feliz y santa.

Actividad

Mira la ilustración de esta página. Describe cómo muestran las personas amor por los demás. Con un compañero, haz una dramatización de una manera en que ustedes también pueden mostrar amor por los demás.

Living the Golden Rule

The Fourth through Tenth Commandments helps us to live the Golden Rule.

4. Honor your father and your mother.

The Fourth Commandment teaches us to honor and obey our parents. We also honor and obey other people whom parents ask to help guide their children.

5. You shall not kill.

The Fifth Commandment teaches us that we are to take care of our own lives and the lives of other people.

6. You shall not commit adultery.

9. You shall not covet your neighbor's wife.

These two commandments teach us that we are to respect our own bodies and the bodies of others. We are not to let people touch us in the wrong way. We are to help families live happy and holy lives.

Faith Focus

How do the Fourth through the Tenth Commandments help people to love and respect other people and themselves?

Faith Vocabulary

covet
We covet when we have an unhealthy desire for something.

false witness
Giving false witness means telling lies.

Look at the picture on this page. Describe how the people are showing love for others. With a partner, act out a way you can show love for others too.

Personas de fe

San Juan Bosco

Juan Bosco se divertía mucho yendo al circo y aprendiendo los trucos que hacían los magos. Después de hacerse sacerdote, el Padre Juan Bosco se rodeaba de niños y hacía trucos para ellos. Mientras los niños estaban reunidos, les enseñaba acerca de Jesús. La Iglesia celebra el día de San Juan Bosco el 31 de enero.

7. No robes.

El Séptimo Mandamiento nos enseña a respetar la propiedad de las demás personas. No debemos robar ni engañar.

8. No des falso testimonio contra tu prójimo.

El Octavo Mandamiento nos enseña que debemos ser honestos y sinceros. No debemos mentir. **Dar falso testimonio** significa decir mentiras.

10. No codicies nada que sea de tu prójimo.

Aun más, el Décimo Mandamiento nos dice que no envidiemos a otras personas ni sus cosas. También debemos usar los alimentos, el agua y otros elementos de la creación con justicia. Debemos compartir nuestras bendiciones como dones de Dios.

Cuando vivimos todos estos mandamientos, llevamos una vida santa. Cuando vivimos los Diez Mandamientos, vivimos como hijos de Dios.

? ¿De qué manera el Séptimo, Octavo y Décimo Mandamiento te ayudan a vivir la Regla de Oro?

7. You shall not steal.

The Seventh Commandment teaches us to respect the property of other people. We are not to steal or cheat.

8. You shall not bear false witness against your neighbor.

The Eighth Commandment teaches that we are to be honest and truthful. We are not to lie. To **bear false witness** means to lie.

10. You shall not covet your neighbor's goods.

Even more than that, the Tenth Commandment tells us not to be jealous of other people or their things. We are also to use food, water and other things of creation fairly. We are to share our blessings as gifts from God.

When we live all these Commandments, we are living holy lives. When we live the Ten Commandments, we are living as children of God.

? How do the Seventh, Eighth, and Tenth Commandments help you live the Golden Rule?

Faith-Filled People

Saint John Bosco

John Bosco really had fun going to circuses and learning the tricks magicians performed. After he became a priest, Father John Bosco gathered children around him and did the tricks for them. As they gathered, Father Bosco taught the children about Jesus. The Church celebrates the feast day of Saint John Bosco on January 31.

Los católicos creen

Limosna

Jesús enseña que debemos hacer algo más que obedecer los Diez Mandamientos. Debemos compartir lo que tenemos con los pobres. Una manera de hacerlo es la limosna. Limosna es una palabra que significa "elemento que compartimos para ayudar a los pobres". Los primeros cristianos cumplían con esto muy bien. Sus vecinos solían decir: "Miren cuánto se aman unos a otros".

Compartir con los pobres

En este relato Jesús nos enseña no solo a obedecer los Diez Mandamientos, sino a hacer algo más.

Un día un hombre corrió al encuentro de Jesús y le preguntó: "Maestro, ¿qué tengo que hacer para conseguir la vida eterna?".

Jesús le contestó: "Ya conoces los Diez Mandamientos, síguelos".

El hombre le dijo: "Siempre los he cumplido".

Jesús fijó su mirada en él y le dijo: "Sólo te falta hacer una cosa: reparte el dinero entre los pobres. Después, ven y sígueme".

Pero el hombre no podía hacerlo y se fue triste.

Basado en Marcos 10:17–22

Actividad

Trabaja con un compañero. Escribe una frase que recuerde a los demás compartir lo que tienen con los pobres.

____

____

Share with the Poor

In this story Jesus teaches us to do more than just obey the Ten Commandments.

One day a man came to Jesus and asked, "Teacher, what must I do to get to heaven?"

Jesus said to the man, "You shall obey the Ten Commandments."

The man told Jesus, "I have always followed all these rules."

Looking at the man Jesus said to him, "There is one more thing you need to do. Give what you have to the poor. Then, come, follow me."

But the man could not do it. He went away sad.

BASED ON MARK 10:17–22

Catholics Believe

Almsgiving

Jesus teaches that we are to do more than obey the Ten Commandments. We are to share what we have with the poor. Almsgiving is one way we do this. Almsgiving is a word that means "sharing something to help the poor." The first Christians did this very well. Their neighbors used to say, "See how much they love one another."

Activity

Work with a partner. Write a saying that reminds others to share what you have with people who are poor.

Yo sigo a Jesús

Cuando vives los Diez Mandamientos, vives como hijo de Dios. Estás construyendo un mundo generoso y justo. Cuando cumples la Regla de Oro y compartes con los pobres, haces aun más que eso. Estás viviendo como discípulo de Jesús.

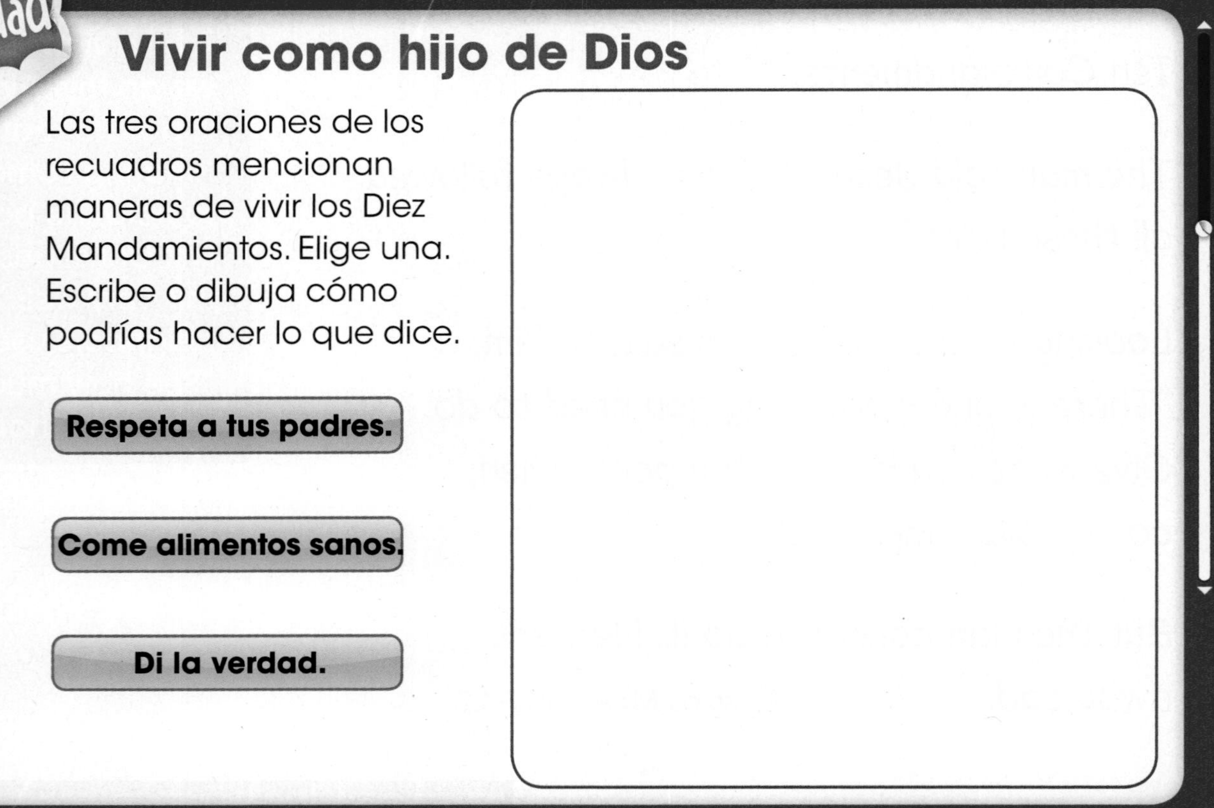

Actividad

Vivir como hijo de Dios

Las tres oraciones de los recuadros mencionan maneras de vivir los Diez Mandamientos. Elige una. Escribe o dibuja cómo podrías hacer lo que dice.

Respeta a tus padres.

Come alimentos sanos.

Di la verdad.

Esta semana, cumpliré los Mandamientos. Haré más que eso, como Jesús pedía. Yo voy a

____

____.

Reza: "Espíritu Santo, enséñame y ayúdame a cumplir los Mandamientos. Quiero honrarte, ser justo con los demás y hacer aun más que eso. Amén".

When you live the Ten Commandments, you are living as a child of God. You are building a kind and fair world. When you keep the Golden Rule and share with the poor, you are doing even more. You are living as a disciple of Jesus.

I Follow Jesus

Activity

Living as a Child of God

The three sentences in the frames name ways to live the Ten Commandments. Choose one. Write or draw how you can do what it says.

Respect your parents.

Eat healthful foods.

Tell the truth.

hovnor your parents

My Faith Choice

I will keep the Commandments this week. I will do more, as Jesus asked. I will

help my mom cook.

Pray, "Holy Spirit, teach me and help me to keep the Commandments. I want to honor you, be fair to others, and do even more. Amen."

PARA RECORDAR

1. Las personas que viven los Diez Mandamientos ayudan a construir un mundo generoso y justo.
2. Los Mandamientos, del Cuarto al Décimo, nos enseñan a amar, honrar y respetar a los demás y a nosotros mismos.
3. Jesús nos llama a seguirlo cumpliendo los Diez Mandamientos y la Regla de Oro, y haciendo aun más que eso.

Repaso del capítulo

Encierra en un círculo Sí cuando la oración es verdadera. Encierra en un círculo No cuando la oración no es verdadera.

1. Los Mandamientos, del Cuarto al Décimo, nos muestran cómo honrar, respetar y amar a Dios. **Sí** **No**
2. Los Mandamientos, del Cuarto al Décimo, nos muestran cómo seguir la Regla de Oro y construir un mundo generoso y justo. **Sí** **No**
3. Los seguidores de Jesús deben hacer algo más que obedecer los Diez Mandamientos. **Sí** **No**

¡Confíen en el Señor!

En el Bautismo recibimos la gracia de vivir los Mandamientos de Dios. Reza esta oración. Dile a Dios que harás lo posible para vivir como seguidor de su Hijo, Jesucristo.

Líder Recuerden las enseñanzas del Señor. Cumplan sus leyes con todo su corazón.

Todos **Señor, enséñanos tus leyes.**

Líder Confíen en el Señor con todo su corazón. El Señor los conducirá por un camino recto.

Todos **Señor, confiaremos siempre en ti.**

Chapter Review

Circle Yes if a sentence is true. Circle No if a sentence is not true.

1. The Fourth through the Tenth Commandments show us how to honor, respect, and love God. **Yes** **No**
2. The Fourth through the Tenth Commandments show us how to follow the Golden Rule and build a kind and fair world. **Yes** **No**
3. Jesus' followers should do more than just obey the Ten Commandments. **Yes** **No**

TO HELP YOU REMEMBER

1. People who live the Ten Commandments help to build a kind and fair world.
2. The Fourth through the Tenth Commandments teach us to love, honor, and respect other people and ourselves.
3. Jesus calls us to follow him by keeping the Ten Commandments and the Golden Rule and by doing even more.

Trust in the Lord!

At Baptism we receive the grace to live God's Commandments. Pray this prayer. Tell God you will try your best to live as a follower of his Son, Jesus Christ.

Leader Remember the Lord's teachings. Keep his laws with all your heart.

All **Lord, teach us your laws.**

Leader Trust in the Lord with all your heart. The Lord will lead you on a straight path.

All **Lord, we will always trust in you.**

Con mi familia

Esta semana...

En el capítulo 20, "Amamos a los demás", su niño aprendió que:

- Los Mandamientos, del Cuarto al Décimo, mencionan maneras en que debemos amar, honrar y respetar a los demás, a nosotros mismos y a toda la creación de Dios.
- La Regla de Oro resume los Mandamientos del Cuarto al Décimo.
- Jesús enseña que debemos hacer algo más que solo obedecer los Diez Mandamientos. Debemos compartir nuestras bendiciones con los pobres.
- Los Diez Mandamientos nos ayudan a vivir como hijos de Dios. Nos guían para que construyamos un mundo generoso y justo. Nos ayudan a prepararnos para la venida del Reino de Dios.
- Las personas que viven la virtud de la justicia trabajan para construir un mundo generoso y justo.

Para saber más sobre otras enseñanzas de la Iglesia, consulten el *Catecismo de la Iglesia Católica*, 2196–2246, 2258–2317, 2331–2391, 2401–2449, 2464–2503, 2514–2527 y 2534–2550, y el *Catecismo Católico de los Estados Unidos para los Adultos*, páginas 375–455.

Compartir la Palabra de Dios

Lean juntos Marcos 10:17-22, la enseñanza de Jesús de hacer algo más que solo obedecer los Diez Mandamientos. En familia, conversen sobre qué más pueden hacer para actuar como discípulos de Jesús y seguirlo. Mencionen maneras en que su familia puede estar menos apegada a las posesiones materiales.

Vivimos como discípulos

El hogar cristiano con la familia es una escuela de discipulado. Elijan una o más de las siguientes actividades para hacer en familia, o creen una actividad similar ustedes mismos.

- Ayuden a sus niños a escribir e ilustrar un libro de cuentos sobre cómo muestra su familia respeto por otras personas y así honra a Dios.
- Comenten lo que hace su parroquia para construir un mundo justo y generoso. Elijan una manera de apoyar una de estas actividades.

Nuestro viaje espiritual

Todas las personas son llamadas a la santidad. Todas las personas tienen el anhelo interior de ser la persona para lo que fueron creadas: a imagen y semejanza de Dios. Vivir los Diez Mandamientos es lo mínimo que podemos hacer para transitar el camino a la felicidad y la santidad. Esta semana al final de la comida, recen la oración de la página 376.

Para hallar más ideas sobre las maneras en que su familia puede vivir como discípulos de Jesús, visiten **seanmisdiscipulos.com**

With My Family

This Week...

In chapter 20, "We Love Others," your child learned:

- ▶ The Fourth through the Tenth Commandments name ways that we are to love, honor, and respect other people, ourselves, and all of God's creation.
- ▶ The Golden Rule summarizes the Fourth through the Tenth Commandments.
- ▶ Jesus taught that we are to do more than just obey the Ten Commandments. We are to share our blessings with the poor.
- ▶ The Ten Commandments help us live as children of God. They guide us to build a kind and fair world. They help us prepare for the coming of the Kingdom of God.
- ▶ People who live the virtue of justice work to build a kind and fair world.

For more about related teachings of the Church, see the *Catechism of the Catholic Church*, 2196–2246, 2258–2317, 2331–2391, 2401–2449, 2464–2503, 2514–2527, and 2534–2550, and the *United States Catholic Catechism for Adults*, pages 375–455.

Sharing God's Word

Read together Mark 10:17–22. Jesus' teaching on doing more than just obeying the Ten Commandments. As a family, discuss what more your family can do to act as Jesus' disciples and follow him. Name ways your family can be less attached to material possessions.

We Live as Disciples

The Christian home and family is a school of discipleship. Grow in your love for all people as Jesus commanded. Choose one of the following activities to do as a family or design a similar activity of your own.

- ▶ Help your children write and illustrate a storybook about how your family shows respect for other people and thus honors God.
- ▶ Talk about what your parish does to build a just and kind world. Choose a way to support one of these activities.

Our Spiritual Journey

Every person has a call to holiness. Every person has the inner longing to be the person who they were created to be—the image and likeness of God. Living the Ten Commandments is the minimum we can do to travel the road to happiness and holiness. This week at mealtime, pray the prayer on page 377 at the end of the meal.

For more ideas on ways your family can live as disciples of Jesus, visit **www.BeMyDisciples.com**

Unidad 5: **Repaso** Nombre ______________________________

A. Elije la mejor palabra

Escribe en los espacios en blanco para completar las oraciones. Usa las palabras de la lista.

limosna	honrar	Regla de Oro
Diez Mandamientos	gracia	Gran Mandamiento

1. El ______________ es amar a Dios por sobre todas las cosas y amar a los demás como a nosotros mismos.

2. La ______________ es algo que compartimos con los pobres.

3. Los ______________ son las leyes que Dios nos dio para ayudarnos a vivir una vida feliz y santa.

4. ______________ a una persona es mostrarle gran respeto.

5. Cuando tratamos a los demás de la misma manera

en que queremos que nos traten, seguimos la ______________.

6. La ______________ es el don de Dios, que comparte su vida con nosotros.

B. Muestra lo que sabes

Une los elementos de la Columna A con los de la Columna B.

Columna A		**Columna B**
1. justicia	_____	**a.** señal del gran amor de Jesús por su Padre y por nosotros
2. proverbio	_____	**b.** nos fortalece para respetar a los que tienen la autoridad
3. la Cruz	_____	**c.** buen hábito de ser equitativo y longánimo
4. obediencia	_____	**d.** dicho sabio que nos ayuda a vivir los Diez Mandamientos
5. fortaleza	_____	**e.** nos mantiene firmes para hacer lo correcto y el bien cuando es difícil

Unit 5 **Review**

Name ______________________________

A. Choose the Best Word

Fill in the blanks to complete each of the sentences. Use the words from the word bank.

almsgiving	honor	Golden Rule
Ten Commandments	grace	Great Commandment

1. The ______________________ is to love God above all else and to love people as we love ourselves.

2. ______________ means sharing something to give to the poor.

3. The ______________________ are the laws God gave us to help us live happy and holy lives.

4. To ______________ a person is to show that person great respect.

5. When we treat others the same way we want them to treat us, we are following the ______________.

6. ______________ is the gift of God sharing his life with us.

B. Show What You Know

Match the items in Column A with those in Column B.

Column A

1. justice

2. proverb

3. the Cross

4. obedience

5. fortitude

Column B

____ **a.** sign of Jesus' great love for his Father and us

____ **b.** strengthens us to respect people in authority

____ **c.** good habit of being fair and kind

____ **d.** wise saying to help us live the Ten Commandments

____ **e.** strengthens us to do what is right and good when it is difficult

C. La Escritura y tú

¿Cuál fue tu relato preferido acerca de Jesús en esta unidad? Dibuja algo que sucedió en el relato. Cuéntaselo a tu clase.

D. Sé un discípulo

1. *¿Acerca de qué santo o persona virtuosa disfrutaste aprender más en esta unidad? Escribe el nombre aquí. Cuenta a tu clase lo que esta persona hizo para seguir a Jesús.*

____

2. *¿Qué puedes hacer para ser un buen discípulo de Jesús?*

____

____

C. Connect with Scripture

What was your favorite story about Jesus in this unit? Draw something that happened in the story. Tell your class about it.

D. Be a Disciple

1. *What saint or holy person did you enjoy hearing about in this unit? Write the name here. Tell your class what this person did to follow Jesus.*

____

2. *What can you do to be a good disciple of Jesus?*

____

____

Guatemala: Semana Santa

Durante Semana Santa, recordamos el Sufrimiento y la Muerte de Jesús. En Guatemala, se hacen celebraciones de Semana Santa muy hermosas. Recuerdan a las personas cuánto las ama Jesús.

La gente decora las calles con tapices hechos de flores. Los llaman alfombras. Familias e iglesias pasan meses haciéndolas.

Cuando llega Semana Santa, extienden las alfombras sobre las calles.

Las personas caminan en procesión sobre las alfombras. Algunos se ponen trajes alusivos y van en carrozas. Dramatizan diferentes escenas del Sufrimiento y la Muerte de Jesús. Las procesiones dañan las alfombras, pero al año siguiente la gente las hará de nuevo.

? ¿Por qué te parece que las personas hacen las hermosas alfombras aunque van a destruirlas?

Guatemala: Holy Week

During Holy Week we remember the Suffering and Death of Jesus. In Guatemala, people have very beautiful Holy Week celebrations. They help the people remember how much Jesus loved them.

The people decorate the streets with carpets made of flowers. They are called *alfombras*. Families and churches spend months making them.

When Holy Week arrives, they spread the carpets on the streets. They walk in processions over the carpets. Some of the people wear costumes and ride on floats. They act out different scenes from the Suffering and Death of Jesus. The processions ruin the carpets, but next year the people will make them again.

? Why do you think the people make the beautiful *alfombra* if they are going to destroy them?

UNIDAD 6 Vivimos

Parte Dos

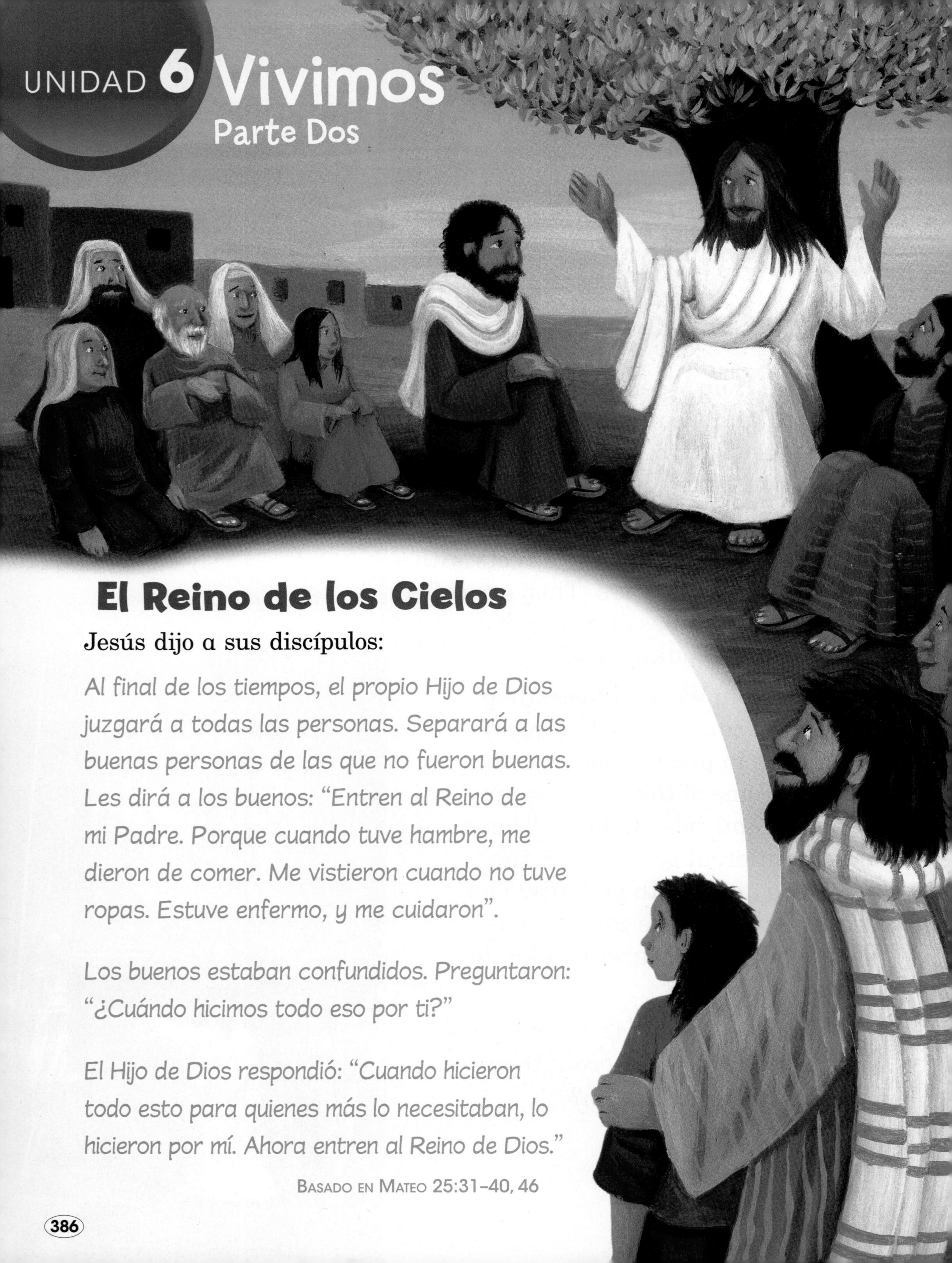

El Reino de los Cielos

Jesús dijo a sus discípulos:

Al final de los tiempos, el propio Hijo de Dios juzgará a todas las personas. Separará a las buenas personas de las que no fueron buenas. Les dirá a los buenos: "Entren al Reino de mi Padre. Porque cuando tuve hambre, me dieron de comer. Me vistieron cuando no tuve ropas. Estuve enfermo, y me cuidaron".

Los buenos estaban confundidos. Preguntaron: "¿Cuándo hicimos todo eso por ti?"

El Hijo de Dios respondió: "Cuando hicieron todo esto para quienes más lo necesitaban, lo hicieron por mí. Ahora entren al Reino de Dios."

Basado en Mateo 25:31–40, 46

We Live
Part Two

UNIT 6

The Kingdom of Heaven

Jesus said to his disciples,

"At the end of the world, God's own Son will judge all the people. He will divide the good people from those who were not good. He will tell the good people, 'Come into my Father's Kingdom. For when I was hungry, you fed me. You gave me clothes when I had none. When I was sick, you took care of me.'

"The good people were confused. They said, 'When did we do these things for you?'

"God's Son replied, 'When you did these things for those who needed it most, you did it for me. Now enter God's Kingdom.'"

Based on Matthew 25:31–40, 46

Lo que he aprendido

¿Qué es lo que ya sabes acerca de estas palabras de fe?

Conciencia

____

____

El Padre Nuestro

____

____

Palabras de fe para aprender

Escribe **X** junto a las palabras de fe que sabes.
Escribe **?** junto a las palabras de fe que necesitas aprender mejor.

Palabras de fe

____ pecado mortal	____ gracia santificante	____ consecuencias
____ cielo	____ Reino de Dios	____ esperanza

Tengo una pregunta

¿Qué pregunta te gustaría hacer acerca de hacer buenas elecciones para vivir una vida santa y feliz?

____

____

What I Have Learned

What is something you already know about these faith concepts?

Conscience

____

____

The Our Father

____

____

Faith Words to Know

Put an **X** next to the faith words you know. Put a **?** next to the faith words you need to learn more about.

Faith Words

____ mortal sin

____ sanctifying grace

____ consequences

____ heaven

____ Kingdom of God

____ hope

Questions I Have

What questions would you like to ask about making good choices to live a holy and happy life?

____

____

Hacemos elecciones

¿Qué buena elección hiciste recientemente?

Algunas personas del pueblo de Dios no estaban siguiendo la voluntad de Dios. Escucha lo que Josué, líder del pueblo de Dios, les dijo que debían hacer.

¿A quién eligen servir? Mi familia y yo elegimos servir al Señor, nuestro Dios.

BASADO EN JOSUÉ 24:15

¿Cómo puede servir una familia al Señor?

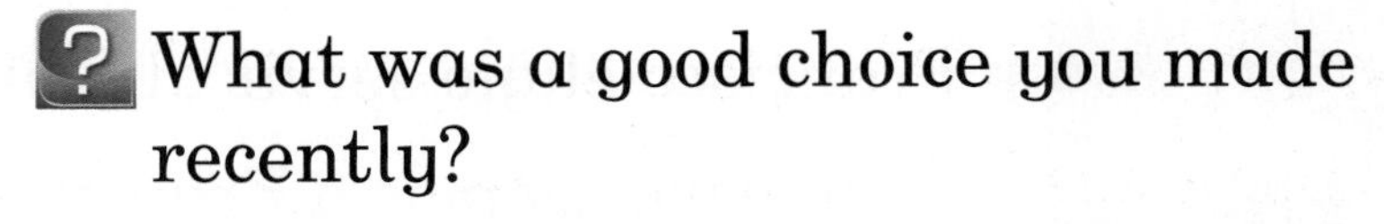

We Make Choices

What was a good choice you made recently?

Some of God's people were not following God's ways. Listen to what Joshua, a leader of God's people, told them they had to do.

Whom will you choose to serve? My family and I choose to serve the Lord our God.

BASED ON JOSHUA 24:15

How can a family serve the Lord?

Poder de los discípulos

Humildad

La humildad nos ayuda a reconocer que todo lo que somos y todo lo que tenemos viene de Dios. Somos humildes cuando elegimos seguir la voluntad de Dios y hacerla propia.

La Iglesia sigue a **Jesús**

San Francisco de Asís

Tenemos que hacer elecciones sobre la manera en que queremos vivir. Este es un relato acerca de alguien que hizo muchas elecciones importantes.

Francisco creció pensando que sería feliz si llegaba a ser un soldado famoso y rico. Por esto Francisco salió a ganar batallas.

Pero una noche, Francisco tuvo un sueño. En el sueño, Dios le pedía a Francisco que volviera a casa. Francisco eligió hacer lo que Dios le había pedido.

Dejó todas sus riquezas y empezó a vivir una vida sencilla y humilde. Francisco eligió servir al Señor.

Hoy conocemos a Francisco como San Francisco de Asís porque allí es donde vivió. Sus seguidores se llaman Franciscanos. Al igual que San Francisco, eligen la pobreza y la humildad para servir al Señor.

? ¿Cuál fue la elección de San Francisco?

The Church Follows
Jesus

Saint Francis of Assisi

We have to make choices about the way we want to live. Here is a story about someone who made many important choices.

Francis grew up thinking he would be happy by becoming a rich and famous soldier. So Francis set off to win battles.

But one night, Francis had a dream. In the dream, God asked Francis to return home. Francis chose to do what God asked.

Francis gave away all his riches and began to live a very simple and humble life. Francis chose to serve the Lord.

Today, we know Francis as Saint Francis of Assisi because that is where he lived. His followers are called Franciscans. Like Saint Francis, they choose poverty and to humbly serve the Lord.

? What was Saint Francis's choice?

Disciple Power

Humility

Humility helps us to recognize that all we are and all we have come from God. We are humble when we choose to follow God's ways and make them our own.

Enfoque en la fe
¿Por qué es importante hacer elecciones sabias?

Vocabulario de fe

elecciones sabias
Las elecciones sabias nos ayudan a vivir como hijos de Dios.

Cielo
El Cielo es la felicidad eterna con Dios y con todos los santos.

Hacemos elecciones sabias

Dios envió a Jesús para mostrarnos cómo hacer **elecciones sabias**. Una elección sabia es la que nos ayuda a vivir como hijos de Dios. Jesús siempre hizo lo que su Padre le pidió. Seremos verdaderamente felices cuando hagamos elecciones como nos enseñó Jesús.

Dios quiere que seamos felices ahora y para siempre en el **Cielo**. El Cielo es ser feliz con Dios y con todos los santos para siempre. Hacer elecciones sabias ahora nos ayudará a encontrar la felicidad en el Cielo.

Actividad

Mira estas fotografías y piensa qué está sucediendo en ellas. Cuenta qué elección harías a continuación. Comparte por qué tus elecciones son elecciones sabias.

Making Wise Choices

God sent Jesus to show us how to make **wise choices**. A wise choice is one that helps us live as God's children. Jesus always did what his Father asked him to do. We will be truly happy when we make choices as Jesus taught us.

God wants us to be happy now and forever in **Heaven**. Heaven is being happy with God and with all the saints forever. Making wise choices now will help us find happiness in Heaven.

Faith Focus
Why is it important to make wise choices?

Faith Vocabulary

wise choices
Wise choices help us to live as children of God.

Heaven
Heaven is happiness forever with God and all the saints.

Activity

Look and think about what is happening in these pictures. Tell what choice you would make next. Share why your choices are wise choices.

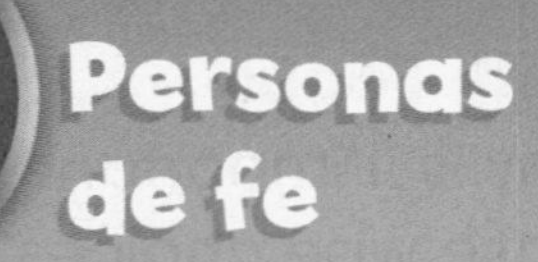

Personas de fe

Santa Clara de Asís

Clara era una querida amiga de San Francisco de Asís. Igual que Francisco, eligió abandonar sus riquezas y servir a Dios. Clara se reunió con otras mujeres para vivir una vida sencilla de servicio para los demás. Las seguidoras de Santa Clara se llaman Clarisas Pobres. Viven en conventos y pasan la mayor parte del día rezando por los demás. La Iglesia celebra el día de Santa Clara el 11 de agosto.

Dichos sabios

Los dichos sabios nos ayudan a hacer elecciones sabias. Piensa en dichos sabios que conozcas. Por ejemplo: "Abróchate el cinturón" o "Detenerse, tirarse y rodar".

Has aprendido que la Biblia tiene muchos dichos sabios llamados proverbios. Los proverbios son dichos sabios cortos que nos ayudan a hacer elecciones sabias. Nos ayudan a amar a Dios y a seguir sus mandamientos.

Muchas personas del pueblo de Dios en el Antiguo Testamento no sabían leer ni escribir. El escuchar atentamente y aprender de memoria los proverbios los ayudaban a hacer elecciones sabias. Los dichos sabios te ayudarán también a hacer buenas elecciones.

¡Abróchate el cinturón por tu seguridad!

La práctica hace al maestro.

Quien no malgasta no pasa necesidades.

Wise Sayings

Wise sayings can help us make wise choices. Think of wise sayings you know. For example, "Buckle Up" or "Stop, Drop, and Roll."

You have learned that the Bible has many wise sayings called proverbs. Proverbs are short wise sayings that help us to make wise choices. They help us to love God and to follow his commands.

Many of God's people in Old Testament times could not read or write. Listening very carefully and learning proverbs by heart helped them to make wise choices. Wise sayings can help you make good choices, too.

Faith-Filled People

Saint Clare of Assisi

Clare was a dear friend of Saint Francis of Assisi. Like Francis, she chose to give up her riches and serve God. Clare gathered other women around her to live simple lives of service to others. Followers of Saint Clare are called Poor Clares. They live in convents and spend most of their days praying for others. The Church celebrates the feast of Saint Clare on August 11.

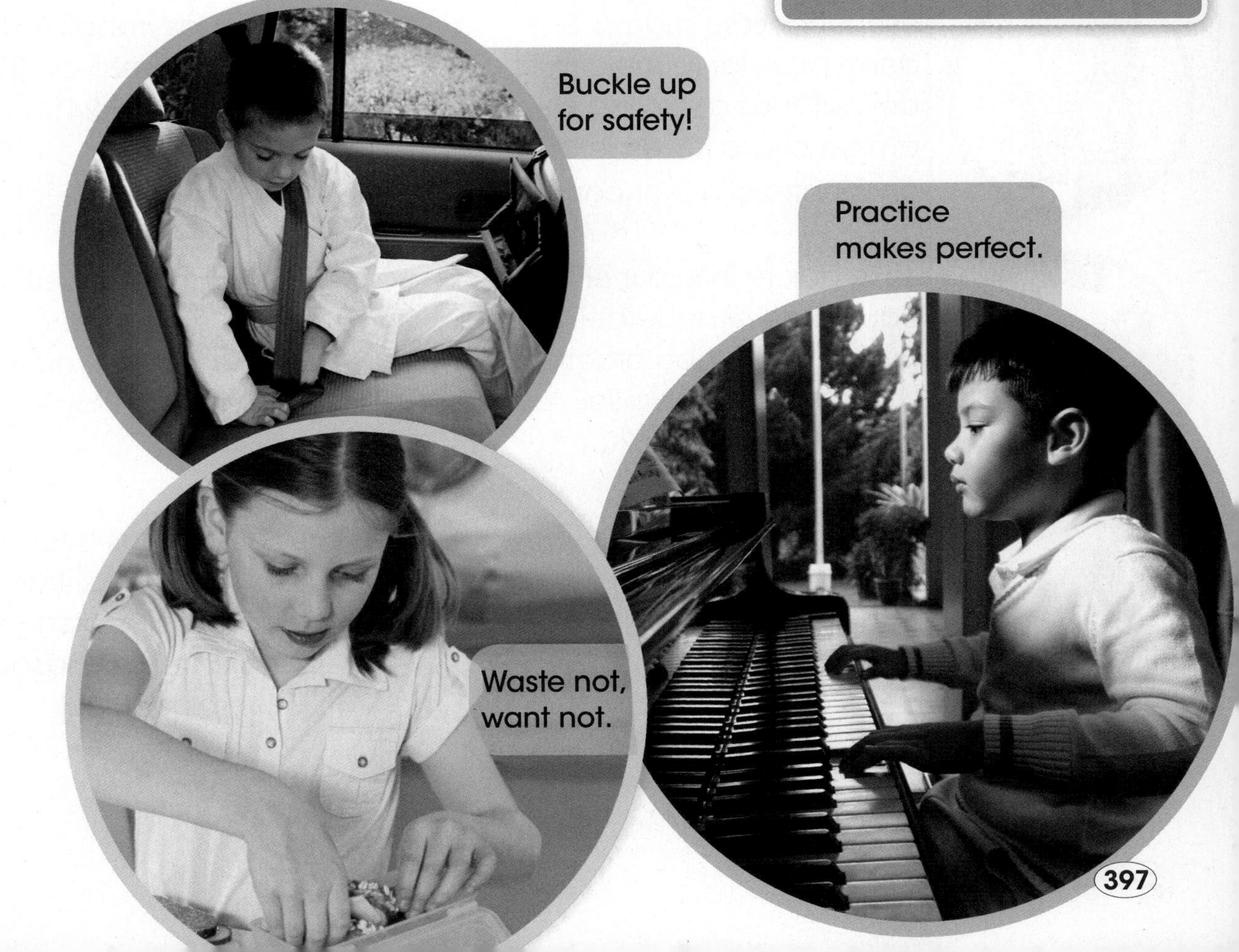

Los católicos creen

Oración diaria

Los cristianos son un pueblo de oración. Tal como nos dice Proverbios 16:3, pedir la ayuda de Dios en oración nos ayudará a hacer buenas y sabias elecciones. Rezar todos los días nos ayuda a crecer en la humildad. Muestra que sabemos que no podemos vivir sin Dios.

Elegimos sabiamente

Recuerda: los proverbios de la Biblia provienen de Dios. Hace muchos años, ayudaron al pueblo de Dios a hacer buenas y sabias elecciones. Los proverbios también nos ayudan hoy a hacer buenas y sabias elecciones.

Encomienda tus obras al Señor,
y tus proyectos se realizarán.

BASADO EN PROVERBIOS 16:3

Traza líneas para unir a los niños con el proverbio de la Biblia que mejor los ayude a elegir sabiamente.

Maireni se pregunta si debe escuchar a su mamá. Si debe planear la mejor ruta del autobús a la casa de su amiga o solo ir y esperar que encuentre el mejor camino.

Jake quiere integrar el equipo de básquetbol. Se pregunta: "¿Debo practicar tiros a la canasta o solo jugar video juegos?".

Ichiro se despierta, mira por la ventana y se pregunta: "¿Cómo será este día, feliz o triste?".

Quien trabaje duro será el líder, y los trabajos duros serán para el perezoso. (Basado en Proverbios 12:24)

Para el infeliz todos los días son tristes, el que tiene el corazón alegre siempre estará de fiesta. (Basado en Proverbios 15:15)

Los proyectos hechos sin seguir consejos fracasarán; los proyectos bien pensados tendrán éxito. (Basado en Proverbios 15:22)

Choosing Wisely

Remember, the proverbs in the Bible come from God. They helped God's people of long ago make good and wise choices. The proverbs can also help us make good and wise choices today.

Trust in the Lord,
and your plans will succeed.

Based on Proverbs 16:3

Catholics Believe

Daily Prayer

Christians are people of prayer. As Proverbs 16:3 tells us, asking God's help in prayer will help us make good and wise choices. Praying every day helps us grow in humility. It shows that we know we cannot live without God.

Activity

Draw lines to connect the children to the Proverb from the Bible that will best help them choose wisely.

Maireni wonders if she should listen to her mom. Should she plan the best bus route to her friend's house, or just go and hope she finds the right way.

Jake wants to be on the basketball team. He wonders, "Should I practice shooting baskets, or just play video games?"

Ichiro wakes up, looks out the window, and wonders, "What will this day be like, happy or sad?"

Work hard and become a leader; be lazy and become a loser. (Based on Proverbs 12:24)

For the gloomy person, every day is sad; but for the cheerful person, every day is a delight. (Based on Proverbs 15:15)

Say no to good advice, and your plans will fail. Say yes to good advice, and your plans will succeed. (Based on Proverbs 15:22)

Yo sigo a Jesús

Recuerda que Jesús vino a mostrarte cómo hacer elecciones sabias. Un dicho sabio del Libro de los Proverbios nos recuerda: "La alegría se aloja en el corazón del buen consejero" (basado en Proverbios 12:20). Eliges sabiamente cuando eliges la paz.

Actividad

Mi proverbio

Crea un dicho sabio. Ayuda a los demás a ver por qué deben ser humildes.

____

____

____

____

____

Esta semana elegiré ser mediador de paz al hablar con amabilidad. Yo recordaré hacer

____

______________________________.

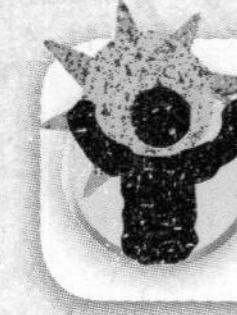

Reza: "Querido Señor, ayúdame a crecer en la humildad. Ayúdame a elegir servirte en la paz. Amén".

Remember that Jesus came to show you how to make wise choices. A wise saying in the Book of Proverbs reminds us, "Happy is the person who chooses to make peace" (based on Proverbs 12:20). You choose wisely when you choose to make peace.

I Follow Jesus

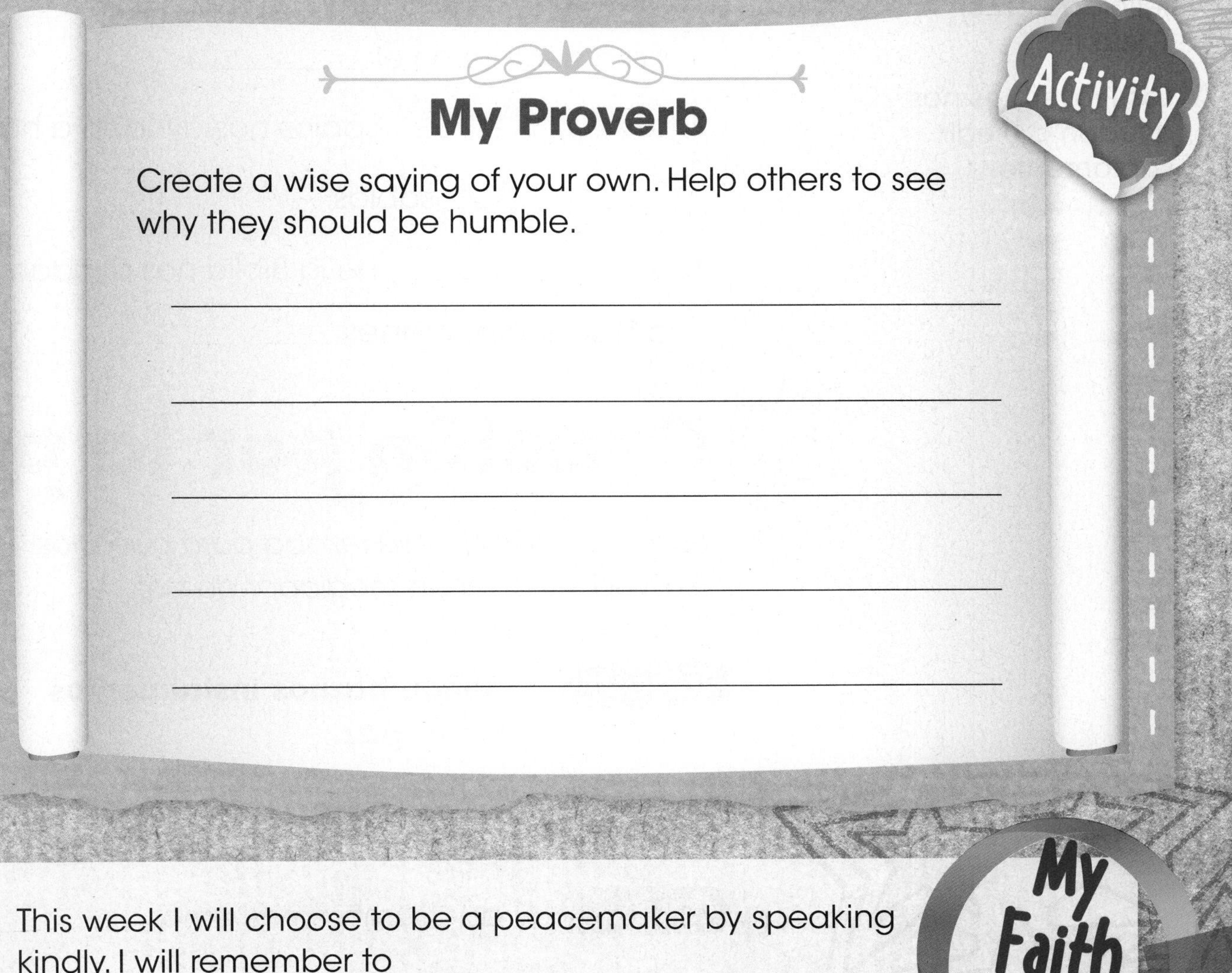

My Proverb

Create a wise saying of your own. Help others to see why they should be humble.

____

____

____

____

____

My Faith Choice

This week I will choose to be a peacemaker by speaking kindly. I will remember to

____

______________________________________.

Pray, "Dear Lord, help me grow in humility. Help me choose to serve you in peace. Amen."

PARA RECORDAR

1. Es importante para nosotros hacer elecciones sabias.
2. Hacer elecciones sabias ahora nos ayudará a encontrar la felicidad en el Cielo.
3. Los Proverbios nos ayudan a elegir sabiamente.

Repaso del capítulo

Faltan dos palabras en cada oración. Usa las palabras del recuadro para completar las oraciones.

felices	**sabios**	**Proverbios**
dichos	**Cielo**	**elecciones**

1. Dios quiere que seamos ____________ ahora y para siempre en el ____________.
2. Los ____________ sabios nos ayudan a hacer ____________ sabias.
3. Los ____________ de la Biblia nos ayudan hoy a hacer elecciones ____________.

Oración por la paz

San Francisco de Asís rezaba para que Dios lo ayudara a ser un mediador de paz.

Todos **Señor, haznos instrumentos de tu paz.**

Grupo 1 Donde haya odio,

Grupo 2 que sembremos amor.

Grupo 1 Donde haya injuria,

Grupo 2 que llevemos perdón.

Todos **Señor, haznos instrumentos de tu paz.**

Basado en la oración de San Francisco

Chapter Review

Two words are missing from each sentence. Use words in the box to complete the sentences.

happy	**wise**	**Proverbs**
sayings	**Heaven**	**choices**

1. God wants us to be ____________ now and forever in ____________.
2. Wise ____________ can help us make wise ____________.
3. ____________ from the Bible can help us make ____________ choices today.

TO HELP YOU REMEMBER

1. It is important for us to make wise choices.
2. Making wise choices now will help us find happiness in Heaven.
3. The Proverbs can help us choose wisely.

A Peace Prayer

Saint Francis of Assisi prayed that God would help him to be a peacemaker.

All **Lord, make us instruments of your peace.**

Group 1 Where there is hatred,

Group 2 let us bring love.

Group 1 Where there is injury,

Group 2 let us bring forgiveness.

All **Lord, make us instruments of your peace.**

BASED ON THE PRAYER OF ST. FRANCIS

Con mi familia

Esta semana...

En el capítulo 21, "Hacemos elecciones", su niño aprendió que:

- Dios nos creó para que seamos felices ahora y para siempre con Él en el Cielo.
- Las elecciones que hacemos nos pueden dar o quitar felicidad en este mundo y en el próximo.
- Los Proverbios son dichos sabios de la Biblia que nos ayudan hoy a hacer elecciones sabias.
- La virtud de la humildad nos ayuda a reconocer que todas nuestras bendiciones y las bendiciones de los demás provienen de Dios.

Para saber más sobre otras enseñanzas de la Iglesia, consulten el *Catecismo de la Iglesia Católica,* 1719–1724 y 2825; y el *Catecismo Católico de los Estados Unidos para los Adultos,* páginas 315–317.

Compartir la Palabra de Dios

Lean juntos Proverbios 12:24; 15:15; 15:23 y 16:3 o lean la adaptación de los versículos en la página 398. Enfaticen que los proverbios de la Biblia nos ayudan a hacer elecciones sabias sobre cómo vivir como hijos de Dios.

Vivimos como discípulos

El hogar cristiano con la familia es una escuela de discipulado. Elijan una o más de las siguientes actividades para hacer en familia, o creen una actividad similar ustedes mismos.

- Elijan uno de los proverbios de este capítulo. Cuenten cómo el proverbio puede ayudar a su familia a vivir y elegir lo que es correcto y bueno. Hagan esta semana un lema para la familia. Escríbanlo en una tarjeta en la puerta de la heladera para que pueda verlo toda la familia.
- Cuando tomen decisiones de familia juntos, únanse primero en una oración humilde. Rezar juntos antes de tomar una decisión no solo refuerza los lazos familiares sino que también ayuda a sus niños a crecer en la humildad, por el ejemplo de humildad que ustedes muestran al buscar la ayuda de Dios por medio de la oración.

Nuestro viaje espiritual

Nuestro viaje espiritual termina en el Cielo. Por medio de sus ministros, Jesús estuvo llamándonos continuamente al cielo. Recen esta semana la oración de San Francisco de la página 402. Su oración puede marcar la diferencia en este mundo... y en el próximo.

Para hallar más ideas sobre las maneras en que su familia puede vivir como discípulos de Jesús, visiten

With My Family

This Week...

In chapter 21, "We Make Choices," your child learned:

- God has created us to be happy now and forever with him in Heaven.
- The choices we make can lead us to or away from happiness in this world and the next.
- Proverbs are wise sayings in the Bible that help us make wise choices today.
- The virtue of humility helps us recognize that all our blessings and the blessings of others are from God.

For more about related teachings of the Church, see the *Catechism of the Catholic Church*, 1719–1724 and 2825; and the *United States Catholic Catechism for Adults*, pages 315–317.

Sharing God's Word

Read together Proverbs 12:24; 15:15; 15:23; and 16:3 or read the adaptation of these verses on page 399. Emphasize that the proverbs in the Bible can help us make wise choices about how to live as God's children.

We Live as Disciples

The Christian home and family is a school of discipleship. Choose one of the following activities to do as a family or design a similar activity of your own.

- Choose one of the proverbs in this chapter. Tell how the proverb can help your family live and choose what is right and good. Make it a motto for your family this week. Place it on a card on your refrigerator so that the whole family can see it.
- When you make family decisions together, join first in humble prayer. Praying together before decision-making not only strengthens family ties but also helps your children grow in humility as they model the humility you show in seeking God's help through prayer.

Our Spiritual Journey

Our spiritual journey finds its end in Heaven. Throughout his ministry, Jesus was continually calling us to heaven. Pray the prayer of St. Francis on page 403 this week. Your prayer may make all the difference in this world... and in the next.

For more ideas on ways your family can live as disciples of Jesus, visit **www.BeMyDisciples.com**

Elegimos entre el bien y el mal

¿Cómo sabemos si una elección es buena o mala?

Dios quiere que elijas por ti mismo. Dios también quiere que elijas sabiamente. Escucha lo que Dios dice en la Biblia.

Dios nos permite elegir lo que está bien o lo que está mal, la vida o la muerte. Elige lo que está bien. Elige la vida para poder estar feliz con Dios para siempre. BASADO EN DEUTERONOMIO 30:19

¿Por qué es importante hacer lo que está bien?

We Can Choose Right from Wrong

How do we know if a choice is right or wrong?

God wants you to choose for yourself. God also wants you to choose wisely. Listen to what God says in the Bible.

God lets us choose right or wrong, life or death. Choose what is right. Choose life so that you can be happy with God forever. BASED ON DEUTERONOMY 30:19

Why is it important to do what is right?

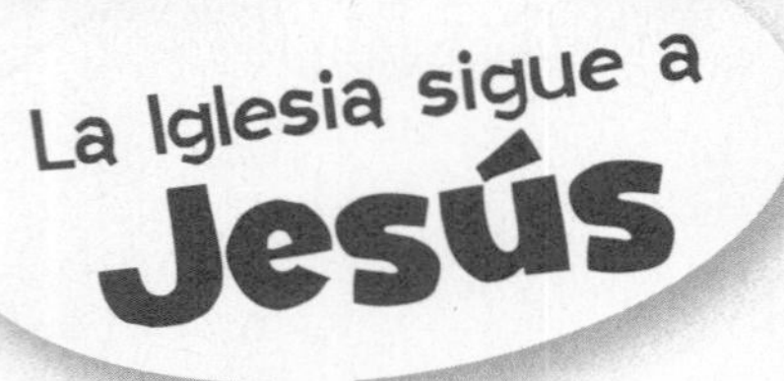

Poder de los discípulos

Gozo

El gozo es uno de los Frutos del Espíritu Santo. El gozo muestra que estamos agradecidos por el amor de Dios y por todo lo que Dios ha hecho. El gozo muestra que disfrutamos de la vida y que disfrutamos al alegrar a los demás.

La elección de Paula

A veces las elecciones que hacemos son sencillas. Pero aún la elección más sencilla, si es sabia, puede marcar una gran diferencia. Puede traernos felicidad a nosotros y a los demás.

Cuando Paula Frassinetti tenía nueve años, su mamá murió. ¿Quién cuidaría de sus hermanos más pequeños? Paula decidió que ella lo haría.

La elección de Paula significó mucho trabajo para ella. No podía ir a la escuela. Por lo que sus hermanos compartían con ella lo que aprendían en la escuela. Paula eligió ser alegre. Iba a Misa a diario y rezaba mientras hacía las tareas.

Cuando Paula creció, abrió una escuela para niñas pobres. Más tarde fundó una orden religiosa para educar a los niños pobres. La Iglesia la honra hoy como Santa Paula. Su día es el 11 de junio.

? ¿Qué elecciones hizo Paula? ¿Sus elecciones hicieron feliz a alguien? ¿A quién?

The Church Follows **Jesus**

Paula's Choice

Sometimes, the choices we make are simple ones. But even the simplest choice, if it is a wise choice, can make a big difference. It can bring happiness to us and to others.

When Paula Frassinetti was nine years old, her mother died. Who would take care of her younger brothers? Paula decided that she would.

Paula's choice meant a lot of work for her. She could not go to school. So her brothers shared with her what they learned in school. Paula chose to be cheerful. She went to Mass every day and prayed while she did her chores.

When Paula grew up, she opened a school for poor girls. She later founded a religious order to educate poor children.

The Church honors her today as Saint Paula. Her feast day is June 11.

? Which choices did Saint Paula make? Did her choices make anyone happy? Who?

Disciple Power

Joy

Joy is one of the Fruits of the Holy Spirit. Joy shows that we are thankful for God's love, and for all that God has made. Joy shows that we enjoy life, and delight in making others joyful.

Enfoque en la fe
¿Por qué es importante seguir nuestra conciencia al tomar decisiones?

Vocabulario de fe

consecuencias
Las consecuencias son las cosas buenas o malas que nos suceden después de que hacemos elecciones.

conciencia
La conciencia es un don de Dios que nos ayuda a elegir sabiamente.

Elegimos entre el bien y el mal

Dios nos permite tomar decisiones. Podemos elegir amar a Dios o no. Podemos elegir amar a los demás o no. En la Biblia, leemos:

> *Cuando Dios nos creó, nos dio la libertad de elegir. Es nuestra elección hacer o no la voluntad de Dios.*
>
> Basado en Sirácida 15:14–15

Cuando hacemos elecciones suceden cosas. Estas cosas buenas o malas se llaman **consecuencias**. Somos responsables de las consecuencias de nuestras acciones.

Si hacemos una elección que va en contra de la ley de Dios, pecamos. Si pecamos, debemos reparar el daño que hacemos.

Actividad

Lee este relato. Escribe lo que crees que hará Sara. Luego dibuja lo que sucederá a continuación.

La elección de Sara

Katie, la hermana menor de Sara, está enferma. Sara les pregunta a sus padres: "¿Puedo leerle un cuento a Katie?". Pero luego una amiga la invita a ir a jugar. ¿Qué hará Sara?

Choosing Right from Wrong

Faith Focus
Why is it important to follow our conscience when making choices?

Faith Vocabulary

consequences
Consequences are the good or bad things that happen after we make choices.

conscience
Conscience is a gift from God that helps us to make wise choices.

God lets us make choices for ourselves. We can choose to love God, or not. We can choose to love others, or not. In the Bible we read,

> *When God created us, he gave us free choice. It is our choice to do or not to do God's will.*
>
> BASED ON SIRACH 15:14–15

Things happen when we make choices. These good or bad things are called **consequences**. We are responsible for the consequences of our actions.

If we make a choice against God's Law, we sin. If we sin, we have to make up for the harm we do.

Activity

Read this story. Write what you think Sarah will do. Then draw what will happen next.

Sarah's Choice

Sarah's little sister Katie is sick. Sarah asks her parents, "May I read Katie a story?" But then a friend asks her to come over to play. What will Sarah do?

Personas de fe

San Felipe Neri

Felipe Neri hizo elecciones sabias. Vendió todas sus posesiones y regaló el dinero. Visitó bancos, negocios y lugares donde las personas se reunían. En todos los lugares que visitó, trató de convencer a las personas de que sirvieran a Dios en todo lo que hicieran. La Iglesia celebra el día de San Felipe Neri el 26 de mayo.

El don de la conciencia

Una elección sabia es la buena elección de vivir como Jesús enseñó. Dios nos da un don que nos ayuda a hacer buenas elecciones. Este don es nuestra **conciencia**.

Nuestra conciencia nos dice si una elección que hemos hecho o que vamos a hacer es buena o mala.

La conciencia es como una brújula. Apunta hacia la dirección correcta. Nos muestra el camino hacia la bondad. Nos guía al camino de la felicidad.

Lee cada enunciado y piensa acerca de tu día. Encierra en un círculo las caras felices y las tristes para ayudarte a revisar las elecciones que has hecho hoy.

Pensamos acerca de nuestras elecciones

1. Recé a Dios para pedirle ayuda.
2. Demostré amor a los miembros de mi familia.
3. Demostré amor a mis amigos.
4. Demostré amor a otras personas.

The Gift of Our Conscience

A wise choice is a good choice to live as Jesus taught. God gives us a gift that helps us to make good choices. This gift is our **conscience**.

Our conscience tells us whether a choice we have made, or are about to make, is right or wrong.

Conscience is like a compass. It points us in the right direction. It shows us the way to goodness. It leads the way to happiness.

Faith-Filled People

Saint Philip Neri

Philip Neri made wise choices. He sold all his possessions and gave away his money. He visited banks, shops, and places where people gathered. Every place he visited, he tried to convince people to serve God in all they did. The Church celebrates the feast day of Saint Philip Neri on May 26.

Activity

Read each statement and think about your day. Circle the happy and sad faces to help you to review the choices you have made today.

Thinking about Our Choices

1. I prayed to God to ask for help.
2. I showed my love to family members.
3. I showed my love to my friends.
4. I showed my love to other people.

Los católicos creen

Examen de conciencia

Examinamos nuestra conciencia para saber si las elecciones que hicimos fueron elecciones sabias. Esto nos ayuda a vivir una vida santa. Siempre examinamos nuestra conciencia al prepararnos para celebrar el Sacramento de la Penitencia y de la Reconciliación.

Entrenamos nuestra conciencia

Es importante hacer elecciones sabias. Hacemos elecciones sabias cuando distinguimos entre el bien y el mal. Aprendemos de nuestra familia a distinguir el bien del mal. Aprendemos del buen ejemplo de los demás. Aprendemos de las reglas de amor de Dios. Aprendemos de las enseñanzas y el ejemplo de Jesús y de las enseñanzas de la Iglesia.

Cuando aprendemos y recordamos lo que está bien o mal, estamos formando nuestra conciencia. Luego nuestra conciencia nos ayuda a hacer buenas elecciones. Hacer buenas elecciones hace que sucedan cosas buenas. Hacer buenas elecciones nos hace felices.

Actividad

Deja que la conciencia te guíe

Estos cuatro pasos pueden ayudarte a escuchar a tu conciencia y hacer una elección sabia.

1. **Piensa:** ¿Cuáles son las elecciones posibles?
2. **Considera:** ¿Qué podría pasar a continuación?
3. **Pregunta:** ¿Cuál es la mejor elección según lo que dice tu conciencia?
4. **Actúa:** Sigue lo que dice tu conciencia y haz la buena elección.

Lee la oración que está a continuación. Luego sigue los pasos para una decisión de buena conciencia.

Tu amigo está enojado, se burla de ti y te insulta. Te sientes herido y enojado.

¿Qué haces?
Haz una dramatización de tu elección para la clase.

Training Our Conscience

Making wise choices is very important. We make good choices when we know right from wrong. We learn right from wrong from our family. We learn from the good example of others. We learn from God's rules of love. We learn from the teaching and example of Jesus, and from the teaching of the Church.

When we learn and remember what is right or wrong, we are forming our conscience. Then our conscience can help us make good choices. Making good choices makes good things happen. Making good choices makes us happy.

Catholics Believe

Examination of Conscience

We examine our conscience to know if the choices we made were wise choices. This helps us to live holy lives. We always examine our conscience to prepare to celebrate the Sacrament of Penance and Reconciliation.

Activity

Let Conscience Be Your Guide

These four steps can help you listen to your conscience and make a wise choice.

1. **Think:** What are the possible choices?
2. **Consider:** What might happen next?
3. **Ask:** What does your conscience tell you is the best choice to make?
4. **Act:** Follow your conscience and make the good choice.

Read the sentence below. Then follow the steps to a decision of good conscience.

Your friend is angry, makes fun of you, and calls you a name. You feel hurt and upset.

What do you do?
Act out your choice for your class.

Yo sigo a Jesús

Una elección sabia es la elección de vivir como Jesús enseñó. Tu conciencia te ayuda a saber lo que está bien y lo que está mal. Tu conciencia te ayuda a hacer elecciones sabias.

Actividad

Hacemos elecciones

Encierra en un círculo las imágenes que muestren niños que hacen la buena elección de vivir como Jesús enseñó. Escribe una X sobre las imágenes que muestran una mala elección. ¡Explica tus respuestas!

Puedo elegir hacer elecciones para vivir con alegría como Jesús enseñó. Esta semana yo voy a

____

____.

Reza: "Espíritu Santo, ayúdame a escuchar a mi conciencia. Permíteme hacer lo que está bien y agradarte. Amén".

A wise choice is a choice to live as Jesus taught. Your conscience helps you to know right from wrong. Your conscience helps you make wise choices.

I Follow Jesus

Activity

Making Choices

Circle the pictures that show children making a good choice to live as Jesus taught. Write an X on the pictures that show a bad choice. Explain your answers!

My Faith Choice

I can choose to make choices to live with joy as Jesus taught. This week I will

____

____.

Pray, "Holy Spirit, help me listen to my conscience. Let me do what is right and pleasing to you. Amen."

PARA RECORDAR

1. Hacemos elecciones sabias cuando elegimos vivir como Jesús enseñó.
2. Las elecciones sabias nos muestran que estamos formando y siguiendo nuestra conciencia.
3. Todas nuestras elecciones tienen consecuencias.

Repaso del capítulo

Pon en orden las letras para formar una palabra que aprendiste en este capítulo. Escribe una oración usando esa palabra. Comparte tu oración con los demás.

____

____.

Sé la alegría de mi Corazón

San Agustín eligió cambiar su vida y seguir a Jesús. Su elección le trajo gran felicidad. Esta es su oración. Rézala con alegría.

Oh, Dios,
sé la luz de mi vida.
Sé la vida de mi alma.
Sé la fuerza de mi mente.
Ayúdame a elegir lo que está bien.
Guárdame siempre en tu amor.
Sé la alegría de mi corazón.
Amén.

BASADA EN LA ORACIÓN DE SAN AGUSTÍN

Chapter Review

Unscramble the letters to make a word you learned in this chapter. Write a sentence using the word. Share your sentence with others.

____

____.

> **TO HELP YOU REMEMBER**
> 1. We are making wise choices when we choose to live as Jesus taught.
> 2. Wise choices show we are forming and following our consciences.
> 3. All of our choices have consequences.

Be the Joy of My Heart

Saint Augustine chose to change his life and to follow Jesus. His choice brought him great happiness. This is his prayer. Pray it with joy.

O God,
Be the light of my life.
Be the life of my soul.
Be the strength of my mind.
Help me choose what is right.
Keep me always in your love.
Be the joy of my heart.
Amen.

BASED ON A PRAYER OF SAINT AUGUSTINE

Con mi familia

Esta semana...

En el capítulo 22, "Elegimos entre el bien y el mal", su niño aprendió que:

- Somos responsables de las elecciones que hacemos y de sus consecuencias.
- Dios nos ha dado el don de la conciencia para ayudarnos a discernir entre el bien y el mal.
- Tenemos la responsabilidad de formar una conciencia buena que nos ayude a vivir de acuerdo con la voluntad de Dios.
- Una conciencia bien formada nos guía a las decisiones que traen felicidad aquí y en el Cielo.
- El don del gozo nos urge a elegir lo que produce felicidad.

Para saber má sobre otras enseñanzas de la Iglesia, consulten el *Catecismo de la Iglesia Católica,* 1716–1724, 1730–1738 y 1776–1794, y el *Catecismo Católico de los Estados Unidos para los Adultos,* páginas 314–315, 341–369.

Compartir la Palabra de Dios

Lean juntos Sirácida 15:14-15 o lean la adaptación de estos versículos en la página 410. Enfaticen que Dios nos creó con libre albedrío y capacidad para hacer nuestras propias elecciones.

Vivimos como discípulos

El hogar cristiano con la familia es una escuela de discipulado. Elijan una o más de las siguientes actividades para hacer en familia, o creen una actividad similar ustedes mismos.

- Cuando miren juntos un programa de televisión, señale cada vez que los personajes hagan buenas elecciones y cada vez que hagan malas elecciones. Si alguien hace una mala elección, hagan sugerencias para una buena elección.
- Hablen sobre las elecciones que hicieron los miembros de la familia durante el día y de sus consecuencias. Esa conversación hará que su niño empiece a pensar acerca de su responsabilidad por las consecuencias de sus elecciones.

Nuestro viaje espiritual

Aprendemos a ejercitar nuestro libre albedrío al practicar el discernimiento. Lo hacemos al llamar al Espíritu Santo para que nos guíe o dirija respecto de las elecciones que hacemos. El discernimiento puede abrir la puerta a una nueva vida: a una vida de alegría en el Espíritu Santo. Recen "Sé la alegría de mi corazón" en la página 418. Animen a sus niños a pedir ayuda para tomar decisiones.

Para hallar más ideas sobre las maneras en que su familia puede vivir como discípulos de Jesús, visiten **seanmisdiscipulos.com**

With My Family

This Week...

In chapter 22, "We Can Choose Right from Wrong," your child learned:

- ▶ We are responsible for the choices we make and for their consequences.
- ▶ God has given us the gift of a conscience to help us discern right from wrong.
- ▶ We have the responsibility to form a good conscience to help us live according to God's will.
- ▶ A well-formed conscience leads to decisions that bring happiness here and in Heaven.
- ▶ The gift of joy urges us to choose what makes for happiness.

For more about related teachings of the Church, see the *Catechism of the Catholic Church*, 1716–1724, 1730–1738, and 1776–1794, and the *United States Catholic Catechism for Adults*, pages 314–315. 341–369.

Sharing God's Word

Read together Sirach 15:14–15 or read the adaptation of these verses on page 411. Emphasize that God created us with a free will and the ability to make our own choices.

We Live as Disciples

The Christian home and family is a school of discipleship. Choose one of the following activities to do as a family or design a similar activity of your own.

- ▶ When you watch a TV show together, point out when characters on the show make good choices and when they make bad choices. If someone makes a bad choice, make suggestions for a good choice.
- ▶ Talk about the choices family members made during the day and their consequences. Such a discussion will get your child started thinking about his or her responsibility for the consequences of his or her choices.

Our Spiritual Journey

We learn to exercise our free will by practicing discernment. We do so by calling on the Holy Spirit to lead or give direction regarding the choices we make. Discernment can open the door to a new way of life—to a life of joy in the Spirit. Pray "Be the Joy of My Heart" on page 419. Encourage your children to ask for guidance in making decisions.

For more ideas on ways your family can live as disciples of Jesus, visit **www.BeMyDisciples.com**

Participamos de la vida de Dios

Cuenta acerca de un regalo especial que hayas recibido. ¿Qué hizo este regalo tan especial?

La gracia nos ayuda a vivir una vida santa. Escucha lo que nos dice la Biblia acerca de la gracia.

Jesús es la Palabra viva de Dios. Él es el Hijo único de Dios, lleno de gracia y verdad. De Jesús recibimos gracia y más gracia.

BASADO EN JUAN 1:14, 16

¿Quién nos ayuda a vivir una vida santa?

We Share in God's Life

Tell about a special gift that you have received. What made this gift so special?

Grace helps us to live a holy life. Listen to what the Bible tells us about grace.

Jesus is the living Word of God. He is God's own Son, full of grace and truth. From Jesus, we receive grace and more grace. — BASED ON JOHN 1:14, 16

Who helps you to live a holy life?

Poder de los discípulos

Confianza

Cuando confiamos en alguien, sabemos que podemos apoyarnos en él. Podemos contar con él cuando tenemos una necesidad.

La Iglesia sigue a **Jesús**

Un ministerio del cuidado

La mayoría de las personas que están en prisión han tomado decisiones que hirieron a los demás y a ellos mismos. Aun así, Dios les da el don de la gracia por medio de las personas que los cuidan.

Jesús nos dice que cuidar a las personas como los presos es lo mismo que cuidarlo a Él.

Estuve en la cárcel y me fueron a ver.

MATEO 25:36

Los capellanes de la prisión están capacitados para cuidar de los presos. Les llevan el amor de Cristo. Los presos saben que pueden confiar en ellos.

La Hermana Natalie Rossi, una Hermana de la Misericordia, trabaja en la prisión de mujeres de Pensilvania. La Hermana Natalie y los capellanes de la prisión les muestran a las presas que Dios todavía las ama. Las presas saben que pueden confiar en ella. Ella las ayuda a ver que Dios las ama aun cuando hayan hecho algo malo.

? ¿Cómo ayudan los capellanes de la prisión como la Hermana Natalie a los presos a abrirse a la gracia de Dios?

The Church Follows
Jesus

A Caring Ministry

Most people in prison have made decisions that hurt others and themselves. Still, God gives the gift of grace to them through people who care for them.

Jesus tells us that caring for people like prisoners is the same as caring for him.

[I was] in prison and you visited me.

MATTHEW 25:36

Prison chaplains are trained to care for people in prison. They bring the love of Christ to them. The prisoners know they can trust them.

Sister Natalie Rossi, a Sister of Mercy, works at a women's prison in Pennsylvania. Sister Natalie and prison chaplains like her show prisoners that God still loves them. The prisoners know they can trust her. She helps them see that God loves them even though they did wrong.

? How do prison chaplains like Sister Natalie help people in prison to be open to God's grace?

Disciple Power

Trust

When we trust someone, we know we can rely on them. We can depend on them to help us when we are in need.

Enfoque en la fe
¿Qué nos ayuda a hacer el don de la gracia?

Vocabulario de fe
gracia santificante La gracia santificante es el don de Dios de compartir su vida con nosotros.

Gracia sublime

La Hermana Natalie ayudó a los demás a entender que el don de la gracia de Dios se ofrece a todas las personas.

Dios nos ayuda a vivir como sus hijos. El Espíritu Santo siempre nos da la gracia de hacer elecciones sabias.

Dios nos ha dado el don de la **gracia santificante**. La palabra *santificante* significa "algo que nos hace santos". Recibimos este don por primera vez en el Bautismo.

El don de la gracia santificante nos convierte en hijos de Dios. Dios comparte su vida con nosotros. La gracia de Dios nos hace santos.

Actividad

Colorea las X de un solo color. Colorea las O de diferentes colores. Agradece a Dios por el maravilloso don de la gracia.

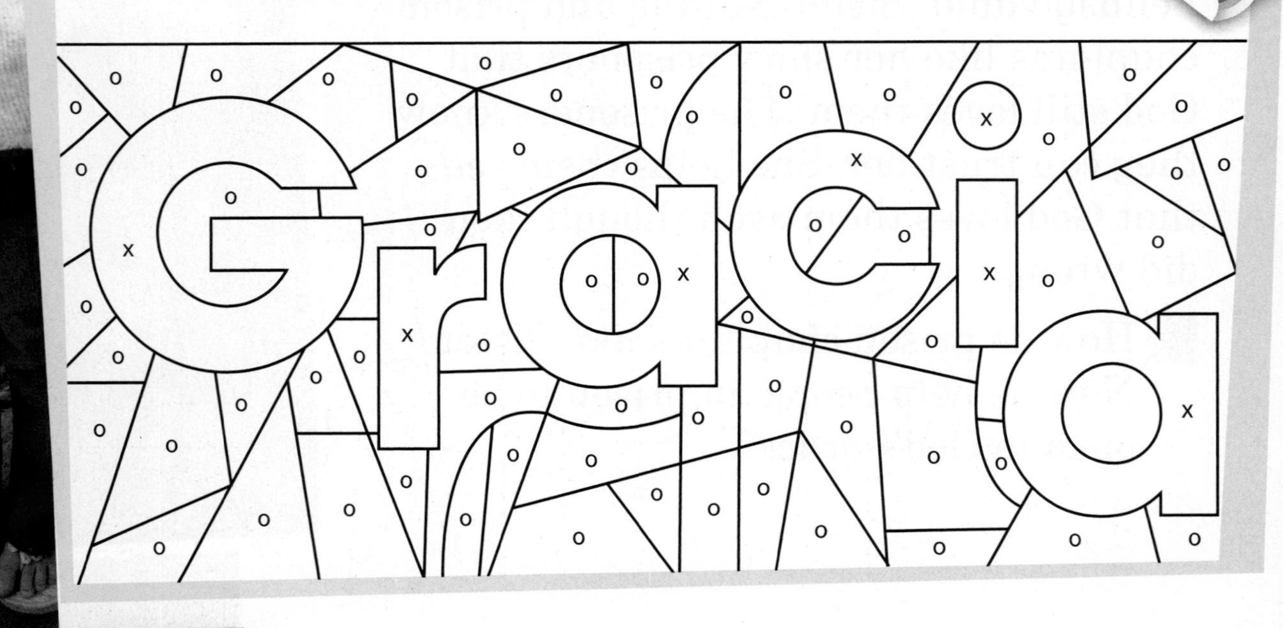

Amazing Grace

Sister Natalie helped others understand that the gift of God's grace is offered to all people.

God also helps us to live as his children. The Holy Spirit always gives us the grace to make wise choices.

God has given us the gift of **sanctifying grace**. The word *sanctifying* means "something that makes us holy." We first receive this gift in Baptism.

The gift of sanctifying grace makes us children of God. God shares his life with us. God's grace makes us holy.

Faith Focus
What does the gift of grace help us to do?

Faith Vocabulary
sanctifying grace
Sanctifying grace is the gift of God sharing his life with us.

Activity

Color the X's one color. Color the O's different colors. Thank God for the wonderful gift of grace.

Personas de fe

Santa Mónica

El hijo de Mónica era Agustín. Cuando Agustín era joven, a menudo hacía elecciones que no eran sabias. Mónica rezaba para que su hijo pudiera hacer mejores elecciones. Él lo hizo y vivió una vida santa. La Iglesia los honra hoy como santos. La Iglesia celebra el día de Santa Mónica el 27 de agosto.

Vivir una vida santa

No siempre es fácil elegir vivir una vida santa. A veces elegimos pecar. Todos los pecados dañan nuestra relación con Dios y con las demás personas. Algunos pecados son muy graves. Los llamamos pecados mortales. Cuando cometemos un pecado mortal, perdemos el don de la gracia santificante.

Necesitamos confesar nuestros pecados mortales en el Sacramento de la Penitencia y de la Reconciliación. Cuando nos arrepentimos de nuestros pecados y los confesamos en este Sacramento, Dios nos perdona. Recibimos el don de la gracia santificante nuevamente. Estamos llenos de la vida de Dios. Recibimos la gracia de Dios para vivir una vida santa. Estamos en paz.

? ¿De qué maneras puedes demostrar que estás verdaderamente arrepentido de tus pecados?

Living a Holy Life

It is not always easy to choose to live a holy life. Sometimes we choose to sin. All sins hurt our relationship with God and other people. Some sins are very serious. We call these sins mortal sins. When we commit a serious sin, we lose the gift of sanctifying grace.

We need to confess our serious sins in the Sacrament of Penance and Reconciliation. When we are sorry for our sins and confess them in this sacrament, God forgives our sins. We receive the gift of sanctifying grace again. We are filled with God's life. We receive God's grace to live a holy life. We are at peace.

What are some of the ways you can show you are truly sorry for your sins?

Faith-Filled People

Saint Monica

Monica's son was Augustine. When Augustine was young, he often made unwise choices. Monica prayed that her son would make better choices. He did and lived a holy life. Today the Church honors them as saints. The Church celebrates the feast day of Saint Monica on August 27.

Los católicos creen

El don de la paz

La paz es un don de Dios a través de Jesucristo. La paz es también el fruto o el resultado del Espíritu Santo en nosotros, que nos ayuda a crecer más cerca de Dios por la manera en que cuidamos a los demás en nuestra vida diaria.

Jesús trae paz

Después de su Resurrección, la primera palabra de Jesús y el último don a sus discípulos fue la *paz*.

> *Jesús dijo a sus discípulos: "La paz esté con ustedes. Como el Padre me envió a mí ahora yo los envío a ustedes". Luego Jesús sopló sobre ellos y dijo: "Reciban el Espíritu Santo."*
>
> BASADO EN JUAN 20:21–22

La paz es el don final y lleno de gracia de Jesús para nosotros. El don de la paz viene de conocer que vivimos como amigos de Dios y de las personas.

El Espíritu Santo nos da la paz de Dios. El Espíritu Santo nos da la ayuda que necesitamos para permanecer en la gracia de Dios.

Cuando estamos en paz, amamos a Dios por sobre todas las cosas y amamos a los demás como a nosotros mismos. Vivimos el Gran Mandamiento. Vivimos una vida de gracia.

Actividad

Cuando nos reunimos para celebrar la Misa, compartimos el don de la paz los unos con los otros. Dibújate compartiendo el Rito de la Paz.

Jesus Brings Peace

After his Resurrection, Jesus' first word and last gift to his disciples was *peace*.

"Peace be with you," Jesus said to his disciples. "The Father sent me. Now I send you." Then Jesus breathed on them, saying, "Receive the Holy Spirit."

BASED ON JOHN 20:21–22

Peace is Jesus' final, grace-filled gift to us. The gift of peace comes from knowing we are living as friends of God and people.

The Holy Spirit brings us God's peace. The Holy Spirit gives us the help we need to remain in God's grace.

When we are at peace, we are loving God above all else and loving others as we love ourselves. We are living the Great Commandment. We are living the life of grace.

Catholics Believe

The Gift of Peace

Peace is a gift from God through Jesus Christ. Peace is also a fruit or result of the Holy Spirit in us that helps us grow closer to God by the way we care for others in our daily life.

Activity

When we gather to celebrate Mass, we share the gift of peace with one another. Draw yourself sharing a Sign of Peace.

Yo sigo a Jesús

Dios comparte con nosotros el don de su vida. Jesús nos da el don de la paz. El Espíritu Santo nos ayuda a vivir como hijos de Dios. Una manera en la que puedes vivir como hijo de Dios es siendo mediador de paz. Cuando muestras compasión por los demás, les llevas paz.

Actividad

Señales de paz

Trabaja con tu maestro o con tus padres. Haz un mensaje que diga cómo las personas de tu edad pueden vivir como mediadores de paz.

____

____

____

____

____

Esta semana seré una persona en la que los demás puedan confiar. Yo voy a

____

____.

Reza: "Gracias, Espíritu Santo, por ayudarme a vivir como un mediador de paz. Amén".

God shares the gift of his life with us. Jesus gives us the gift of peace. The Holy Spirit helps us to live as children of God. One way you can live as a child of God is to be a peacemaker. When you show compassion for others, you bring them peace.

I Follow Jesus

Activity

Signs of Peace

Work with your teacher or parent. Create a message that tells how people your age can live as peacemakers.

____

____

____

____

____

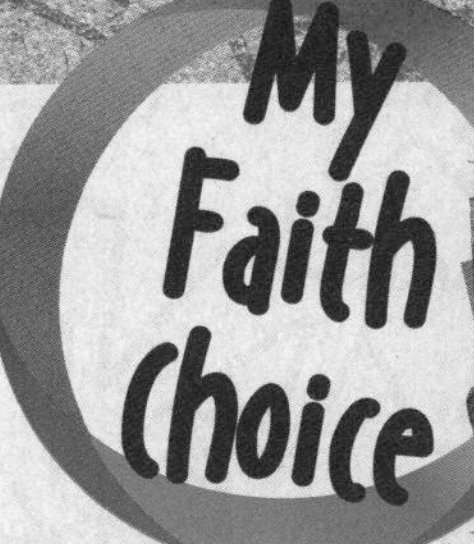

This week I will be a person whom others can trust. I will

____

____.

Pray, "Thank you, Holy Spirit, for helping me to live as a peacemaker. Amen."

PARA RECORDAR

1. La gracia es un don de Dios.
2. La gracia santificante es el don de la vida de Dios que Él comparte con nosotros.
3. El don de la paz nos ayuda a vivir una vida santa y feliz.

Repaso del capítulo

Elige tres palabras de la lista que muestren maneras en las que podemos vivir vidas santas en paz. Escribe una oración usando las palabras que elegiste.

pecado **gracia** **cuidado** **compasión** **enojo**

____

____

____

El Ave María

Aprende de memoria el Ave María. Rézalo todos los días para mostrar tu amor por María. Pídele a María que te ayude a llevar paz a los demás.

Grupo 1 Dios te salve, María, llena eres de gracia; el Señor es contigo.

Bendita Tú eres entre todas las mujeres, y bendito es el fruto de tu vientre, Jesús.

Todos **Santa María, Madre de Dios, ruega por nosotros, pecadores, ahora y en la hora de nuestra muerte. Amén.**

Chapter Review

Choose three words from the list that show ways we can live peaceful and holy lives. Write a sentence using the words you choose.

sin	grace	care	compassion	anger

____

____

____

TO HELP YOU REMEMBER

1. Grace is a gift from God.
2. Sanctifying grace is the gift of God's life that he shares with us.
3. The gift of peace helps us live a holy and happy life.

The Hail Mary

Learn the Hail Mary by heart. Pray it every day to show your love for Mary. Ask Mary to help you bring peace to others.

Group 1 Hail, Mary, full of grace,
the Lord is with thee.

Group 2 Blessed art thou among women
and blessed is the fruit of thy
womb, Jesus.

All **Holy Mary, Mother of God,**
pray for us sinners,
now and at the hour
of our death. Amen.

Con mi familia

Esta semana...

En el capítulo 23, "Participamos de la vida de Dios", su niño aprendió que:

- Dios comparte la vida divina con nosotros en el don de la gracia santificante.
- Dios nos llama a vivir una vida santa.
- El pecado nos aleja del amor de Dios y evita que vivamos una vida santa.
- Compartir el don de la paz es crucial para vivir una vida santa y feliz.
- La compasión y la confianza son virtudes que nos ayudan a cuidar de los demás.

Para saber más sobre otras enseñanzas de la Iglesia, *consulten el Catecismo de la Iglesia Católica*, 1846–1869 y 1996–2016, y el *Catecismo Católico de los Estados Unidos para los Adultos*, páginas 193, 328–330.

Compartir la Palabra de Dios

Lean juntos Juan 1:14, 16. Enfaticen que a través de Jesús recibimos el don otorgado por Dios de la ayuda divina o gracia para vivir como hijos de Dios.

Vivimos como discípulos

El hogar cristiano con la familia es una escuela de discipulado. Elijan una o más de las siguientes actividades para hacer en familia, o creen una actividad similar ustedes mismos.

- Ayuden a su niño a hacer manteles individuales de paz. Úsenlos en las comidas familiares como recordatorio de compartir en paz las comidas y de ser mediadores de paz los unos de los otros. Comenten situaciones en las que puedan mostrar compasión.
- Señalen a su niño las muchas maneras en las que su familia es "agraciada". Muestren a su niño cómo contar bendiciones y, por lo tanto, vivir una vida santa, feliz y llena de paz.

Nuestro viaje espiritual

Los católicos contemplan a María como la más pura de las criaturas, que no está sujeta a la esclavitud que impone el pecado. Los católicos creen que María está totalmente llena de gracia, que responde completamente a la voluntad divina y es totalmente fiel. Dios llega a María buscando su consentimiento. El "sí" de María une a la criatura con Dios en el trabajo de completar las obras de la creación. Ayuden a su niño a aprender la gran oración a María: el Ave María (página 434). Úsenla como la oración en familia esta semana.

Para hallar más ideas sobre las maneras en que su familia puede vivir como discípulos de Jesús, visiten **seanmisdiscipulos.com**

With My Family

This Week...

In chapter 23, "We Share in God's Life," your child learned:

- God shares divine life with us in the gift of sanctifying grace.
- God calls us to live a holy life.
- Sin turns us away from God's love and deters us from living holy lives.
- Sharing the gift of peace is crucial for living a holy and happy life.
- Compassion and trust are virtues that helps us care about and for others.

For more about related teachings of the Church, see the *Catechism of the Catholic Church*, 1846–1869 and 1996–2016, and the *United States Catholic Catechism for Adults*, pages 193, 328–330.

Sharing God's Word

Read together John 1:14, 16. Emphasize that through Jesus we receive the God-given gift of divine help, or grace, to live as children of God.

We Live as Disciples

The Christian home and family is a school of discipleship. Choose one of the following activities to do as a family or design a similar activity of your own.

- Help your children create peace place mats. Use the place mats at family meals as reminders to share meals in peace and to be peacemakers for one another. Discuss situations where you can show compassion.
- Point out to your child the many ways your family is "graced." Show your child how to count blessings and so live a holy, happy, and peace-filled life.

Our Spiritual Journey

Catholics look upon Mary as the purest of creatures, not subject to the slavery that sin imposes. Catholics believe that Mary is totally graced, totally responsive to the divine will, and totally faithful. God comes to Mary seeking her consent. Mary's "yes" joins the creature to God in the work of completing the labors of creation. Help your child learn the great prayer to Mary, the Hail Mary (page 435). Use it for your family prayer this week.

For more ideas on ways your family can live as disciples of Jesus, visit **www.BeMyDisciples.com**

El Padre Nuestro

¿Quién te enseñó a rezar? ¿Cuál es tu oración preferida?

Los discípulos de Jesús querían aprender la mejor manera de rezar. Jesús les enseñó.

"Ustedes, pues, recen así: Padre nuestro, que estás en el Cielo, santificado sea tu Nombre". Mateo 6:9

¿Sabes el nombre de la oración que Jesús enseñó?

The Our Father

Who first taught you how to pray? What is your favorite prayer?

Jesus' disciples wanted to know the best way to pray. Jesus taught them.

"This is how you are to pray: Our Father in heaven, hallowed be your name." MATTHEW 6:9

Do you know the name of the prayer Jesus taught?

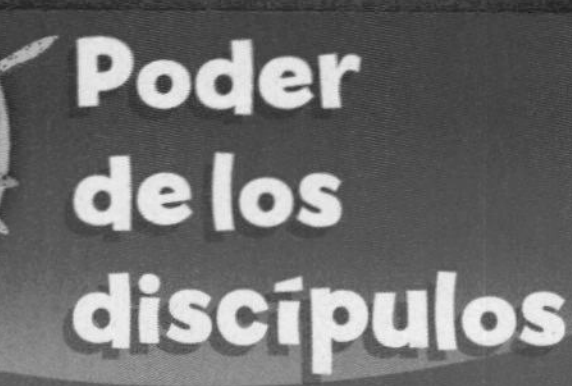

Poder de los discípulos

Esperanza

La esperanza es la confianza de que Dios nos escucha, se preocupa por nosotros y que nos cuidará.

La Iglesia sigue a **Jesús**

Vida de oración

El Padre Nuestro es la oración de toda la Iglesia. Los católicos de todo el mundo rezan a diario el Padre Nuestro.

Algunas personas de la Iglesia hacen más que rezar todos los días. Rezan a lo largo de todo el día. Creen que Dios los ha llamado para que recen siempre. Los conventos, las abadías y los monasterios son tres de los lugares donde viven estas personas que rezan tanto. San Benito fue una de estas personas.

Estas personas nos recuerdan que Dios es el Padre de todos. Ellos confían en que Dios, nuestro Padre, nos ama y cuida de nosotros. Rezan por la Iglesia y por el mundo entero.

Actividad

Trabaja con un compañero. ¿Por qué problemas de tu vecindario o del mundo te gustaría rezar? Haz una lista.

____

____

____

The Church Follows **Jesus**

Disciple Power

Hope

Hope is trusting that God hears us, cares about us, and will care for us.

A Life of Prayer

The Our Father is the prayer of the whole Church. Catholics all over the world pray the Our Father every day.

Some people in the Church do more than pray every day. They pray all day long. They believe God has called them to pray always. Convents, abbeys, and monasteries are three of the places where these praying people live. Saint Benedict was one of these praying people.

These people remind us that God is the Father of all people. They trust that God our Father loves us and cares for us. They pray for the Church and for the whole world.

Activity

Work with a partner. Which problems in your neighborhood or in the world would you like to pray for? List them here.

____

____

____

Enfoque en la fe
¿Por qué rezamos el Padre Nuestro?

Vocabulario de fe
Reino de Dios
Al Reino de Dios también se lo llama Reino de los Cielos. Es todas las personas y la creación viviendo en amistad con Dios.

El Padre Nuestro

El Padre Nuestro nos ayuda a rezarle a Dios y a entender cómo vivir como sus hijos.

Padre nuestro, que estás en el cielo.
Dios es el Padre de todas las personas. Dios nos creó a su imagen y semejanza. Dios comparte su vida y su amor con nosotros ahora y para siempre.

Santificado sea tu Nombre.
La palabra santificado significa "muy santo". Amamos a Dios por sobre todas las cosas. Adoramos y alabamos a Dios. Honramos y respetamos el nombre de Dios en todo lo que decimos y hacemos.

Venga a nosotros tu reino.
Jesús anunció la llegada del **Reino de Dios**. Al Reino de Dios también se lo llama Reino de los Cielos. Cuando amamos a Dios por encima de todas las cosas, vivimos como Jesús enseñó. Nos preparamos para la llegada del Reino de Dios en su plenitud.

? ¿Qué cosas haces y dices que muestran tu amor por Dios Padre?

The Our Father

The Our Father helps us to pray to God and understand how to live as his children.

Our Father, who art in heaven.
God is the Father of all people. God creates us in his image and likeness. God shares his life and love with us now and forever.

Hallowed be thy name.
The word hallowed means "very holy."
We love God above all else. We adore and worship God. We honor and respect the name of God in all we say and do.

Thy kingdom come.
Jesus announced the coming of the **Kingdom of God**. The Kingdom of God is also called the Kingdom of Heaven. When we love God above all else, we live as Jesus taught. We prepare for the coming of the Kingdom of God in its fullness.

? What are the things you do and say that show your love for God the Father?

Faith Focus
Why do we pray the Our Father?

Faith Vocabulary
Kingdom of God
The Kingdom of God is also called the Kingdom of Heaven. It is people and creation living in friendship with God.

Hágase tu voluntad en la tierra como en el cielo.
Rezamos por que todos hagan la voluntad de Dios. El Espíritu Santo nos ayuda a continuar la obra de Jesús. Compartimos el amor de Dios con nuestra familia, nuestros amigos y todo aquel que conocemos.

Danos hoy nuestro pan de cada día.
Siempre confiamos en Dios. Dios sabe lo que necesitamos. Le pedimos a Dios que nos ayude a vivir como sus hijos. Rezamos para que todas las personas reciban las bendiciones de Dios.

Personas de fe

Santo Tomás de Aquino

Tomás vivió hace más de setecientos años. Tomás se hizo sacerdote dominico. Escribió un libro importante acerca de Dios. Santo Tomás llamó al Padre Nuestro la "más perfecta de las oraciones".

Actividad

Traza líneas para unir cada parte del Padre Nuestro con su significado.

Padre Nuestro.	Decimos el santo nombre de Dios con amor.
Que estás en el cielo.	El amor de Dios por nosotros es ahora y para siempre.
Santificado sea tu Nombre.	Dios es el Padre de todos.
Venga a nosotros tu reino.	El Reino de Dios se llama Cielo.
Hágase tu voluntad.	Dios nos da lo que necesitamos.
Danos hoy nuestro pan de cada día.	Continuamos la obra de Jesús.

Thy will be done on earth as it is in heaven.
We pray that all will do God's will. The Holy Spirit helps us to continue the work of Jesus. We share God's love with our family, friends, and everyone we meet.

Give us this day our daily bread.
We always trust God. God knows what we need. We ask God to help us to live as his children. We pray for all people to receive God's blessings.

Faith-Filled People

Saint Thomas Aquinas

Thomas lived more than 700 years ago. Thomas became a Dominican priest. He wrote an important book about God. Saint Thomas called the Lord's Prayer the "most perfect of prayers."

Activity

Draw lines to connect each part of the Our Father to its meaning.

Our Father,	We say God's holy name with love.
Who art in heaven,	God's love for us is now and forever.
Hallowed be thy name;	God is the Father of all.
Thy kingdom come,	The Kingdom of God is called Heaven.
thy will be done,	God gives us what we need.
Give us this day our daily bread,	We continue the work of Jesus.

Los católicos creen

Vocación

La palabra *vocación* significa "lo que estamos llamados a hacer". Cada cristiano tiene la vocación de vivir como seguidor de Jesús. Dios nos llama a hacerlo de diferentes maneras en la Iglesia.

Perdona nuestras ofensas, como también nosotros perdonamos a los que nos ofenden.
Jesús nos enseñó a perdonar. Pedir perdón y perdonar a los demás nos ayuda a vivir como hijos de Dios y seguidores de Jesús.

No nos dejes caer en la tentación, y líbranos del mal.
Le pedimos a Dios que nos ayude a decir "no" a la tentación. La tentación es todo lo que puede alejarnos del amor de Dios. El Espíritu Santo nos ayudará.

Amén.
Terminamos nuestra oración diciendo "Amén". Amén significa "Sí, es verdad. ¡Creemos!".

Actividad

Traza líneas para unir cada parte del Padre Nuestro con su significado.

Perdona nuestras ofensas, como también nosotros perdonamos a los que nos ofenden.	Le pedimos a Dios que nos proteja.
No nos dejes caer en la tentación.	¡Creemos!
Y líbranos del mal.	Le pedimos a Dios que nos ayude a elegir el bien.
Amén.	Dios nos perdona al igual que nosotros perdonamos a los demás.

And forgive us our trespasses as we forgive those who trespass against us.
Jesus taught us to be forgiving persons. Asking for forgiveness and forgiving others helps us to live as children of God and followers of Jesus.

And lead us not into temptation, but deliver us from evil.
We ask God to help us to say "no" to temptation. Temptation is everything that can lead us away from God's love. The Holy Spirit will help us.

Amen.
We end our prayer by saying, "Amen." Amen means, "Yes, it is true. We believe!"

Catholics Believe

Vocation

The word *vocation* means "what we are called to do." Every Christian has the vocation to live as a follower of Jesus. God calls us to do this in different ways in the Church.

Activity

Draw lines to connect each part of the Our Father to its meaning.

And forgive us our trespasses as we forgive those who trespass against us;	We ask God to protect us.
Lead us not into temptation,	We believe!
But deliver us from evil.	We ask God to help us to choose what is good.
Amen.	God forgives us as we forgive others.

Yo sigo a Jesús

El Espíritu Santo te ayuda a que vivas el Padre Nuestro ahora. Te ayuda a crecer en la esperanza. Te ayuda a vivir como miembro de la familia del pueblo de Dios.

Actividad

Discípulo de Jesús

Escribe ✔ junto a las maneras en las que podrías vivir las palabras del Padre Nuestro este verano. Haz un plan para poner tu elección en acción.

____ Rezar.

____ Hacer elecciones sabias.

____ Perdonar a los que me hieran.

____ Pedir perdón cuando hiera a alguien.

____ Escuchar al Espíritu Santo, que me ayuda a hacer elecciones sabias.

Viviré el Padre Nuestro. Esta semana haré una de las cosas que marqué. Todo el verano seguiré haciendo las cosas que marqué. Yo voy a

____.

Reza: "Gracias, Espíritu Santo, por ayudarme a vivir el Padre Nuestro. Amén".

The Holy Spirit is helping you to live the Our Father now. He is helping you to grow in hope. He is helping you to live as a member of the family of God's people.

I Follow Jesus

Activity

A Disciple of Jesus

Put a ✔ next to some ways you could try to live the words of the Our Father this summer. Make a plan to put your choice into action.

_____ Pray.

_____ Make wise choices.

_____ Forgive those who hurt me.

_____ Say I am sorry when I hurt someone else.

_____ Listen to the Holy Spirit, who helps me to make wise choices.

My Faith Choice

I will live the Our Father. This week I will do one of the things I checked. I will continue to do the things I checked all summer. I will

____.

Pray, "Thank you, Holy Spirit, for helping me to live the Our Father. Amen."

PARA RECORDAR

1. Rezamos el Padre Nuestro para mostrar que amamos y adoramos a Dios.
2. El Padre Nuestro nos ayuda a vivir como hijos de Dios.
3. El Padre Nuestro nos ayuda a prepararnos para el Reino de Dios.

Repaso del capítulo

Elige la palabra correcta para completar cada oración.

tentación	rezar	Reino
Padre	Santificado	

1. ____________ significa "muy santo".
2. Cuando ____________, elevas tu corazón a Dios.
3. Dios es nuestro ____________.
4. La ____________ es algo que nos aleja de Dios.
5. Vivir como Dios quiere que vivamos nos ayuda a prepararnos para el ____________ de Dios.

¡Pueden ir en paz!

Jesús enseñó que debemos vivir nuestra fe en Dios. Agradece a Dios por todo lo que aprendiste este año. Vive tu fe en Jesús y marca la diferencia. ¡Sé su discípulo!

Líder Señor, todos los días recordaremos actuar como hijos de Dios.

Todos **¡Demos gracias a Dios!**

Líder Señor, te amaremos y serviremos todos los días.

Todos **¡Demos gracias a Dios!**

Líder Señor, trataremos a los demás con bondad y les llevaremos esperanza.

Todos **¡Demos gracias a Dios!**

Chapter Review

Choose the right word to complete each sentence.

Temptation	pray	Kingdom
Father	Hallowed	

1. ____________ means "very holy."
2. When you ____________, you lift up your heart to God.
3. God is our ____________.
4. ____________ is something that leads us away from God.
5. Living as God wants us to live helps us to prepare for the ____________ of God.

TO HELP YOU REMEMBER

1. We pray the Our Father to show our love and adoration of God.
2. The Our Father helps us to live as children of God.
3. The Our Father helps us to prepare for the Kingdom of God.

Go Forth!

Jesus taught that we must live our faith in God. Thank God for all you learned this year. Live your faith in Jesus and make a difference. Be his disciple!

Leader Lord, each day we will remember to act like children of God.

All **Thanks be to God!**

Leader Lord, we will love and serve you every day.

All **Thanks be to God!**

Leader Lord, we will treat others with kindness and bring them hope.

All **Thanks be to God!**

Con mi familia

Esta semana...

En el capítulo 24, "El Padre Nuestro", su niño aprendió que:

- Jesús mostró a sus discípulos la manera de rezar enseñándoles el Padre Nuestro.
- El Padre Nuestro nos ayuda a entender cómo vivir como hijos de Dios.
- La virtud de la esperanza es confiar en que Dios siempre actuará por nosotros.
- Cuando rezamos el Padre Nuestro, descubrimos lo que significa vivir como hijos de Dios y prepararnos para la venida del Reino de Dios.

Para saber más sobre otras enseñanzas de la Iglesia, consulten el *Catecismo de la Iglesia Católica*, 2777–2856, y el *Catecismo Católico de los Estados Unidos para los Adultos*, páginas 481–492.

Compartir la Palabra de Dios

Lean juntos Mateo 6:9–13, donde Jesús enseña el Padre Nuestro. Enfatice que el Padre Nuestro no es solo una oración. Es un "resumen de todo el Evangelio". Rezar el Padre Nuestro nos enseña cómo rezar y cómo vivir como hijos de Dios.

Vivimos como discípulos

El hogar cristiano con la familia es una escuela de discipulado. Elijan una o más de las siguientes actividades para hacer en familia, o creen una actividad similar ustedes mismos.

- Hagan un folleto del Padre Nuestro. Mientras leen cada parte del Padre Nuestro, escriban las palabras de esa parte en el folleto. Escriban o dibujen cómo pueden vivir cada parte del Padre Nuestro.
- Comenten algunas maneras en las que su familia vive el Padre Nuestro. Recen al Espíritu Santo. Pidan al Espíritu Santo que ayude a la familia a vivir el Padre Nuestro cada día.
- Comenten en familia y hagan una lista de las razones de por qué los cristianos son un pueblo de esperanza.

Nuestro viaje espiritual

"**Glorifiquen al Señor** con su vida. Pueden ir en paz."

Estas palabras, de la Despedida en el Misal Romano, nos envían al mundo desde la Misa. Nos retan a vivir una vida digna de ser hijos de Dios. Rezar el Padre Nuestro a diario no solo nos recuerda quiénes somos —hijos de un Padre celestial—, sino que también nos recuerda glorificar a Dios. Asegúrense de que sus niños memoricen el Padre Nuestro. Es parte de su identidad cristiana. Récenlo juntos a diario.

Para hallar más ideas sobre las maneras en que su familia puede vivir como discípulos de Jesús, visiten **seanmisdiscipulos.com**

With My Family

This Week...

In chapter 24, "The Our Father," your child learned:

- Jesus taught his disciples how to pray by teaching them the Our Father.
- The Our Father helps us to understand how to live as God's children.
- The virtue of hope is trusting that God will always act on our behalf.
- When we pray the Our Father, we discover what it means to live as children of God and to prepare for the coming of the Kingdom of God.

For more about related teachings of the Church, see the *Catechism of the Catholic Church*, 2777–2856, and the *United States Catholic Catechism for Adults*, pages 481–492.

Sharing God's Word

Read together Matthew 6:9–13, where Jesus teaches the Our Father. Emphasize that the Our Father is not only a prayer. It is a "summary of the whole Gospel." Praying the Our Father teaches us how to pray and how to live as children of God.

We Live as Disciples

The Christian home and family is a school of discipleship. Choose one of the following activities to do as a family or design a similar activity of your own.

- Make an Our Father booklet. As you read each part of the Our Father, write the words of that part in your booklet. Write or draw how you can live each part of the Our Father.
- Talk about some of the ways your family lives the Our Father. Pray to the Holy Spirit. Ask the Holy Spirit to help your family live the Our Father each day.
- As a family, discuss and list reasons why Christians are a people of hope.

Our Spiritual Journey

"**Go in peace**, glorifying the Lord by your life." These words, from the Dismissal in the Roman Missal, send us forth from Mass. They challenge us to live a life worthy of being children of God. Praying the Our Father daily not only reminds us who we are—children of a heavenly Father—but also reminds us to offer glory to God. Be sure that your children memorize the Our Father. It is part of their Christian identity. Pray it together daily.

For more ideas on ways your family can live as disciples of Jesus, visit **www.BeMyDisciples.com**

Unidad 6: **Repaso**

Nombre________________________

A. Elije la mejor palabra

Completa las oraciones. Colorea el círculo junto a la mejor opción.

1. Nuestra conciencia nos dice si una elección que vamos a hacer es ________.

○ divertida ○ triste ○ sabia o mala

2. El don de Dios de la ________ santificante nos hace santos e hijos de Dios.

○ caridad ○ ayuda ○ gracia

3. Un pecado muy grave se llama pecado ________.

○ mortal ○ santificante ○ venial

4. Jesús enseñó a sus discípulos ________.

○ el Ave María ○ la Señal de la Cruz ○ el Padre Nuestro

5. El Reino de ________ es todas las personas que viven como Dios quiere que vivan.

○ santos ○ Dios ○ tierra

B. Muestra lo que sabes

Colorea el recuadro para marcar las oraciones que son verdaderas.

❑ Los proverbios nos ayudan a hacer elecciones sabias.

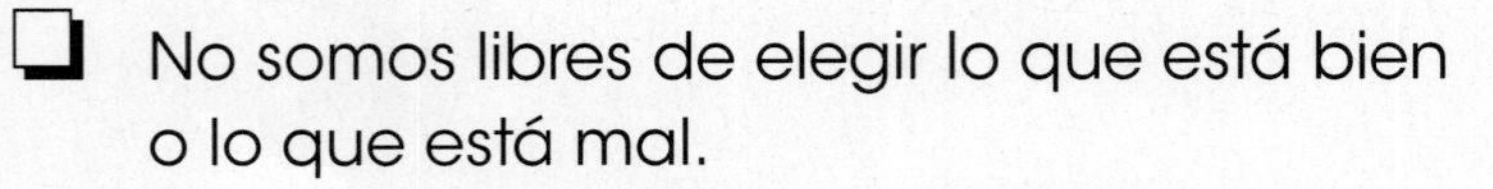

❑ No somos libres de elegir lo que está bien o lo que está mal.

❑ Jesús nos enseñó a rezar a Dios Padre.

❑ Otro nombre para el Padre Nuestro es la Oración de Jesús.

Unit 6 Review

Name ______________________________

A. Choose the Best Word

Complete the sentences. Color the circle next to the best choice for each sentence.

1. Our conscience tells us whether a choice we are going to make is a _______ one.

○ fun ○ sad ○ wise or bad

2. God's gift of sanctifying _______ makes us holy and children of God.

○ love ○ help ○ grace

3. A very serious sin is called a _______ sin.

○ mortal ○ sanctifying ○ venial

4. Jesus taught his disciples the _______.

○ Hail Mary ○ Sign of the Cross ○ Our Father

5. The Kingdom of _______ is all people living as God wants them to live.

○ saints ○ God ○ earth

B. Show What You Know

Color the box to mark the sentences that are true.

❑ Proverbs can help us make wise choices.

❑ We are not free to choose to do what is right or what is wrong.

❑ Jesus taught us to pray to God the Father.

❑ Another name for the Our Father is the Jesus Prayer.

C. La Escritura y tú

¿Cuál fue tu relato preferido acerca de Jesús en esta unidad? Dibuja algo que sucedió en el relato. Cuéntaselo a tu clase.

D. Sé un discípulo

1. *¿Acerca de qué santo o persona virtuosa disfrutaste aprender más en esta unidad? Escribe el nombre aquí. Cuenta a tu clase lo que esta persona hizo para seguir a Jesús.*

____

2. *¿Qué puedes hacer para ser un buen discípulo de Jesús?*

____

____

C. Connect with Scripture

What was your favorite story about Jesus in this unit? Draw something that happened in the story. Tell your class about it.

D. Be a Disciple

1. *What saint or holy person did you enjoy hearing about in this unit? Write the name here. Tell your class what this person did to follow Jesus.*

---

2. *What can you do to be a good disciple of Jesus?*

Perú: Santa Rosa de Lima

En Perú, la gente celebra la Fiesta de Santa Rosa de Lima el 30 de agosto.

Santa Rosa nació en Lima, Perú. El 30 de agosto de cada año, la gente decora con flores las calles, sus casas y las iglesias. Como Santa Rosa cultivaba rosas en su huerto, las flores que se usan en las celebraciones casi siempre son rosas. La gente reza y va a Misa con su familia.

Muchas personas visitan la casa de Santa Rosa. Debido a que ella compartía con los pobres las verduras y las flores que cultivaba, muchos visitan también su huerto y su pozo. Este pozo se conoce hoy como El Pozo de los Deseos de Santa Rosa de Lima. Durante todo el año, miles de personas vienen a este sitio a escribir cartas. Le piden a Santa Rosa que le pida a Dios por favores y milagros. Después echan las cartas dentro del pozo.

? Si pudieras echar una carta en el pozo de Santa Rosa, ¿qué le pedirías?

Popular Devotions

Peru: Saint Rose of Lima

In Peru, the people celebrate the Feast of Saint Rose of Lima on August 30.

Saint Rose was born in Lima, Peru. Every year on August 30, people decorate the streets, their homes, and churches with flowers. Because Saint Rose grew roses in her garden, the flowers in the celebrations are often roses. The people pray and go to Mass with their families.

Many people visit Saint Rose's house. Because she shared the vegetables and flowers she grew with the poor, many also visit her garden and her well. This well is known today as St. Rose's Wishing Well. Throughout the year, thousands of people come to this site to write letters. They ask Saint Rose to ask God for favors and miracles. They place the letters inside the well.

? If you could place a letter in Saint Rose's well, what would you ask of her?

Celebramos el año litúrgico

El año de la gracia

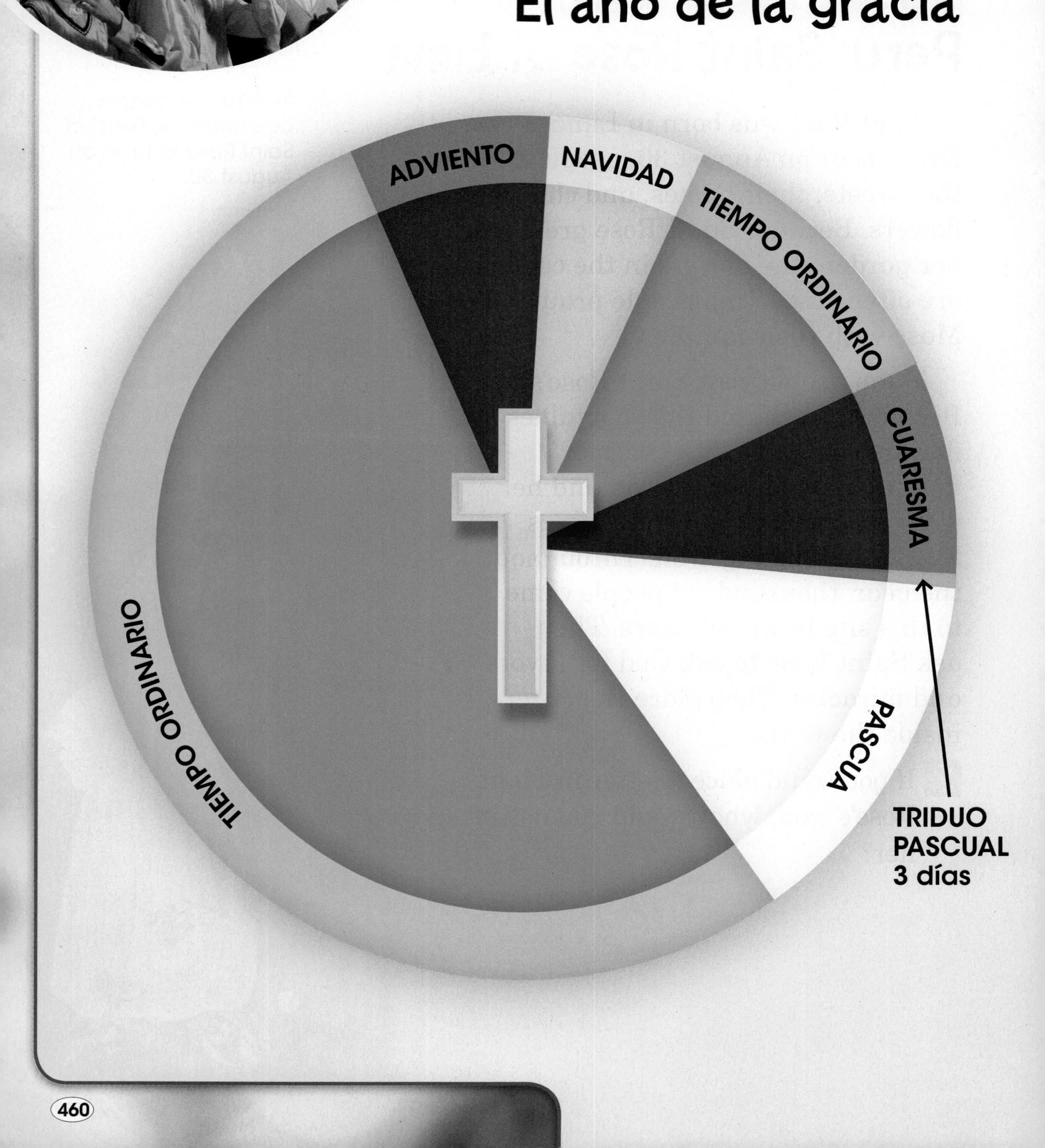

The Year of Grace

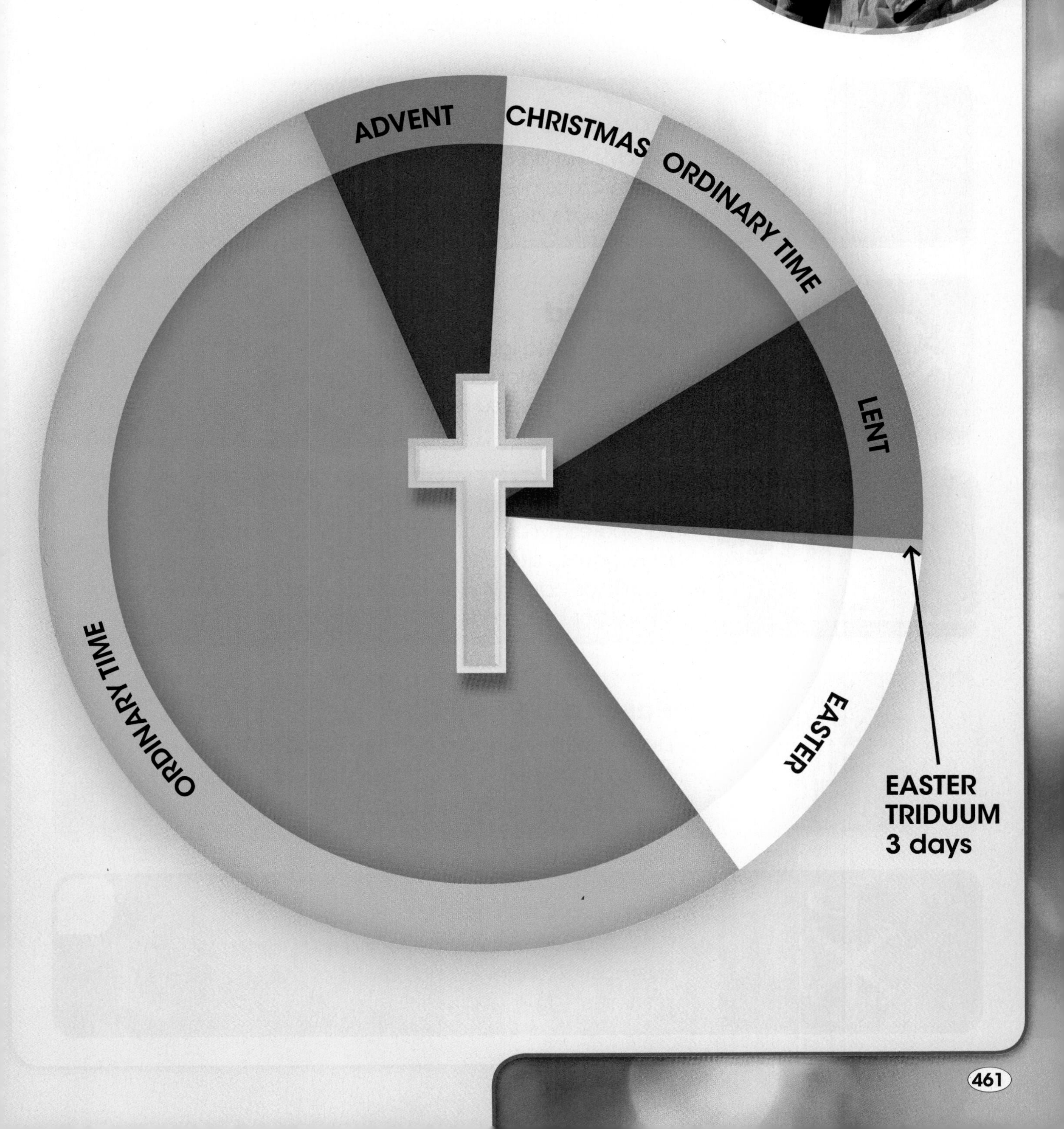

El año litúrgico

La Iglesia celebra su fe a lo largo de todo el año mediante la oración y el culto. Los tiempos del año eclesiástico se llaman año litúrgico.

Adviento

El Adviento da comienzo al año eclesiástico. Preparamos nuestro corazón para recordar el nacimiento de Jesús.

Navidad

En Navidad la Iglesia celebra el nacimiento de Jesús, Hijo de Dios. Alabamos y damos gracias a Dios Padre por enviarnos a su Hijo, Jesús.

Cuaresma

La Cuaresma es la época del año eclesiástico en que recordamos que Jesús murió por nosotros. Hacemos sacrificios para ayudarnos a recordar nuestro amor por Dios y por los demás. Nos preparamos para la Pascua.

Pascua

Durante los cincuenta días del tiempo de Pascua, celebramos que Jesús resucitó de entre los muertos. Jesús nos dio el don de una nueva vida.

Tiempo Ordinario

El Tiempo Ordinario es la etapa más larga del año eclesiástico. Aprendemos a vivir como seguidores de Jesús.

The Liturgical Year

The Church celebrates her faith all year long in prayer and worship. The seasons of the Church's year are called the liturgical year.

Advent

Advent begins the Church's year. We get our hearts ready to remember the birth of Jesus.

Christmas

At Christmas the Church celebrates the birth of Jesus, God's Son. We praise and thank God the Father for sending us his Son, Jesus.

Lent

Lent is the time of the Church's year when we remember Jesus died for us. We make sacrifices to help us remember our love for God and others. We prepare for Easter.

Easter

During the fifty days of the Easter season, we celebrate that Jesus was raised from the dead. Jesus gave us the gift of new life.

Ordinary Time

Ordinary Time is the longest time of the Church's year. We learn to live as followers of Jesus.

Enfoque en la fe
¿A quién nos muestran los santos?

Palabra de Dios
Esta es la segunda lectura para la Solemnidad de Todos los Santos. Pide a tu familia que la lea contigo. Comenta con ellos la lectura.

Segunda lectura
1.ª Juan 3:1-3

Solemnidad de Todos los Santos

Así como hay miembros de nuestra familia que nos ayudan a hacer elecciones correctas, hay miembros de nuestra familia de la Iglesia que nos muestran cómo seguir a Jesús. Estas personas se llaman santos. Son personas santas que aman mucho a Dios. Viven en el cielo con Jesús y ven la gloria de Dios.

La Iglesia honra a todos los santos que viven con Dios en el cielo dedicándoles un día especial. Llamamos Solemnidad de Todos los Santos a este día. Se celebra el 1 de noviembre. Vamos a Misa y agradecemos a Dios por los santos del cielo y por su ayuda.

Creemos que los santos piden a Dios que nos ayude. Nos ayudan a vivir una vida santa como hijos de Dios.

María, San Francisco de Asís y San Pedro Claver

Solemnity of All Saints

Just as there are members of our family who help us make right choices, there are members of our Church family who show us how to follow Jesus. The people are called saints. They are holy people who love God very much. They live in heaven with Jesus and see the glory of God.

The Church honors all saints who live with God in heaven by setting aside a special feast day. We call this the Solemnity of All Saints. It is celebrated on November 1. We go to Mass and thank God for the saints in heaven and for their help.

We believe the saints ask God to help us. They help us to live holy lives as children of God.

Faith Focus
Who do the saints show us?

The Word of the Lord
This is the second reading for the Solemnity of All Saints. Ask your family to read it with you. Talk about the reading with them.

Second reading
1 John 3:1–3

Mary, Saint Francis of Assisi, and Saint Peter Claver

Seguir a Jesús

Los santos nos muestran cómo vivir como seguidores de Jesús. Dibújate al lado del santo que está abajo. Traza una línea por el camino que te llevará a Jesús.

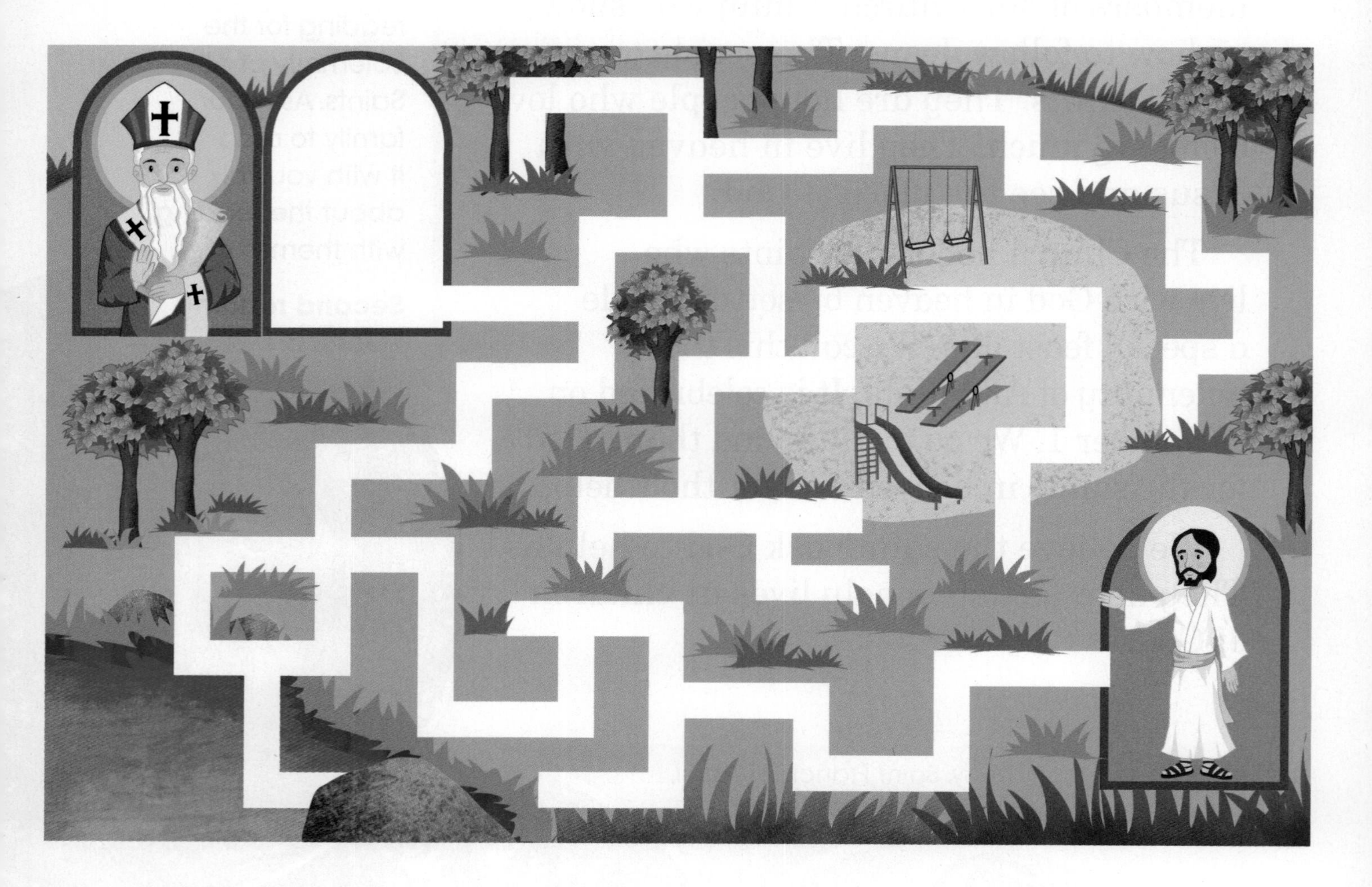

Mi elección de fe

Esta semana viviré como un fiel seguidor de Jesús. Yo voy a

____

____.

Reza: "Te agradezco, Señor, por los hombres, las mujeres y los niños santos que nos enseñan a amarte. Amén".

Following Jesus

The saints show us how to live as followers of Jesus. Draw yourself next to the saint below. Draw a line along the path that will take you to Jesus.

My Faith Choice

This week I will live as a faithful follower of Jesus. I will

____

____.

Pray, "Thank you, Lord, for the holy men, women and children who teach us to love you. Amen."

Enfoque en la fe
¿De qué manera celebrar el Adviento nos ayuda a recibir a Dios en nuestra vida?

Palabra de Dios
Estas son las lecturas del Evangelio para el primer domingo de Adviento. Pide a tu familia que lea contigo la lectura del Evangelio de este año. Comenta con ellos la lectura.

Año A
Mateo 24:37–44

Año B
Marcos 13:33–37

Año C
Lucas 21:25–28, 34–36

A la vista
La corona de Adviento se hace con ramas de árboles perennes. Tiene tres velas de color morado y una rosada. Las velas representan las cuatro semanas de Adviento.

Adviento

Todos los años te entusiasmas con la llegada de tu cumpleaños. Tu familia se prepara para celebrar. En el Adviento nos preparamos para celebrar el nacimiento de Jesús. También celebramos que Jesús está siempre con nosotros. Celebramos que volverá glorioso en el fin del mundo.

El Adviento tiene cuatro domingos. Durante estos domingos nos reunimos en nuestra parroquia. Preparamos juntos nuestro corazón para recibir a Jesús. Podemos cantar *O Come, O Come, Emmanuel (Oh ven, oh ven, Emmanuel)*. Emmanuel significa Mesías, o salvador.

Durante el Adviento recordamos que Jesús nos pide que hagamos cosas buenas. Rezamos. Tratamos de ser más bondadosos. Ayudamos a quienes nos necesitan.

Advent

Every year you get excited about your birthday coming. Your family gets ready to celebrate. In Advent we get ready to celebrate the birth of Jesus. We also celebrate that Jesus is always with us. We celebrate that he will come in glory at the end of the world.

Advent has four Sundays. On these Sundays we gather in our parish church. Together we get our hearts ready to welcome Jesus. We may sing O Come, O Come, Emmanuel. Emmanuel means Messiah, or savior.

During Advent we remember that Jesus asks us to do good things. We pray. We try to be extra kind. We help people who need our help.

Faith Focus
How does celebrating Advent help us to welcome God into our lives?

The Word of the Lord
These are the Gospel readings for the First Sunday of Advent. Ask your family to read this year's Gospel reading with you. Talk about the reading with them.

Year A
Matthew 24:37–44

Year B
Mark 13:33–37

Year C
Luke 21:25–28, 34–36

What You See
The Advent wreath is made of evergreens. There are three purple candles and one pink candle. The candles stand for the four weeks of Advent.

Recibimos a Jesús

Piensa en maneras de prepararte para recibir a Jesús. Escribe algo que puedas hacer cada día de esta semana.

Domingo ______________________________

Lunes ______________________________

Martes ______________________________

Miércoles ______________________________

Jueves ______________________________

Viernes ______________________________

Sábado ______________________________

Esta semana me prepararé para la venida de Jesús. Yo voy a

____

______________________________.

Reza: "Oh ven, oh ven, Emmanuel, y sálvanos. Amén".

We Welcome Jesus

Think about ways you can get ready to welcome Jesus. Write something you can do each day this week.

Sunday ____________________

Monday ____________________

Tuesday ____________________

Wednesday ____________________

Thursday ____________________

Friday ____________________

Saturday ____________________

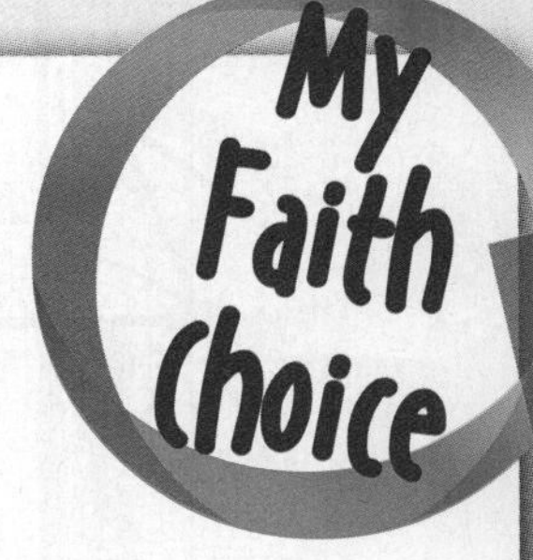

This week I will prepare for the coming of Jesus. I will

____

____________________.

Pray, "Oh come, oh come Emmanuel, and save us. Amen."

Enfoque en la fe
¿Cómo celebra la Iglesia su amor especial por María, Madre de Dios?

Palabra de Dios
Esta es la lectura del Evangelio para la Solemnidad de la Inmaculada Concepción. Pide a tu familia que la lea contigo. Comenta con ellos la lectura.

Lucas 1:26–38

La Inmaculada Concepción

Dios siente un amor especial por María. La Iglesia también siente un amor especial por María. Dios eligió a María para que fuera la madre de Jesús, el Hijo de Dios. Para que María fuera la madre de Jesús, Dios la preparó de una manera muy especial.

Dios le dio a María una gracia o don, muy especial. María permaneció siempre libre de pecado. María nació sin pecado. Recibió la ayuda de Dios durante toda su vida para no cometer nunca un pecado. Llamamos a esta ayuda de Dios "gracia".

El ángel Gabriel fue a ver a María y le dijo que Dios la había elegido para que fuera la madre de su Hijo. Esto es lo que el ángel dijo:

> *"Dios te salve, María, llena eres de gracia; el Señor es contigo".*
>
> Basado en Lucas 1:30

Llamamos a esta gracia especial la Inmaculada Concepción de María. Celebramos la Solemnidad de la Inmaculada Concepción todos los años el 8 de diciembre. Honramos a María y su papel especial de Madre de Jesús, Salvador del mundo.

Este es también un día de precepto. Esto significa que los católicos tienen la responsabilidad de participar de la celebración de la Misa. De esta manera, honramos a Dios y le agradecemos por la gracia especial que le dio a María.

Immaculate Conception

Faith Focus
How does the Church celebrate her special love for Mary, the Mother of God?

The Word of the Lord
This is the Gospel reading for the Solemnity of the Immaculate Conception. Ask your family to read it with you. Talk about the reading with them.

Luke 1:26–38

God has a very special love for Mary. The Church has a special love for Mary, too. God chose Mary to be the Mother of Jesus, the Son of God. God prepared Mary to be Jesus' mother in a very special way.

God gave Mary a very special grace, or gift. Mary was always free from sin. Mary was born without sin. Mary received God's help all through her life so she would never commit a sin. We call this help from God "grace."

The angel Gabriel came to Mary to tell her that God had chosen her to be the mother of his Son. This is what the angel said,

> *"Hail Mary, full of grace, the Lord is with you."*
>
> BASED ON LUKE 1:30

We call this special grace the Immaculate Conception of Mary. We celebrate the Solemnity of the Immaculate Conception every year on December 8. We honor Mary and her special role as the Mother of Jesus, the Savior of the world.

This day is also a holy day of obligation. This means that Catholics have the responsibility to take part in the celebration of Mass. In this way, we honor God and thank him for the special grace he gave Mary.

Gracias, María

En este espacio en blanco, crea una tarjeta de agradecimiento a María. Escribe un mensaje. Haz un dibujo. Agradece a María por decir sí a Dios. Agradécele por sus oraciones y por ayudarte a hacer buenas elecciones.

Esta semana honraré a María. Seguiré el ejemplo de María, Madre de Jesús. Yo voy a

____

____.

Reza: "María, Dios te ama. Yo también te amo. ¡Bendita Tú eres entre todas las mujeres! Amén".

Thank You, Mary

In this space, create a thank-you card to Mary. Write a message. Draw a picture. Thank Mary for saying yes to God. Thank her for her prayers and for helping you make good choices.

My Faith Choice

This week I will honor Mary. I will follow the example of Mary, the Mother of Jesus. I will

____

____.

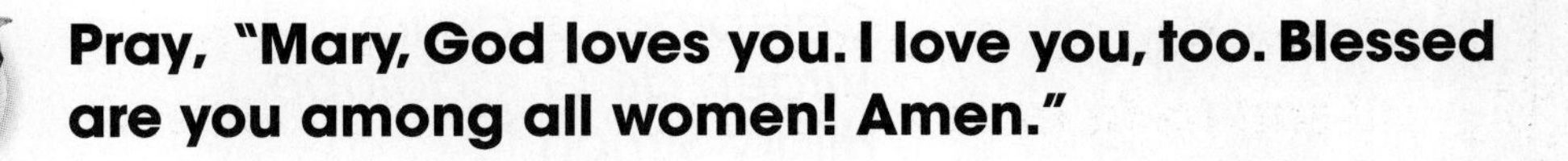

Pray, "Mary, God loves you. I love you, too. Blessed are you among all women! Amen."

Enfoque en la fe
¿Quién es Nuestra Señora de Guadalupe?

Palabra de Dios
Esta es la lectura del Evangelio para el Día de Nuestra Señora de Guadalupe. Pide a tu familia que la lea contigo. Comenta con ellos la lectura.

Lucas 1:39–48

Nuestra Señora de Guadalupe

Hace muchos años, María se le apareció a Juan Diego. Juan pertenecía al pueblo azteca, que vivía en México. María pidió a Juan que fuera a ver al obispo de México y le dijera que construyera un santuario. El santuario sería un signo del amor de María por todas las personas.

El obispo pidió que primero María le diera una señal. Ella envió a Juan Diego a recoger rosas de la colina. Era invierno, una época en que no florecen los rosales. Juan Diego encontró las rosas. Las envolvió en su manto y se las llevó al obispo.

Cuando Juan abrió la capa, él y el obispo vieron una imagen de María. Estaba vestida como princesa azteca. La imagen de María está protegida en el santuario que el obispo construyó, que, en honor a ella, lleva el nombre de Nuestra Señora de Guadalupe. El 12 de diciembre, honramos a María, Nuestra Señora de Guadalupe. Recordamos su amor por todas las personas.

Celebración de la Virgen de Guadalupe, Hilary Simon

Our Lady of Guadalupe

Many years ago, Mary appeared to Juan Diego. Juan belonged to the Aztec people who lived in Mexico. Mary asked Juan to go to the bishop of Mexico and ask him to build a shrine. The shrine would be a sign of the love of Mary for all people.

The bishop first asked Mary for a sign. She sent Juan Diego to pick roses from the hill. It was winter, a time when roses did not grow. Juan Diego found the roses. He wrapped them up in his cloak and brought them to the bishop.

When Juan opened his cloak, he and the bishop saw an image of Mary. She was dressed as an Aztec princess. The image of Mary is kept safely in the shrine the bishop built. It is named in her honor as Our Lady of Guadalupe. On December 12, we honor Mary, Our Lady of Guadalupe. We remember her love for all people.

Faith Focus
Who is Our Lady of Guadalupe?

The Word of the Lord
This is the Gospel reading for the Feast of Our Lady of Guadalupe. Ask your family to read it with you. Talk about the reading with them.

Luke 1:39–48

Celebration to the Virgin of Guadalupe, Hilary Simon

María, nuestra madre

Colorea las rosas con colores bellos. Escribe debajo de las rosas una cosa que podrías hacer para honrar a María.

____

Esta semana honraré a María, Nuestra Señora de Guadalupe. Demostraré mi amor por todas las personas. Yo voy a

____

____.

Reza: "María, Nuestra Señora de Guadalupe, te doy gracias por tu amor. Ayúdame a amar a todas las personas como hizo tu Hijo, Jesús. Amén".

Mary Our Mother

Color the roses in beautiful colors. Under the roses, write one thing you could do to honor Mary.

____

This week I will honor Mary, Our Lady of Guadalupe. I will show my love for all people. I will

____

____.

My Faith Choice

Pray, "Mary, Our Lady of Guadalupe, thank you for your love. Help me love all people as your Son, Jesus, did. Amen."

Enfoque en la fe
¿Por qué los ángeles visitaron a los pastores?

Palabra de Dios
Esta es la lectura del Evangelio para la Misa del Día de Navidad. Pide a tu familia que la lea contigo. Comenta con ellos la lectura.

Años A, B y C
Lucas 2:1–14
(Misa de Medianoche)

A la vista
El árbol de Navidad es un árbol de hojas perennes. Nos recuerda que Dios siempre nos ama.

Navidad

A veces las personas nos dan buenas noticias o buenas nuevas. Los ángeles dieron una buena nueva a unos pastores. Les dieron la Buena Nueva del nacimiento de Jesús.

Los ángeles alabaron a Dios por esta Buena Nueva. Cantaron:

> *"Gloria a Dios en lo más alto del cielo y en la tierra paz a los hombres: ésta es la hora de su gracia".*
>
> LUCAS 2:14

En la Misa cantamos esta maravillosa canción de los ángeles. La llamamos "Gloria". Usamos sus palabras para cantar: "Gloria a Dios en el cielo, y en la tierra paz a los hombres que ama el Señor".

Christmas

Sometimes people tell us good news. Angels told good news to shepherds. They told the shepherds the good news of the birth of Jesus.

The angels praised God for this good news. They sang,

> *"Glory to God in the highest and on earth peace to those on whom his favor rests."*
>
> LUKE 2:14

At Mass we sing this great song of the angels. We call it the "Gloria." We use their words to sing, "Glory to God in the highest, and on earth peace to people of good will."

Faith Focus

Why did the angels visit the shepherds?

The Word of the Lord

This is the Gospel reading for Mass on Christmas Day. Ask your family to read it with you. Talk about the reading with them.

Year A, B, and C

Luke 2:1–14 (Mass at Midnight)

What You See

The Christmas tree is made up of evergreens. It reminds us that God always loves us.

Gloria a Dios

Colorea las letras de esta oración. Reza la oración al despertar cada día del tiempo de Navidad. Rézala de nuevo a la hora de acostarte.

¡Gloria a Dios!

Esta semana honraré a los ángeles. Seguiré su ejemplo y hablaré con los demás acerca de Jesús. Yo voy a

____

____.

Reza: "¡Jesús, Tú eres la Luz del Mundo! Deja brillar tu luz en todas partes. Amén".

Give Glory to God

Color in the letters of this prayer. Pray the prayer each day of the Christmas season when you wake up. Pray it again at bedtime.

My Faith Choice

This week I will honor the angels. I will follow their example of telling others about Jesus. I will

____

____.

Pray, "Jesus, you are the Light of the World. Let your light shine everywhere. Amen."

Enfoque en la fe
¿Cómo honra la Iglesia a María, Madre de Dios?

Palabra de Dios
Esta es la lectura del Evangelio para la Solemnidad de María, Madre de Dios. Pide a tu familia que lea contigo la lectura del Evangelio. Comenta con ellos la lectura.

Evangelio
Lucas 2:16–21

María, Madre de Dios

El Día de la Madre es un día especial dedicado a honrar a nuestra madre. Hacemos un esfuerzo especial para que nuestra madre sepa cuánto la amamos. A veces le hacemos a mamá una tarjeta especial. Queremos agradecerle por amarnos.

Durante el tiempo de Navidad, el 1 de enero, honramos a María. Este día celebramos que María fue bendecida por Dios. Fue elegida para que fuera la madre de Jesús, Hijo de Dios. A través del poder del Espíritu Santo, la Santísima Virgen María se convirtió en la madre de Jesús.

Honramos a María, Madre de Dios, al ir a Misa. Alabamos a Dios por el don de Jesús, su Hijo. Damos gracias a Dios por el don de María, Madre de Dios. Le pedimos a María, nuestra Bienaventurada Madre, que rece por nosotros.

María, mosaico. Cartagena de Indias, Colombia

Mary, the Mother of God

Mother's Day is a special day set aside to honor our mothers. We make a special effort to let our mothers know how much we love them. Sometimes we make our mom a special card. We want to thank our mom for loving us.

During the Christmas season on January 1, we honor Mary. On this day we celebrate that Mary was blessed by God. She was chosen to be the mother of Jesus, God's Son. Through the power of the Holy Spirit, the Blessed Virgin Mary became the mother of Jesus.

We honor Mary, the Mother of God, by going to Mass. We praise God for the gift of Jesus, his Son. We thank God for the gift of Mary, the Mother of God. We ask Mary, our Blessed Mother, to pray for us.

Faith Focus
How does the Church honor Mary, Mother of God?

The Word of the Lord
This is the Gospel reading for the Solemnity of Mary, Mother of God. Ask your family to read the Gospel reading with you. Talk about the reading with them.

Gospel
Luke 2:16–21

Mary Mosaic. Cartagena de Indias, Colombia

¡Te damos gracias, María!

Crea una tarjeta del Día de la Madre para María. Dirige la tarjeta a María y pídele su ayuda y su guía. ¡No te olvides de firmarla!

Esta semana seré como María, Madre de Dios. Mostraré mi amor por Dios al

____

____.

Reza: "María, la Madre más amorosa, reza por mí al Señor, nuestro Dios. Amén".

We Thank You, Mary!

Create a Mother's Day card for Mary. Address the card and ask Mary for her help and guidance. Don't forget to sign your name!

This week I will be like Mary, the Mother of God. I will show my love for God by

____

____.

Pray, "Most loving Mother, Mary, pray for me to the Lord, our God. Amen."

Enfoque en la fe
¿Cómo honraron los Reyes Magos a Jesús?

Palabra de Dios
Esta es la lectura del Evangelio para la fiesta de la Epifanía. Pide a tu familia que la lea contigo. Comenta con ellos la lectura.

Años A, B y C
Mateo 2:1–12

Epifanía

A todos nos gusta recibir regalos. Cuando alguien nos da un regalo, muestra que nos ama. Hace mucho tiempo, algunos hombres sabios llamados Reyes Magos dieron regalos especiales al recién nacido Jesús.

Los Reyes Magos vieron una estrella muy brillante en el cielo. Creyeron que la estrella les estaba señalando el nacimiento de un rey. Los Reyes Magos salieron de su casa. Siguieron la estrella y recorrieron muchas millas hasta Belén. Allí encontraron a Jesús con María y con José. Inclinándose con reverencia, dieron a Jesús regalos de oro, incienso y mirra.

Los Reyes Magos recorrieron un largo camino para honrar a Jesús. El relato del Evangelio acerca de los Reyes Magos nos recuerda que Jesús da la bienvenida a todo el que se acerca a Él.

Epiphany

We all like to receive gifts. When someone gives us a gift, they are showing us they love us. Long ago some wise people called Magi gave special gifts to the newborn Jesus.

The Magi saw a bright star in the night sky. They believed that the star was telling them about the birth of a newborn king. The Magi left their homes. They followed the star and traveled many miles to Bethlehem. There they found Jesus with Mary and Joseph. Bowing low, they gave Jesus gifts of gold, frankincense, and myrrh.

The Magi came a long way to honor Jesus. The Gospel story of the Magi reminds us that Jesus welcomes everyone who comes to him.

Faith Focus
How did the Magi honor Jesus?

The Word of the Lord
This is the Gospel reading for the feast of the Epiphany. Ask your family to read it with you. Talk about the reading with them.

Year A, B, and C
Matthew 2:1–12

El Salvador del Mundo

Imagina que estás con los Reyes Magos en su viaje. Sigue el laberinto hasta Jesús. ¿Qué regalo le llevarías a Jesús? ¿Qué le dirías a Jesús cuando le des el regalo?

Esta semana seguiré el ejemplo de los Reyes Magos. Yo voy a

____

____.

Reza: "Jesús, Rey de reyes, guíanos siempre a ti. Amén".

The Savior of the World

Pretend you are with the Magi on their journey. Follow the maze to Jesus. What gift would you bring to Jesus? What would you say to Jesus when you give your gift to him?

My Faith Choice

This week I will follow the example of the Magi. I will

____

____.

Pray, "Jesus, King of kings, always guide us to you. Amen."

Enfoque en la fe
¿Cómo empezamos la celebración de la Cuaresma?

Palabra de Dios
Esta es la lectura del Evangelio para el Miércoles de Ceniza. Pide a tu familia que la lea contigo. Comenta con ellos la lectura.

Evangelio
Mateo 6:1–6, 16–18

Miércoles de Ceniza

La Pascua es la celebración de la Resurrección. Celebramos la Resurrección de Jesús de la muerte a nueva vida. En el Bautismo, también recibimos nueva vida en Jesús. Participamos de su Resurrección.

Durante la Cuaresma preparamos nuestra mente y nuestro corazón para celebrar la Pascua. Recordamos nuestro Bautismo. Hacemos elecciones para vivir mejor nuestro Bautismo. El Miércoles de Ceniza es el primer día de la Cuaresma.

Durante la Cuaresma, nos preparamos para la Pascua ayunando, rezando y haciendo cosas buenas por los demás. Cuando vamos a la iglesia el Miércoles de Ceniza, rezamos: "Borra, Señor, mis pecados". Le pedimos a Dios que nos ayude a hacer buenas elecciones para vivir nuestro Bautismo. Rezamos para que nuestros corazones estén listos para Jesús.

El Miércoles de Ceniza, nos marcan la Señal de la Cruz con cenizas en la frente. Los católicos de todo el mundo usan esta cruz para mostrar que aman a Dios y quieren vivir su Bautismo. Quieren vivir como buenos y fieles discípulos de Jesús.

Ash Wednesday

Easter is the celebration of the Resurrection. We celebrate the rising of Jesus from the dead to new life. At Baptism, we receive new life in Jesus, too. We share in his Resurrection.

During Lent we prepare our hearts and minds to celebrate Easter. We remember our Baptism. We make choices to live our Baptism better. Ash Wednesday is the first day of Lent.

We prepare for Easter during Lent by fasting, praying and doing good things for others. When we go to church on Ash Wednesday we pray, "A clean heart create for me, O God." We ask God to help us make good choices to live our Baptism. We pray so our hearts will be ready for Jesus.

On Ash Wednesday, the Sign of the Cross is made in ashes on our foreheads. Catholics all over the world wear this cross to show they love God and want to live their Baptism. They want to live as good and faithful disciples of Jesus.

Faith Focus
How do we begin the celebration of Lent?

The Word of the Lord
This is the Gospel reading for Ash Wednesday. Ask your family to read it with you. Talk about the reading with them.

Gospel
Matthew 6:1–6, 16–18

Oración de perdón

En la Oración del Penitente, le decimos a Dios que estamos arrepentidos de nuestros pecados. Rezar esta oración es una manera en la que podemos pedir el perdón de Dios. Completa la oración con las palabras que faltan.

Dios mío,
me ____________ de todo corazón
de todo lo ____________ que he hecho
y de todo lo ____________ que he dejado
de hacer,
porque pecando te he ofendido a ti,
que eres el sumo bien
y digno de ser ____________ sobre todas las cosas.
Propongo firmemente, con tu gracia,
cumplir la ____________, no volver a pecar
y evitar las ocasiones del ____________.
Perdóname, Señor, por los méritos
de la ____________ de nuestro
salvador Jesucristo.
Amén.

Mi elección de fe

Esta semana trataré de memorizar la Oración del penitente. Pediré a mi familia que me ayude. (Encierra en un círculo el momento del día en el que rezarás.)

† Todas las mañanas
† Todas las tardes
† Todas las noches

Reza: "Ayúdame durante la Cuaresma, Señor, a parecerme más a Jesús. Amén".

Prayer for Forgiveness

In the Act of Contrition we tell God we are sorry for our sins. Praying this prayer is one way we can ask for God's forgiveness. Fill in the blank words to complete the prayer.

My God,
I am sorry for my ____________
with all my heart.
In choosing to do ____________
and failing to do ____________,
I have sinned against you
whom I should ____________ above all things.
I firmly intend, with your help,
to do ____________,
to sin no more,
and to avoid whatever leads me to sin.
Our Savior Jesus Christ
____________ and ____________ for us.
In his name, my God, have mercy.

My Faith Choice

This week I will try to memorize the Act of Contrition. I will ask my family to help me. (Circle the time you will pray.)

- † Every morning
- † Every afternoon
- † Every evening

Pray, "Help me during Lent, Lord, to become more like Jesus. Amen."

Enfoque en la fe

¿Cómo celebrar la Cuaresma nos ayuda a prepararnos para la Pascua?

Palabra de Dios
Las siguientes son lecturas del Evangelio para el primer domingo de Pascua. Pide a tu familia que lea contigo la lectura del Evangelio de este año. Comenta con ellos la lectura.

Año A
Mateo 4:1–11

Año B
Marcos 1:12–15

Año C
Lucas 4:1–13

A la vista
Durante la Cuaresma, la Iglesia usa el color morado o violeta. Los colores morado y violeta nos recuerdan la tristeza y la penitencia.

Cuaresma

A veces los días especiales parecen lejanos. Pero podemos hacer muchas cosas para prepararnos para ese día.

Durante la Cuaresma, hacemos muchas cosas para prepararnos para celebrar la Pascua. La Cuaresma dura cuarenta días. Comienza el Miércoles de Ceniza. Durante la Cuaresma, buscamos a Dios y rezamos todos los días. Hacemos sacrificios o dejamos de hacer algunas cosas. Todo esto nos ayuda a mostrar nuestro amor por Dios y por los demás.

La Cuaresma es el momento especial del año en el que la Iglesia prepara nuevos miembros para el Bautismo. Es el momento en que los miembros de la Iglesia se preparan para renovar las promesas hechas en el Bautismo.

Hacemos todo esto durante la Cuaresma como ayuda para prepararnos para la Pascua. La Pascua es un día especial para todos los cristianos. Es el día de la Resurrección de Jesús.

Lent

Sometimes a special day seems far away. But we can do many things to get ready for that day.

During Lent we do many things to get ready to celebrate Easter. Lent is forty days long. It begins on Ash Wednesday. During Lent we turn to God and pray each day. We make sacrifices, or give up some things. This helps us to show our love for God and others.

Lent is the special time of the year the Church prepares new members for Baptism. It is the time members of the Church prepare to renew the promises we made at Baptism.

We do all these things during Lent to help us to prepare for Easter. Easter is a special day for all Christians. It is the day of Jesus' Resurrection.

Faith Focus
How does celebrating Lent help us to get ready for Easter?

The Word of the Lord
These are Gospel readings for the First Sunday of Lent. Ask your family to read this year's Gospel reading with you. Talk about the reading with them.

Year A
Matthew 4:1–11

Year B
Mark 1:12–15

Year C
Luke 4:1–13

What You See
During Lent the Church uses the color purple or violet. The colors purple and violet remind us of sorrow and penance.

Nos preparamos para la Pascua

Elige un compañero. Túrnense para responder cada una de las preguntas. Decidan cómo observar la Cuaresma y prepararse para la Pascua. Escribe tus respuestas en cada uno de los renglones.

¿Cuándo comienza la Cuaresma?

___

¿Cuánto dura?

___

¿Qué significa la palabra sacrificio?

___

¿A qué puedes renunciar durante la Cuaresma?

___

¿Cómo puedes ayudar a los demás durante la Cuaresma?

___

Esta Cuaresma me prepararé para la Pascua. Yo voy a

___

___.

Reza: "Jesús, ayúdame a mostrar mi amor por Dios y por los demás. Amén".

Prepare for Easter

Pick a partner. Take turns answering each question. Decide how to keep Lent and prepare for Easter. On the lines write your answers to each question.

When does Lent begin?

____

How long is Lent?

____

What does the word sacrifice mean?

____

What can you give up during Lent?

____

How can you help others during Lent?

____

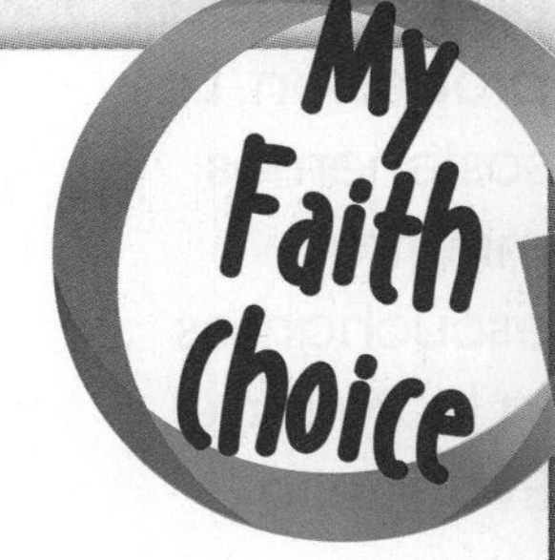

This Lent I will prepare for Easter. I will

____

___________________________________.

Pray, "Jesus, help me to show my love for God and others. Amen."

Enfoque en la fe
¿Cómo empezamos nuestra celebración de Semana Santa?

Palabra de Dios
Las siguientes son lecturas del Evangelio para el Domingo de Ramos de la Pasión del Señor. Pide a tu familia que lea contigo la lectura del Evangelio de este año. Cometa con ellos la lectura.

Año A
Mateo 26: 14–27, 66 o Mateo 27:11–54

Año B
Marcos 14:1–15:47 o Marcos 15:1–39

Año C
Lucas 22:14–23:56 o Lucas 23:1–49

A la vista
Llevamos ramas de palmas en procesión. Las sostenemos mientras escuchamos la lectura del Evangelio.

Domingo de Ramos de la Pasión del Señor

Cuando vienen amigos a visitarnos, les damos la bienvenida. Cuando una vez fue Jesús de visita a Jerusalén, muchas personas salieron para darle la bienvenida. Esparcieron mantos y ramas sobre el camino en honor a Él. La Iglesia recuerda y celebra ese momento especial el Domingo de Ramos de la Pasión del Señor. Es el primer día de la Semana Santa. La Semana Santa es la semana anterior a la Pascua.

En la misa del Domingo de Ramos, honramos a Jesús. Sostenemos ramas de palmas y decimos: "Hosanna al Hijo de David. ¡Bendito el que viene en nombre del Señor!". Le damos la bienvenida a Jesús como lo hicieron las personas en Jerusalén.

Palm Sunday of the Lord's Passion

When friends come to visit, we welcome them. Once when Jesus came to visit Jerusalem, many people came out to welcome him. They spread cloaks and branches on the road to honor him. The Church remembers and celebrates that special time on Palm Sunday of the Lord's Passion. It is the first day of Holy Week. Holy Week is the week before Easter.

At Mass on Palm Sunday we honor Jesus. We hold palm branches and say, "Hosanna to the Son of David. Blessed is he who comes in the name of the Lord!" We welcome Jesus as the people welcomed him to Jerusalem.

Faith Focus
How do we begin our celebration of Holy Week?

The Word of the Lord
These are the Gospel readings for Palm Sunday of the Lord's Passion. Ask your family to read this year's Gospel reading with you. Talk about the reading with them.

Year A
Matthew 26:14–27,66
or Matthew 27:11–54

Year B
Mark 14:1–15:47
or Mark 15:1–39

Year C
Luke 22:14–23:56
or Luke 23:1–49

What You See
We carry palm branches in procession. We hold them as we listen to the Gospel reading.

Honramos a Jesús

A veces las personas llevan carteles en las procesiones. A veces colgamos estandartes en nuestra iglesia. Los estandartes en la iglesia nos ayudan a recordar el tiempo litúrgico o la fiesta que estamos celebrando. Decora este estandarte.

"¡Bendito el que viene en nombre del Señor!"

Esta Semana Santa, le daré la bienvenida a Jesús. Yo voy a

____

____.

Reza: "Bendito tú eres, Señor Jesús. ¡Hosanna!".

We Honor Jesus

People sometimes carry banners in processions. Sometimes we hang banners in our church. Banners in our church help us to remember the liturgical season or feast we are celebrating. Decorate this banner.

"Blessed is he who comes in the name of the Lord!"

My Faith Choice

This Holy Week, I will welcome Jesus. I will

____

____.

Pray, "Blessed are you, Lord Jesus. Hosanna!"

Triduo Pascual: Jueves Santo

Enfoque en la fe
¿Cómo celebrar el Jueves Santo nos ayuda a crecer como seguidores de Jesucristo?

Palabra de Dios
Estas son las lecturas de las Sagradas Escrituras para la Misa de la Cena del Señor el Jueves Santo. Pide a tu familia que lea contigo una de las lecturas. Comenta con ellos la lectura.

Primera lectura
Éxodo 12:1-8, 11-14

Segunda lectura
1.ª Corintios 11:23-26

Evangelio
Juan 13:1-15

A la vista
El sacerdote lava los pies de los miembros de la parroquia. Este acto nos recuerda que debemos ayudar a los demás como Jesús nos enseñó a nosotros.

Muchas cosas suceden durante una comida familiar. Preparamos y cocinamos la comida. Ponemos la mesa. Limpiamos. Cuando hacemos todas estas cosas, estamos sirviendo a los demás.

El Jueves Santo, recordamos cómo Jesús mostró su amor al servir a sus discípulos. Antes de que Jesús y sus discípulos comieran los alimentos de la Última Cena, Él les lavó los pies. Después de que terminó, les dijo que sirvieran a los demás como Él los había servido.

El Jueves Santo recordamos todo lo que Jesús hizo en la Última Cena. En especial recordamos que Jesús nos dio la Eucaristía.

Triduum/Holy Thursday

Many things happen at a family meal. We prepare and cook food. We set the table. We clean up. When we do all these things, we are serving one another.

On Holy Thursday we remember how Jesus showed his love by serving his disciples. Before Jesus and his disciples ate the meal at the Last Supper, he washed their feet. After he finished, he told them to serve others as he served them.

On Holy Thursday we remember all Jesus did at the Last Supper. We especially remember that Jesus gave us the Eucharist.

Faith Focus

How does celebrating Holy Thursday help us to grow as followers of Jesus Christ?

The Word of the Lord

These are the Scripture readings for the Mass of the Lord's Supper on Holy Thursday. Ask your family to read one of the readings with you. Talk about the reading with them.

First Reading
Exodus 12:1–8, 11–14

Second Reading
1 Corinthians 11:23–26

Gospel
John 13:1–15

What You See

The priest washes the feet of members of the parish. This reminds us that we are to help others as Jesus taught us.

Oración del Jueves Santo

El himno *Where Charity and Love are Found* (Donde hay caridad y amor) se canta en muchas iglesias el Jueves Santo. Las palabras de este himno nos recuerdan que Dios es amor. Debemos amarnos los unos a los otros como Jesús nos amó. Reza esta oración con tu clase.

Niño 1 — El amor de Cristo nos une.

Todos — **Donde hay caridad y amor está Dios.**

Niño 2 — Alegrémonos y regocijémonos en Él.

Todos — **Donde hay caridad...**

Niño 3 — Amémonos los unos a los otros desde lo más profundo de nuestro corazón.

Todos — **Donde hay caridad...**

Niño 4 — Que todas las personas vivan en paz.

Durante un día, serviré como lo hizo Jesús. Yo voy a

____

____.

Reza: "Señor Jesús, ayúdame a servir a los demás como tú lo hiciste. Amén".

Prayer for Holy Thursday

The hymn "Where Charity and Love are Found" is sung in many churches on Holy Thursday. The words of this hymn remind us that God is love. We are to love one another as Jesus loved us. Pray this prayer with your class.

Child 1 The love of Christ gathers us.

All **Where charity and love are found, there is God.**

Child 2 Let us be glad and rejoice in him.

All **Where charity . . .**

Child 3 Let us love each other deep in our hearts.

All **Where charity . . .**

Child 4 Let all people live in peace.

My Faith Choice

For one day I will serve like Jesus served. I will

____

____.

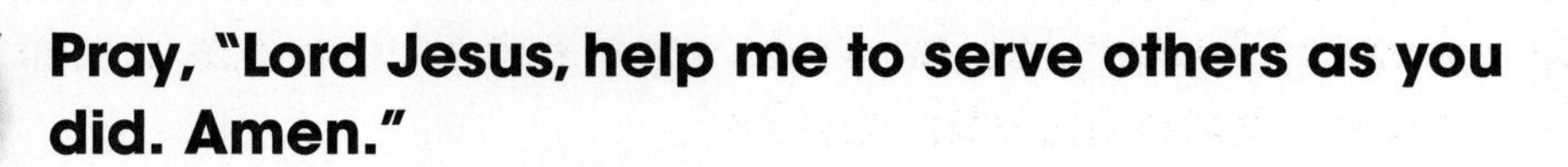

Pray, "Lord Jesus, help me to serve others as you did. Amen."

Enfoque en la fe

¿Cómo celebrar el Viernes Santo nos ayuda a crecer como seguidores de Cristo?

Palabra de Dios

Estas son las lecturas de las Sagradas Escrituras para el Viernes Santo. Pide a tu familia que las lea contigo. Comenta con ellos cada lectura.

Primera lectura
Isaías 52:13–53:12

Segunda lectura
Hebreos 4:14–16, 5:7–9

Evangelio
Juan 18:1–19:42

Triduo Pascual: Viernes Santo

Algunas veces pasa algo que nos hace sufrir. A este sufrimiento / dolor la llamamos Cruz. El Viernes Santo recordamos que Jesús murió en la cruz. Escuchamos el relato de su Pasión y muerte. Rezamos por todas las personas del mundo.

El Viernes Santo, honramos la Cruz besándola, haciendo una genuflexión o arrodillándonos frente a ella. Nuestra celebración de la Pasión y muerte de Jesús termina con el Servicio de la Comunión. Caminamos en procesión hacia el altar y participamos de la Eucaristía. Recibimos el Cuerpo de Cristo.

En casa pensamos acerca de cómo sufrió y murió Jesús este día. Nuestras oraciones nos ayudan a prepararnos para el gozo de la nueva vida de Jesús en la Pascua.

Triduum/Good Friday

Sometimes something happens to us that brings us suffering. We call this a cross. On Good Friday we remember that Jesus died on the Cross. We listen to the story of his passion and death. We pray for everyone in the world.

On Good Friday we honor the Cross by kissing it or by genuflecting or bowing deeply in front of it. Our celebration of Jesus' Passion and death ends with the Communion Service. We walk in procession to the altar and share in the Eucharist. We receive the Body of Christ.

At home we think about how Jesus suffered and died on this day. Our prayers help us to get ready for the joy of Jesus' new life at Easter.

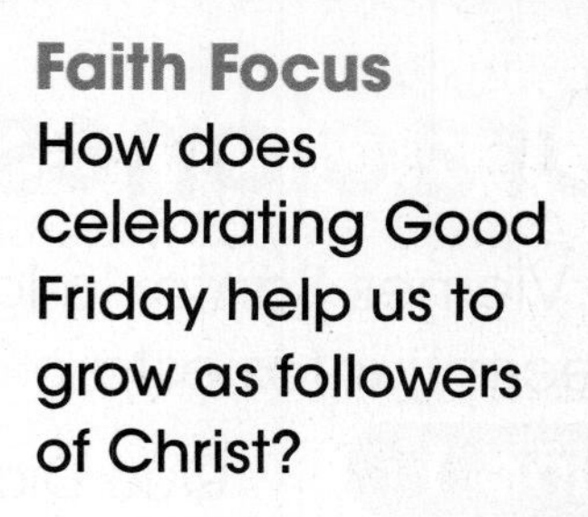

Faith Focus
How does celebrating Good Friday help us to grow as followers of Christ?

The Word of the Lord
These are the Scripture readings for Good Friday. Ask your family to read the readings with you. Talk about each reading with them.

First Reading
Isaiah 52:13–53:12

Second Reading
Hebrews 4:14–16, 5:7–9

Gospel
John 18:1–19:42

Oraciones por el mundo entero

El Viernes Santo, la Iglesia reza una Oración de los Fieles especial. Recen juntos esta oración de los fieles.

Niño 1 Que Dios guíe a nuestra Iglesia y nos una en la paz.

Todos **Amén.**

Niño 2 Que Dios ayude al Papa a guiarnos como el pueblo santo de Dios.

Todos **Amén.**

Niño 3 Que Dios ayude a los que serán pronto bautizados para que sigan a Jesús.

Todos **Amén.**

Niño 4 Que Dios bendiga a nuestros gobernantes y los ayude a mantenernos seguros y libres.

Todos **Amén.**

Niño 5 Que Dios colme a los necesitados de fe y esperanza.

Todos **Amén.**

Basado en las intercesiones solemnes,
la Pasión del Señor, Misal Romano

El día de hoy, honraré la Cruz. Yo voy a

____

______________________________________.

Reza: "Te adoramos, oh Cristo, y te bendecimos. Amén".

Prayers for the Whole World

On Good Friday the Church prays a special Prayer of the Faithful. Pray this prayer of the faithful together.

Child 1 May God guide our Church and gather us in peace.

All **Amen.**

Child 2 May God help the Pope to lead us as God's holy people.

All **Amen.**

Child 3 May God help those who will soon be baptized to follow Jesus.

All **Amen.**

Child 4 May God bless our government leaders and help them keep us safe and free.

All **Amen.**

Child 5 May God fill those in need with faith and hope.

All **Amen.**

BASED ON THE SOLEMN INTERCESSIONS,
THE PASSION OF THE LORD, ROMAN MISSAL

My Faith Choice

On this day, I will honor the Cross. I will

____

____.

Pray, "We adore you, O Christ, and we bless you."

Enfoque en la fe

¿Por qué la Pascua es el tiempo más importante del año para la Iglesia?

Palabra de Dios

Estas son las lecturas del Evangelio para el Domingo de Pascua. Pide a tu familia que lea contigo la lectura del Evangelio de este año. Comenta con ellos la lectura.

Año A
Juan 20:1-9,
Mateo 28:1-10 o
Lucas 24:13-35

Año B
Juan 20:1-9,
Marcos 16:1-7 o
Lucas 24:13-35

Año C
Juan 20:1-9,
Lucas 24:1-12 o
Lucas 24:13-35

Triduo Pascual: Pascua de Resurrección

¿Cuál es el mejor día de tu vida? ¿Por qué dices que es el mejor día que recuerdas? Para los cristianos, la Pascua es el mejor día de todos. Ese día Dios resucitó a Jesús de la muerte.

Durante la Pascua, recordamos que somos uno con Jesucristo, que ha resucitado. Para los cristianos, todos los domingos es una pequeña Pascua. El domingo es el día del Señor.

Es el día en el que Jesús resucitó de la muerte a la vida nueva. La Pascua y todos los domingos son días de gozo y celebración. En estos días, recordamos que a través del Bautismo participamos en su nueva vida ahora y por siempre.

Triduum/Easter

What is the best day of your life? Why do you say it is the best day you remember? For Christians Easter is the best day of all days. On this day God raised Jesus from death.

During Easter we remember that we are one with Jesus Christ, who is risen. For Christians every Sunday is a little Easter. Sunday is the Lord's Day. It is the day on which Jesus was raised from death to new life.

Easter and every Sunday are days of joy and celebration. On these days we remember that through Baptism we share in his new life now and forever.

Faith Focus

Why is Easter the most important season of the Church's year?

The Word of the Lord

These are the Gospel readings for Easter Sunday. Ask your family to read the Gospel reading for this year with you. Talk about it with them.

Year A

John 20:1–9
or Matthew 28:1–10
or Luke 24:13–35

Year B

John 20:1–9
or Mark 16:1–7
or Luke 24:13–35

Year C

John 20:1–9
or Luke 24:1–12
or Luke 24:13–35

Celebrar nuestra nueva vida

La tierra está llena de señales que nos recuerdan el don de la vida nueva en Cristo que recibimos en el Bautismo. Busca y colorea las señales de vida nueva en este dibujo. Comenta con tu familia lo que expresan las señales que descubriste acerca de la Pascua.

Mi elección de fe

El día de hoy, honraré a Cristo Resucitado. Me regocijaré en su nueva vida. Yo voy a

____

____.

Reza: "¡Cristo ha resucitado! ¡Aleluya!".

Celebrating Our New Life

The earth is filled with signs that remind us of the gift of new life in Christ we receive in Baptism. Find and color the signs of new life in this drawing. Talk with your family about what the signs you discover tell about Easter.

My Faith Choice

On this day, I will honor the Resurrected Christ. I will rejoice in his new life. I will

____

____.

Pray, "Christ is risen! Alleluia!"

Enfoque en la fe
¿Qué es la Ascensión?

Palabra de Dios
Este es el Evangelio del día de la Ascensión. Pide a tu familia que busque la lectura en la Biblia. Lee la lectura con ellos y coméntenla.

Lucas 24:46–53

Ascensión del Señor

Después de que Jesús resucitó de entre los muertos, continuó enseñando a sus Apóstoles. Les recordó que pronto los dejaría para estar con su Padre en el cielo. Jesús prometió a los Apóstoles que les enviaría al Espíritu Santo.

Cuarenta días después de la Pascua, Jesús y los Apóstoles estaban en el campo. Él les dijo que el Espíritu Santo los ayudaría a compartir sus enseñanzas con las personas de todo el mundo.

Jesús levantó sus manos y bendijo a los Apóstoles. Luego fue llevado al Cielo. Los Apóstoles volvieron a Jerusalén a esperar la llegada del Espíritu Santo.

BASADO EN LUCAS 24:50–53

La Iglesia celebra el regreso de Jesús a su Padre en el Cielo el día de la Ascensión, cuarenta días después de la Pascua. Jesús prometió preparar un lugar para nosotros en el cielo. Nos regocijamos de que algún día también participaremos de la gloria del cielo con Jesús y todos los santos.

Ascension of the Lord

After Jesus rose from the dead, he continued to teach his Apostles. He reminded them that soon he would leave them to be with his Father in heaven. Jesus promised the Apostles that he would send the Holy Spirit to them.

Forty days after Easter, Jesus and the Apostles were in the countryside. He told them that the Holy Spirit would help them to share his teachings with people all over the world.

> *Jesus raised his hands and blessed the Apostles. Then he was lifted up into heaven. The Apostles returned to Jerusalem to wait for the coming of the Holy Spirit.*
>
> Based on Luke 24:50–53

The Church celebrates Jesus' return to his Father in heaven on the Feast of the Ascension, forty days after Easter. Jesus promised to prepare a place for us in heaven. We rejoice that one day we too will share in the glory of heaven with Jesus and all the saints.

Faith Focus
What is the Ascension?

The Word of the Lord
This is the Gospel for the feast of the Ascension. Ask your family to find the reading in the Bible. Read and talk about it with them.

Luke 24:46–53

Oración de Ascensión

Cuando Jesús resucitó de entre los muertos y volvió a su Padre, nos mostró el camino al Cielo. Nos regocijamos en la Resurrección y en la Ascensión.

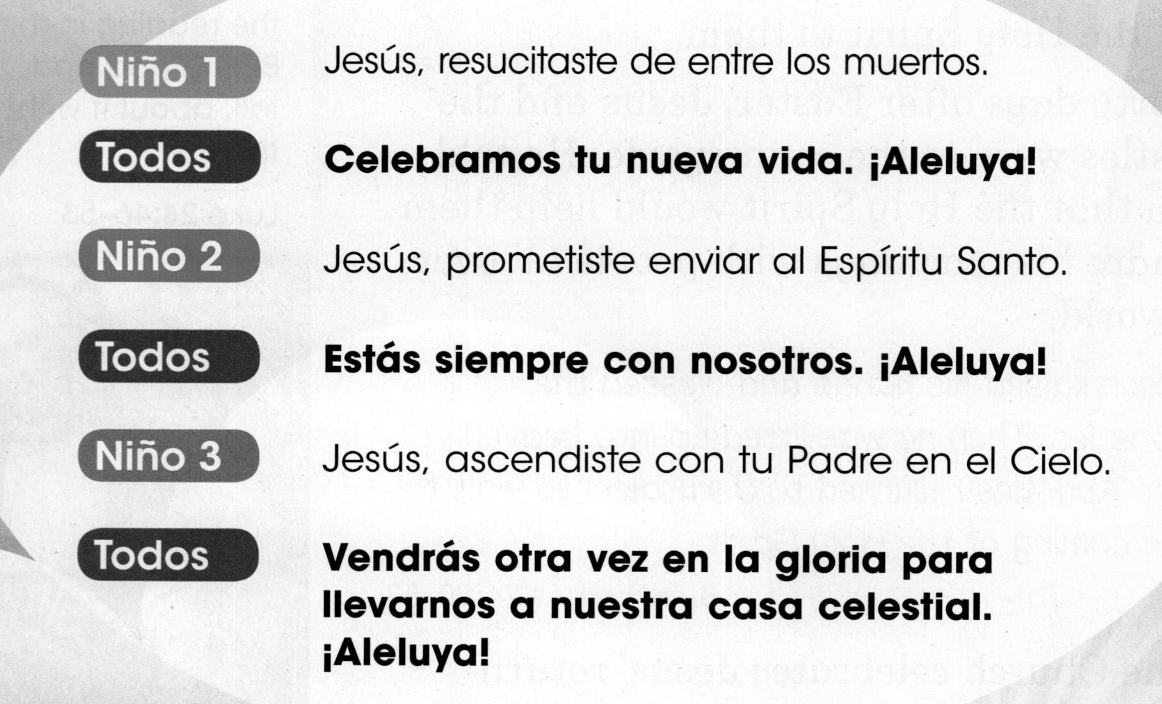

Niño 1 Jesús, resucitaste de entre los muertos.

Todos **Celebramos tu nueva vida. ¡Aleluya!**

Niño 2 Jesús, prometiste enviar al Espíritu Santo.

Todos **Estás siempre con nosotros. ¡Aleluya!**

Niño 3 Jesús, ascendiste con tu Padre en el Cielo.

Todos **Vendrás otra vez en la gloria para llevarnos a nuestra casa celestial. ¡Aleluya!**

Me puedo preparar para la vida eterna en el Cielo al vivir como un discípulo, tal como lo pide Jesús. Yo voy a

____

____.

Reza: "Jesús, muéstranos el camino al Cielo. ¡Aleluya!".

An Ascension Prayer

When Jesus rose from the dead and returned to his Father, he showed us the way to Heaven. We rejoice in the Resurrection and the Ascension.

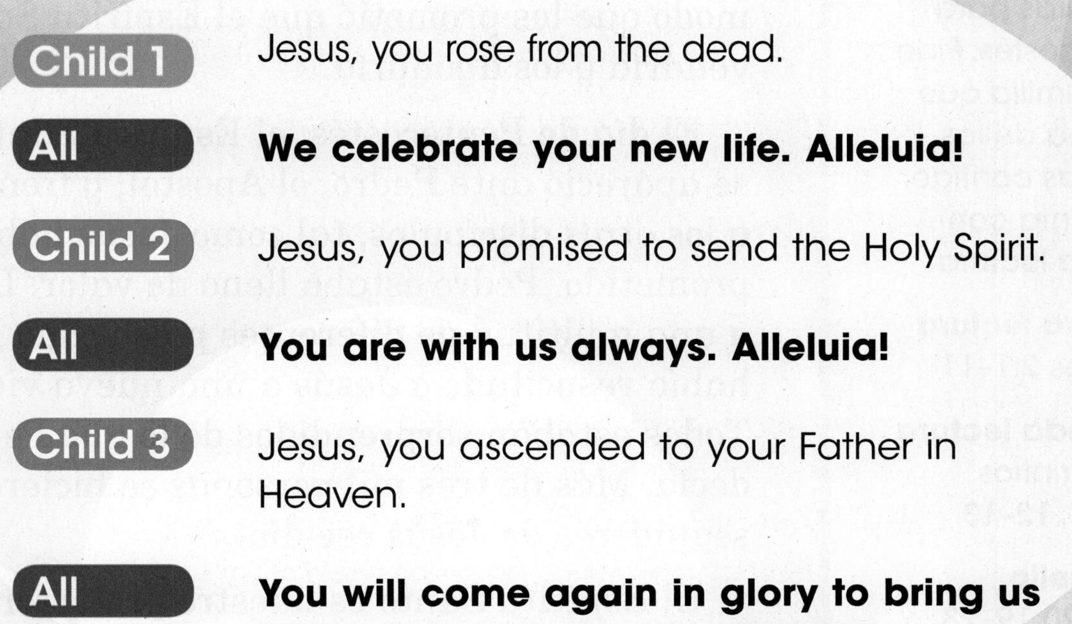

Child 1 Jesus, you rose from the dead.

All **We celebrate your new life. Alleluia!**

Child 2 Jesus, you promised to send the Holy Spirit.

All **You are with us always. Alleluia!**

Child 3 Jesus, you ascended to your Father in Heaven.

All **You will come again in glory to bring us to our heavenly home. Alleluia!**

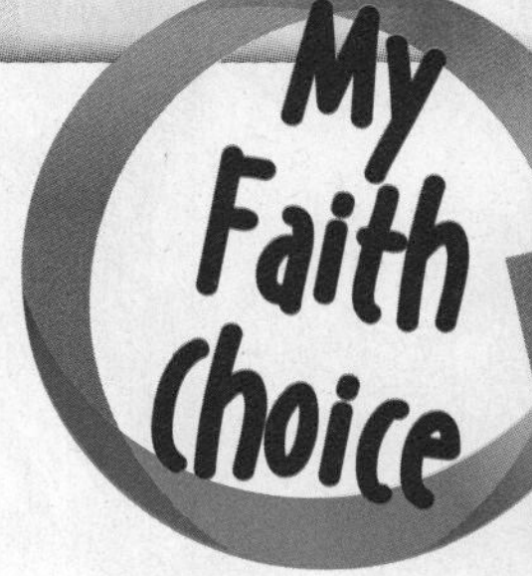

I can prepare for everlasting life in Heaven by living as a disciple as Jesus asks. I will

____

____.

Pray, "Jesus, show us the way to heaven. Alleluia!"

Enfoque en la fe
¿Quién nos ayuda a vivir como seguidores de Jesús?

Palabra de Dios
Estas son las lecturas de las Sagradas Escrituras para Pentecostés. Pide a tu familia que lea una de las lecturas contigo. Comenta con ellos la lectura.

Primera lectura
Hechos 2:1-11

Segunda lectura
1.ª Corintios 12:3-7, 12-13

Evangelio
Juan 20:19-23

Pentecostés

¿Qué haces cuando tienes que hacer algo muy difícil? ¿Cómo te sientes cuando alguien te ayuda?

Jesús sabía que no sería fácil para sus discípulos realizar la obra que les dio. De modo que les prometió que el Espíritu Santo vendría y los ayudaría.

El día de Pentecostés, el Espíritu Santo se apareció ante Pedro, el Apóstol, y frente a los otros discípulos, tal como Jesús había prometido. Pedro estaba lleno de valor. Le dijo a una multitud de diferentes países que Dios había resucitado a Jesús a una nueva vida. Todos estaban sorprendidos de lo que Pedro decía. Más de tres mil personas se hicieron seguidores de Jesús ese día.

El Espíritu Santo es nuestro protector y también nuestro maestro. El Espíritu Santo nos ayuda a contarle a los demás acerca de Jesús y nos enseña a vivir como sus seguidores.

Pentecost

What do you do when you have to do something that is very difficult to do? How do you feel when someone helps you?

Jesus knew it would not be easy for his disciples to do the work he gave them. So he promised that the Holy Spirit would come and help them.

On the day of Pentecost, the Holy Spirit came to Peter the Apostle and the other disciples as Jesus promised. Peter was filled with courage. He told a crowd from many different countries that God had raised Jesus to new life. Everyone was amazed by what Peter was saying. Over 3,000 people became followers of Jesus that day.

The Holy Spirit is our helper and teacher too. The Holy Spirit helps us to tell others about Jesus and teaches us to live as followers of Jesus.

Faith Focus
Who helps us to live as followers of Jesus?

The Word of the Lord
These are the Scripture readings for Pentecost. Ask your family to read one of the readings with you. Talk about the reading with them.

First Reading
Acts 2:1–11

Second Reading
1 Corinthians 12:3–7, 12–13

Gospel
John 20:19–23

Ven, Espíritu Santo

El Espíritu Santo nos ayuda a vivir como seguidores de Jesús. Ordena las palabras que están mezcladas en la oración. Escribe las letras que faltan en las palabras, en los renglones que están debajo de cada enunciado. Recen juntos la oración al Espíritu Santo.

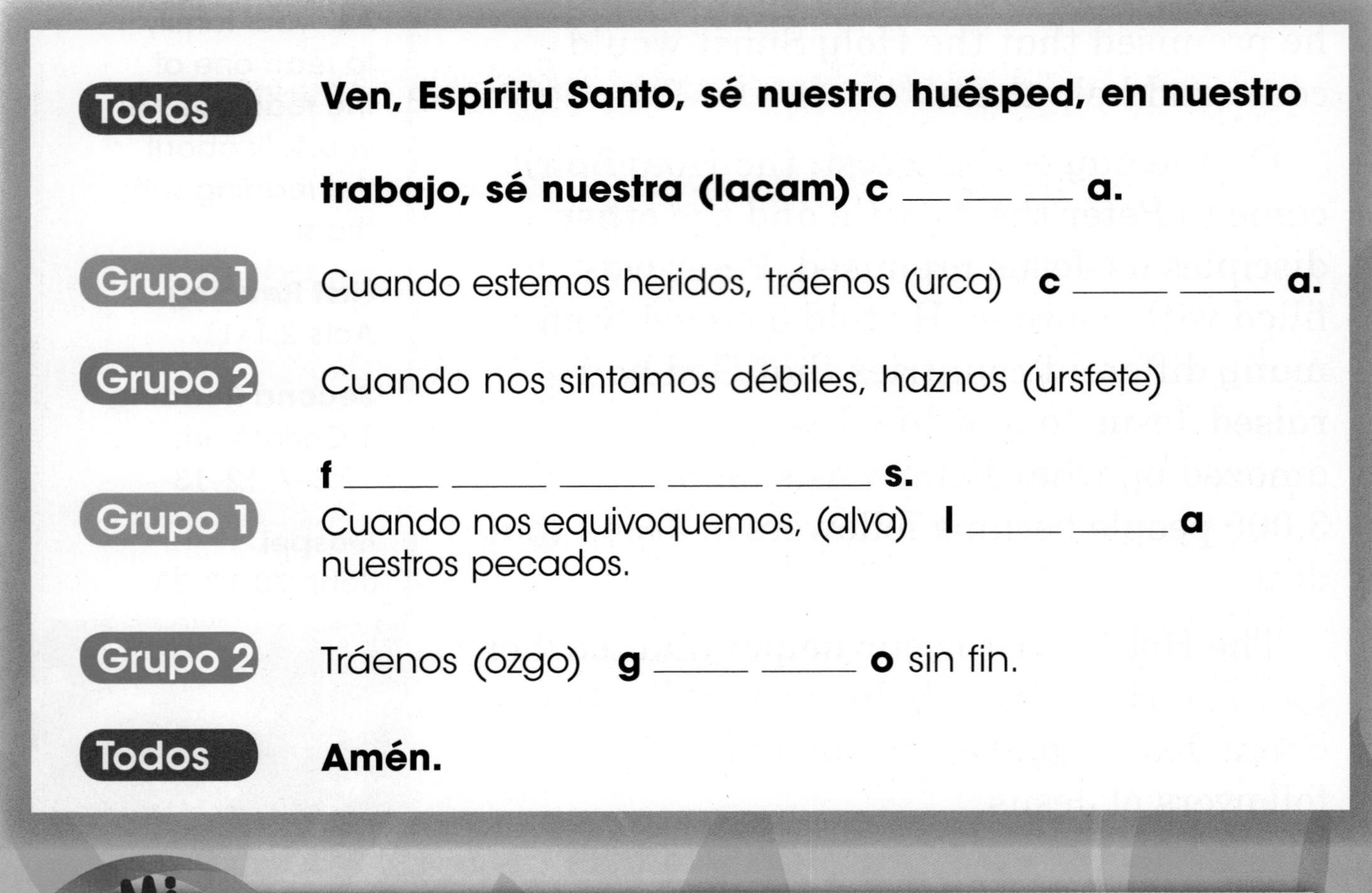

Todos **Ven, Espíritu Santo, sé nuestro huésped, en nuestro trabajo, sé nuestra (lacam) c __ __ __ a.**

Grupo 1 Cuando estemos heridos, tráenos (urca) **c** ____ ____ **a.**

Grupo 2 Cuando nos sintamos débiles, haznos (ursfete)

f ____ ____ ____ ____ ____ **s.**

Grupo 1 Cuando nos equivoquemos, (alva) **l** ____ ____ **a** nuestros pecados.

Grupo 2 Tráenos (ozgo) **g** ____ ____ **o** sin fin.

Todos **Amén.**

Igual que los discípulos, les contaré a los demás acerca de Jesús con la ayuda del Espíritu Santo. Yo voy a

____

____.

Reza: "¡Ven, Espíritu Santo, ven! ¡Guíanos hacia Dios! Amén".

Come, Holy Spirit

The Holy Spirit helps us to live as followers of Jesus. Unscramble the scrambled words in each sentence of this prayer. Write the missing letters of the words on the lines after each sentence. Pray the prayer to the Holy Spirit together.

All **Come, Holy Spirit, be our guest, in our work, be our (ster).** **r ____ ____ t**

Group 1 When we are hurt, (lhea) us. **h ____ ____ l**

Group 2 When we are weak, make us (torsng). ____ ____ ____ **ong**

Group 1 When we fail, (whas) our sins away. **w ____ s ____**

Group 2 Bring us (jyo) that never ends. ____ ____ **y**

All **Amen.**

My Faith Choice

Like the disciples, I will tell others about Jesus with the help of the Holy Spirit. I will

____

____.

Pray, "Come, Holy Spirit, come! Guide us to God!"

Oraciones y prácticas católicas

Señal de la cruz

En el nombre del Padre
y del Hijo
y del Espíritu Santo.
Amén.

Padre Nuestro

Padre nuestro, que estás
en el cielo,
santificado sea tu Nombre;
venga a nosotros tu reino;
hágase tu voluntad
en la tierra como en el cielo.
Danos hoy nuestro pan de cada día;
perdona nuestras ofensas,
como también nosotros perdonamos
a los que nos ofenden;
no nos dejes caer en la tentación,
y líbranos del mal.
Amén.

Gloria al Padre (Doxología)

Gloria al Padre
y al Hijo
y al Espíritu Santo.
Como era en el principio,
ahora y siempre,
por los siglos de los siglos. Amén.

Ave María

Dios te salve, María, llena eres
de gracia;
el Señor es contigo.
Bendita Tú eres entre todas
las mujeres,
y bendito es el fruto de tu
vientre, Jesús.
Santa María, Madre de Dios,
ruega por nosotros, pecadores,
ahora y en la hora de nuestra muerte.
Amén.

Los Diez Mandamientos

1. Yo soy el Señor, tu Dios. No tendrás otros dioses fuera de mí.
2. No tomes en vano el nombre del Señor, tu Dios.
3. Acuérdate del Día del Señor, para santificarlo.
4. Respeta a tu padre y a tu madre.
5. No mates.
6. No cometas adulterio.
7. No robes.
8. No digas mentiras.
9. No codicies la mujer de tu prójimo.
10. No codicies nada que sea de tu prójimo.

Basado en Éxodo 20:2–3, 7–17

Preceptos de la Iglesia

1. Oír misa entera los domingos y demás fiestas de precepto y no realizar trabajos serviles.
2. Confesar los pecados mortales al menos una vez al año.
3. Recibir el sacramento de la Eucaristía al menos por Pascua.
4. Abstenerse y ayunar en los días establecidos por la Iglesia.
5. Ayudar a la Iglesia en sus necesidades, cada uno según su posibilidad.

El Gran Mandamiento

"Amarás al Señor tu Dios con todo tu corazón, con toda tu alma y con toda tu mente.
Amarás a tu prójimo como a ti mismo".

Mateo 22:37, 39

La Ley del Amor

"Este es mi mandamiento: que se amen unos a otros como yo los he amado".

Juan 15:12

Catholic Prayers and Practices

Sign of the Cross

In the name of the Father,
and of the Son,
and of the Holy Spirit. Amen.

Our Father

Our Father, who art in heaven,
hallowed be thy name;
thy kingdom come,
thy will be done
on earth as it is in heaven.
Give us this day our daily bread,
and forgive us our trespasses,
as we forgive those who trespass
against us;
and lead us not into temptation,
but deliver us from evil.
Amen.

Glory Be (Doxology)

Glory be to the Father
and to the Son
and to the Holy Spirit,
as it was in the beginning
is now, and ever shall be
world without end. Amen.

The Hail Mary

Hail, Mary, full of grace,
the Lord is with thee.
Blessed art thou among women
and blessed is the fruit
of thy womb, Jesus.
Holy Mary, Mother of God,
pray for us sinners,
now and at the hour of our death.
Amen.

The Ten Commandments

1. I am the LORD your God: you shall not have strange gods before me.
2. You shall not take the name of the LORD your God in vain.
3. Remember to keep holy the LORD's Day.
4. Honor your father and your mother.
5. You shall not kill.
6. You shall not commit adultery.
7. You shall not steal.
8. You shall not lie.
9. You shall not covet your neighbor's wife.
10. You shall not covet your neighbor's goods.

Based on Exodus 20:2–3, 7–17

Precepts of the Church

1. Participate in Mass on Sundays and holy days of obligation, and rest from unnecessary work.
2. Confess sins at least once a year.
3. Receive Holy Communion at least during the Easter season.
4. Observe the prescribed days of fasting and abstinence.
5. Provide for the material needs of the Church, according to one's abilities.

The Great Commandment

"You shall love the Lord, your God, with all your heart, with all your soul, and with all your mind. . . . You shall love your neighbor as yourself." Matthew 22:37, 39

The Law of Love

"This is my commandment:
love one another as I love you."

John 15:12

El Credo de los Apóstoles

(tomado del Misal Romano)

Creo en Dios, Padre Todopoderoso,
Creador del cielo y de la tierra.
Creo en Jesucristo, su único Hijo,
Nuestro Señor,

(En las palabras que siguen, hasta María Virgen, *todos se inclinan.)*

que fue concebido por obra y gracia del Espíritu Santo,
nació de santa María Virgen,
padeció bajo el poder de Poncio Pilato,
fue crucificado, muerto y sepultado,
descendió a los infiernos,
al tercer día resucitó de entre los muertos,
subió a los cielos
y está sentado a la derecha de Dios, Padre todopoderoso.
Desde allí ha de venir a juzgar a vivos y muertos.
Creo en el Espíritu Santo,
la santa Iglesia católica,
la comunión de los santos,
el perdón de los pecados,
la resurrección de la carne
y la vida eterna.
Amén.

El Credo de Nicea

(tomado del Misal Romano)

Creo en un solo Dios,
Padre Todopoderoso, Creador del cielo y de la tierra, de todo lo visible y lo invisible.
Creo en un solo Señor, Jesucristo, Hijo único de Dios,
nacido del Padre antes de todos los siglos:
Dios de Dios, Luz de Luz,
Dios verdadero de Dios verdadero,
engendrado, no creado,
de la misma naturaleza del Padre,
por quien todo fue hecho;
que por nosotros, los hombres,
y por nuestra salvación bajó del cielo,

(En las palabras que siguen, hasta se hizo hombre, *todos se inclinan.)*

y por obra del Espíritu Santo
se encarnó de María, la Virgen, y se hizo hombre;
y por nuestra causa fue crucificado
en tiempos de Poncio Pilato,
padeció y fue sepultado,
y resucitó al tercer día, según las Escrituras,
y subió al cielo, y está sentado a la derecha del Padre;
y de nuevo vendrá con gloria
para juzgar a vivos y muertos,
y su reino no tendrá fin.
Creo en el Espíritu Santo, Señor y dador de vida,
que procede del Padre y del Hijo,
que con el Padre y el Hijo
recibe una misma adoración y gloria,
y que habló por los profetas.
Creo en la Iglesia,
que es una, santa, católica y apostólica.
Confieso que hay un solo bautismo
para el perdón de los pecados.
Espero la resurrección de los muertos
y la vida del mundo futuro.
Amén.

Apostles' Creed

(from the Roman Missal)

I believe in God,
the Father almighty,
Creator of heaven and earth,
and in Jesus Christ, his only Son,
our Lord,

(At the words that follow, up to and including the Virgin Mary*, all bow.)*

who was conceived by the Holy Spirit,
born of the Virgin Mary,
suffered under Pontius Pilate,
was crucified, died and was buried;
he descended into hell;
on the third day he rose again from
the dead;
he ascended into heaven,
and is seated at the right hand of
God the Father almighty;
from there he will come to judge the
living and the dead.
I believe in the Holy Spirit,
the holy catholic Church,
the communion of saints,
the forgiveness of sins,
the resurrection of the body,
and life everlasting. Amen.

Nicene Creed

(from the Roman Missal)

I believe in one God,
the Father almighty,
maker of heaven and earth,
of all things visible and invisible.

I believe in one Lord Jesus Christ,
the Only Begotten Son of God,
born of the Father before all ages.
God from God, Light from Light,
true God from true God,
begotten, not made, consubstantial
with the Father;
through him all things were made.
For us men and for our salvation
he came down from heaven,

(At the words that follow, up to and including and became man*, all bow.)*

and by the Holy Spirit was incarnate
of the Virgin Mary,
and became man.

For our sake he was crucified under
Pontius Pilate,
he suffered death and was buried,
and rose again on the third day
in accordance with the Scriptures.
He ascended into heaven
and is seated at the right hand of
the Father.
He will come again in glory
to judge the living and the dead
and his kingdom will have no end.

I believe in the Holy Spirit, the Lord,
the giver of life,
who proceeds from the Father and
the Son,
who with the Father and the Son is
adored and glorified,
who has spoken through the prophets.

I believe in one, holy, catholic and
apostolic Church.
I confess one Baptism for the
forgiveness of sins
and I look forward to the resurrection
of the dead
and the life of the world to come. Amen.

Oración de la mañana

Querido Dios,
al comenzar este día,
guárdame en tu amor y cuidado.
Ayúdame hoy a vivir como hijo tuyo.
Bendíceme a mí, a mi familia y mis amigos en todo lo que hagamos.
Mantennos junto a ti. Amén.

Oración antes de comer

Bendícenos, Señor, junto con estos dones que vamos a recibir de tu generosidad, por Cristo Nuestro Señor.
Amén.

Acción de gracias después de comer

Te damos gracias por todos tus dones, Dios todopoderoso, Tú que vives y reinas ahora y siempre.
Amén.

Oración vespertina

Querido Dios,
te doy gracias por el día de hoy.
Mantenme a salvo durante la noche.
Te agradezco por todo lo bueno que hice hoy.
Y te pido perdón por hacer algo que está mal.
Bendice a mi familia y a mis amigos.
Amén.

Oración por las vocaciones

Dios, sé que me llamarás
para darme una tarea especial en mi vida.
Ayúdame a seguir a Jesús cada día
y a estar listo para responder a tu llamado.
Amén.

Oración del Penitente

Dios mío, me arrepiento de todo corazón de todo lo malo que hecho y de todo lo bueno que he dejado de hacer, porque pecando te he ofendido a ti, que eres el sumo bien y digno de ser amado sobre todas las cosas.
Propongo firmemente, con tu gracia, cumplir la penitencia, no volver a pecar y evitar las ocasiones de pecado.
Perdóname, Señor, por los méritos de la pasión de nuestro Salvador Jesucristo.
Amén.

Morning Prayer

Dear God,
as I begin this day,
keep me in your love and care.
Help me to live as your child today.
Bless me, my family, and my friends
in all we do.
Keep us all close to you. Amen.

Grace Before Meals

Bless us, O Lord,
and these thy gifts,
which we are about to receive
from thy bounty,
through Christ our Lord.
Amen.

Grace After Meals

We give thee thanks,
for all thy benefits, almighty God,
who lives and reigns forever. Amen.

Evening Prayer

Dear God,
I thank you for today.
Keep me safe throughout the night.
Thank you for all the good I did today.
I am sorry for what I have chosen
to do wrong.
Bless my family and friends. Amen.

A Vocation Prayer

God, I know you will call me
for special work in my life.
Help me follow Jesus each day
and be ready to answer your call.
Amen.

Act of Contrition

My God,
I am sorry for my sins
with all my heart.
In choosing to do wrong
and failing to do good,
I have sinned against you,
whom I should love above all things.
I firmly intend, with your help,
to do penance,
to sin no more,
and to avoid whatever leads me
to sin.
Our Savior Jesus Christ
suffered and died for us.
In his name, my God, have mercy.
Amen.

El Rosario

Los católicos rezan el Rosario para honrar a María y recordar los sucesos importantes en la vida de Jesús y María. Hay veinte misterios del Rosario. Sigue los pasos del 1 al 5.

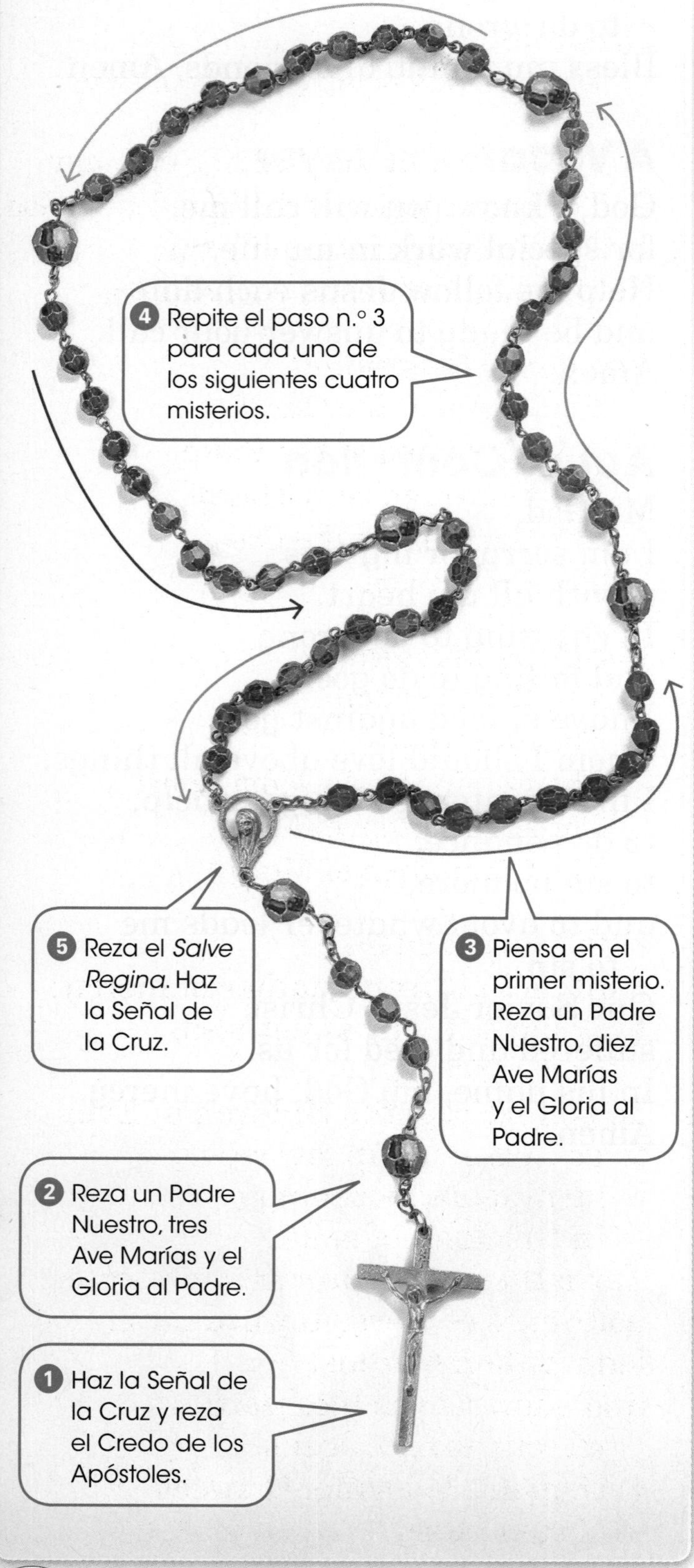

Misterios gozosos

1. La Anunciación
2. La Visitación
3. La Natividad
4. La Presentación
5. El hallazgo de Jesús en el Templo

Misterios luminosos

1. El Bautismo de Jesús en el río Jordán
2. El milagro de Jesús en la boda de Caná
3. La proclamación del Reino de Dios
4. La transfiguración
5. La institución de la Eucaristía

Misterios dolorosos

1. La agonía en el Huerto
2. La flagelación en la columna
3. La coronación de espinas
4. La Cruz a cuestas
5. La Crucifixión

Misterios gloriosos

1. La Resurrección
2. La Ascensión
3. La venida del Espíritu Santo
4. La Asunción de María
5. La Coronación de María

Salve Regina

Dios te salve, Reina y Madre
de misericordia,
vida, dulzura y esperanza nuestra;
Dios te salve.
A ti llamamos los desterrados hijos
de Eva;
a ti suspiramos, gimiendo y llorando
en este valle de lágrimas.
Ea, pues, Señora, abogada nuestra,
vuelve a nosotros esos tus
ojos misericordiosos;
y después de este destierro,
muéstranos a Jesús,
fruto bendito de tu vientre.
¡Oh, clementísima, oh piadosa, oh
dulce Virgen María!

Rosary

Catholics pray the Rosary to honor Mary and remember the important events in the life of Jesus and Mary. There are twenty mysteries of the Rosary. Follow the steps from 1 to 5.

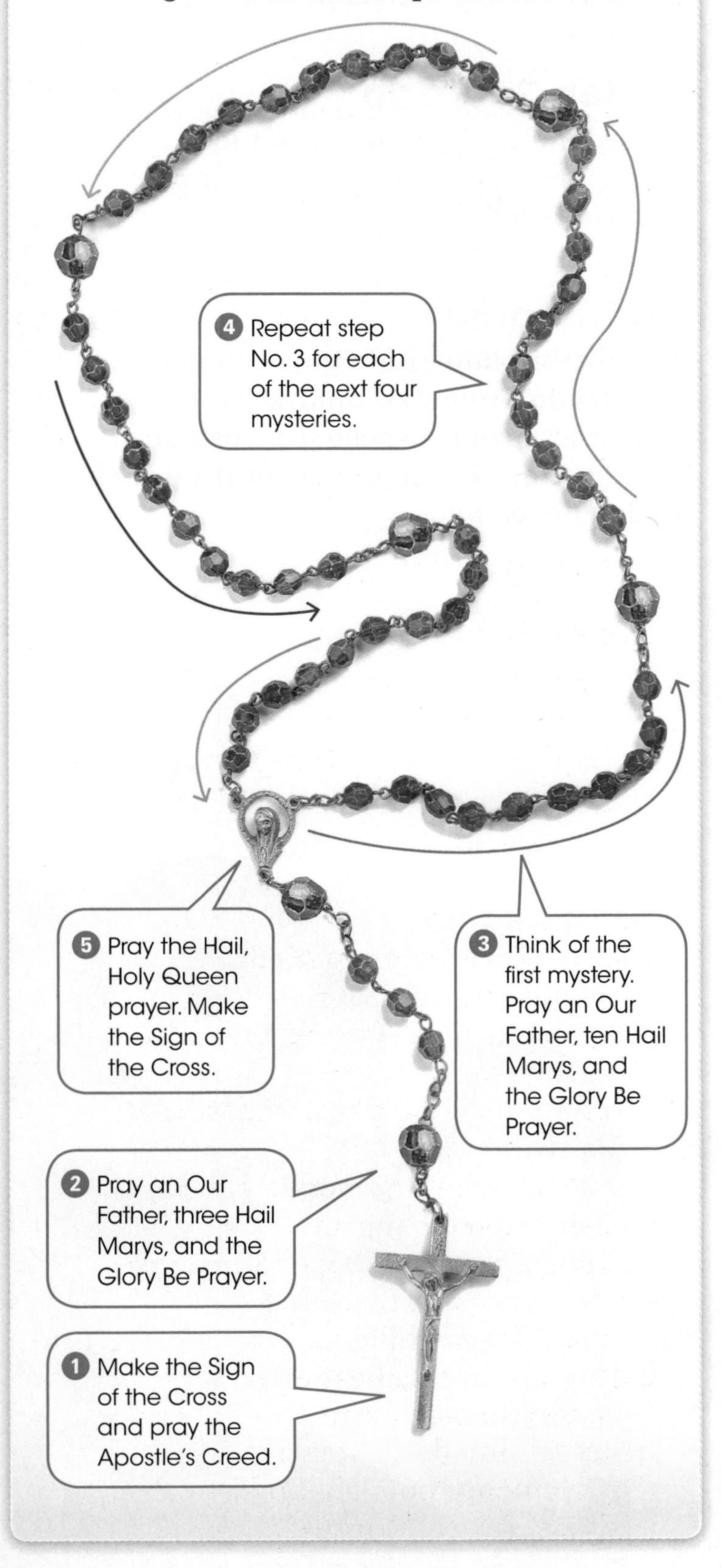

Joyful Mysteries

1. The Annunciation
2. The Visitation
3. The Nativity
4. The Presentation
5. The Finding of Jesus in the Temple

Mysteries of Light

1. The Baptism of Jesus in the Jordan River
2. The Miracle at the Wedding at Cana
3. The Proclamation of the Kingdom of God
4. The Transfiguration of Jesus
5. The Institution of the Eucharist

Sorrowful Mysteries

1. The Agony in the Garden
2. The Scourging at the Pillar
3. The Crowning with Thorns
4. The Carrying of the Cross
5. The Crucifixion

Glorious Mysteries

1. The Resurrection
2. The Ascension
3. The Coming of the Holy Spirit
4. The Assumption of Mary
5. The Coronation of Mary

Hail, Holy Queen

Hail, holy Queen, mother of mercy:
hail, our life, our sweetness,
and our hope.
To you we cry, the children of Eve;
to you we send up our sighs,
mourning and weeping
in this land of exile.
Turn, then, most gracious advocate,
your eyes of mercy toward us;
lead us home at last
and show us the blessed fruit
of your womb, Jesus.
O clement, O loving, O sweet
Virgin Mary.

Los Siete Sacramentos

Jesús le dio los Siete Sacramentos a la Iglesia. Los Siete Sacramentos son signos del amor de Dios por nosotros. Cuando celebramos los Sacramentos, Jesús está verdaderamente presente con nosotros. Compartimos la vida de la Santísima Trinidad.

Bautismo

Estamos unidos a Cristo. Nos hacemos miembros del Cuerpo de Cristo, la Iglesia.

Confirmación

El Espíritu Santo nos fortalece para vivir como hijos de Dios.

Eucaristía

Recibimos el Cuerpo y la Sangre de Jesús.

Reconciliación

Recibimos de Dios el don de perdón y paz.

Unción de los Enfermos

Recibimos la fuerza sanadora de Dios cuando estamos enfermos, débiles por edad avanzada o moribundos.

Orden Sagrado

Se ordena un hombre bautizado para servir a la Iglesia como obispo, sacerdote o diácono.

Matrimonio

Un hombre bautizado y una mujer bautizada prometen amarse y respetarse como esposo y esposa para toda la vida. Prometen aceptar de Dios el don de los hijos.

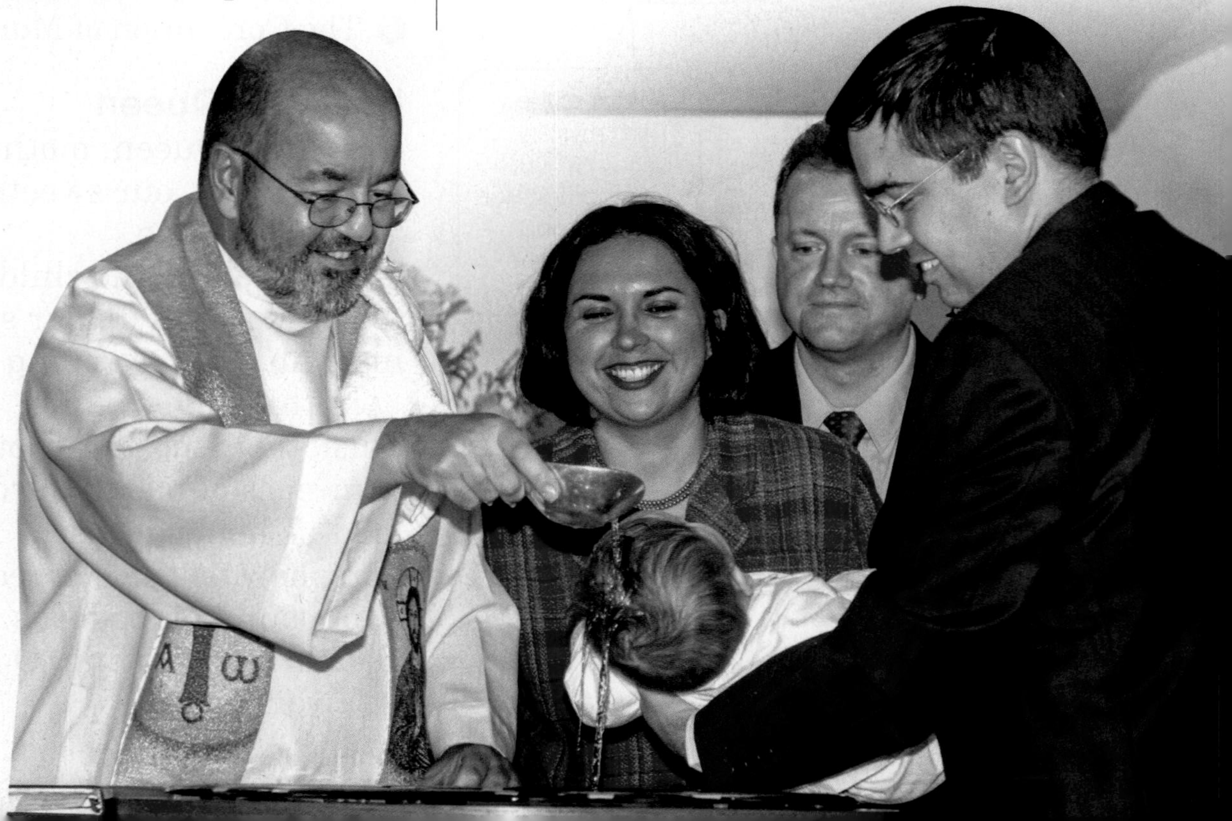

The Seven Sacraments

Jesus gave the Church the Seven Sacraments. The Seven Sacraments are signs of God's love for us. When we celebrate the Sacraments, Jesus is really present with us. We share in the life of the Holy Trinity.

Baptism

We are joined to Christ. We become members of the Body of Christ, the Church.

Confirmation

The Holy Spirit strengthens us to live as children of God.

Eucharist

We receive the Body and Blood of Jesus.

Reconciliation

We receive God's gift of forgiveness and peace.

Anointing of the Sick

We receive God's healing strength when we are sick or dying, or weak because of old age.

Holy Orders

A baptized man is ordained to serve the Church as a bishop, priest, or deacon.

Matrimony

A baptized man and a baptized woman make a lifelong promise to love and respect each other as husband and wife. They promise to accept the gift of children from God.

Celebramos la Misa

Los Ritos Iniciales

Recordamos que somos la comunidad de la Iglesia. Nos preparamos para escuchar la Palabra de Dios y celebrar la Eucaristía.

La entrada

Nos ponemos de pie mientras el sacerdote, el diácono y otros ministros entran a la asamblea. Cantamos un canto de entrada. El sacerdote y el diácono besan el altar. Luego el sacerdote va hacia una silla, desde donde preside la celebración.

Saludo al altar y al pueblo congregado

El sacerdote nos guía para hacer la Señal de la Cruz. El sacerdote nos saluda y respondemos:

"Y con tu espíritu".

El Acto Penitencial

Admitimos nuestras culpas y clamamos a Dios por su misericordia.

El Gloria

Alabamos a Dios todo lo bueno que Él ha hecho por nosotros.

La Oración Colecta / Oración Inicia

El sacerdote nos guía para rezar la oración de colecta o la oración inicial.

Respondemos: "Amén".

We Celebrate the Mass

The Introductory Rites

We remember that we are the community of the Church. We prepare to listen to the Word of God and to celebrate the Eucharist.

The Entrance

We stand as the priest, deacon, and other ministers enter the assembly. We sing a gathering song. The priest and deacon kiss the altar. The priest then goes to the chair, where he presides over the celebration.

Greeting of the Altar and of the People Gathered

The priest leads us in praying the Sign of the Cross. The priest greets us, and we say,

"And with your spirit."

The Penitential Act

We admit our wrongdoings. We bless God for his mercy.

The Gloria

We praise God for all the good that he has done for us.

The Collect

The priest leads us in praying the Collect, or the opening prayer. We respond, "Amen."

La Liturgia de la Palabra

Dios habla con nosotros hoy.
Escuchamos y respondemos a la Palabra de Dios.

La primera lectura de la Sagrada Escritura

Nos sentamos y escuchamos mientras el lector lee del Antiguo Testamento o de los Hechos de los Apóstoles. El lector termina diciendo: "Palabra de Dios". Respondemos:

"Te alabamos, Señor".

El Salmo Responsorial

El líder de canto nos guía para cantar un salmo.

La segunda lectura de la Sagrada Escritura

El lector lee del Nuevo Testamento pero no lee de los cuatro Evangelios. El lector termina diciendo: "Palabra de Dios". Respondemos:

"Te alabamos, Señor".

La aclamación

Nos ponemos de pie para honrar a Cristo, presente con nosotros en el Evangelio. El líder de canto nos guía para cantar el "**Aleluya**" u otra canción durante la Cuaresma.

El Evangelio

El diácono o el sacerdote proclama: "Lectura del santo Evangelio según san (nombre del escritor del Evangelio)". Respondemos:

"Gloria a ti, Señor".

Proclama el evangelio y al finalizar dice: "Palabra del Señor". Respondemos:

"Gloria a ti, Señor Jesús".

La homilía

Nos sentamos. El sacerdote o el diácono predica la homilía. Ayuda a que el pueblo entienda la Palabra de Dios oída en las lecturas.

La profesión de fe

Nos ponemos de pie y profesamos nuestra fe. Todos juntos rezamos el Credo de Nicea.

La Oración de los Fieles

El sacerdote nos guía para rezar por la Iglesia y sus líderes, por nuestro país y sus líderes, por nosotros y por los demás, por los enfermos y por quienes han muerto. Podemos responder a cada oración de diferentes maneras. Una manera de responder es:

"Te rogamos, Señor".

The Liturgy of the Word

God speaks to us today.
We listen and respond to God's Word.

The First Reading from Scripture

We sit and listen as the reader reads from the Old Testament or from the Acts of the Apostles. The reader concludes, "The Word of the Lord."
We respond,

"Thanks be to God."

The Responsorial Psalm

The song leader leads us in singing a psalm.

The Second Reading from Scripture

The reader reads from the New Testament, but not from the four Gospels. The reader concludes, "The Word of the Lord." We respond,

"Thanks be to God."

The Acclamation

We stand to honor Christ, present with us in the Gospel. The song leader leads us in singing "**Alleluia, Alleluia, Alleluia**," or another chant during Lent.

The Gospel

The deacon or priest proclaims, "A reading from the holy Gospel according to (name of Gospel writer)." We respond,

"Glory to you, O Lord."

He proclaims the Gospel. At the end he says, "The Gospel of the Lord."
We respond,

**"Praise to you,
Lord Jesus Christ."**

The Homily

We sit. The priest or deacon preaches the homily. He helps the people gathered to understand the Word of God spoken to us in the readings.

The Profession of Faith

We stand and profess our faith.
We pray the Nicene Creed together.

The Prayer of the Faithful

The priest leads us in praying for our Church and her leaders, for our country and its leaders, for ourselves and others, for those who are sick and those who have died. We can respond to each prayer in several ways. One way that we respond is,

"Lord, hear our prayer."

La Liturgia Eucarística

Nos unimos a Jesús y al Espíritu Santo
para agradecer y alabar a Dios Padre.

La preparación de los dones

Nos sentamos mientras se prepara la mesa del altar y se recibe la limosna. Compartimos nuestras bendiciones con la comunidad de la Iglesia y en especial con los necesitados. El líder de canto puede guiarnos en una canción. Se llevan al altar los dones del pan y el vino.

El sacerdote alza el pan y bendice a Dios por todos nuestros dones. Reza: "Bendito seas, Señor Dios del universo…". Respondemos:

"Bendito seas por siempre, Señor".

El sacerdote alza la copa y reza: "Bendito seas, Señor Dios del universo…". Respondemos:

"Bendito seas por siempre, Señor".

El sacerdote nos invita:

"Oremos, hermanos,
para que este sacrificio, mío y suyo,
sea agradable a Dios, Padre todopoderoso".

Nos ponemos de pie y respondemos:

"El Señor reciba de tus manos este sacrificio,
para alabanza y gloria de su nombre,
para nuestro bien
y el de toda su santa Iglesia".

La Oración sobre las Ofrendas

El sacerdote nos guía para rezar la Oración sobre las Ofrendas.
Respondemos: "**Amen**."

The Liturgy of the Eucharist

We join with Jesus and the Holy Spirit
to give thanks and praise to God the Father.

The Preparation of the Gifts

We sit as the altar table is prepared and the collection is taken up. We share our blessings with the community of the Church and especially with those in need. The song leader may lead us in singing a song. The gifts of bread and wine are brought to the altar.

The priest lifts up the bread and blesses God for all our gifts. He prays, "Blessed are you, Lord God of all creation . . ." We respond,

"Blessed be God for ever."

The priest lifts up the cup of wine and prays, "Blessed are you, Lord God of all creation . . . " We respond,

"Blessed be God for ever."

The priest invites us,

"Pray, brothers and sisters,
that my sacrifice and yours
may be acceptable to God,
the almighty Father."

We stand and respond,

"May the Lord accept the sacrifice at your hands for the praise and glory of his name, for our good, and the good of all his holy Church."

The Prayer over the Offerings

The priest leads us in praying the Prayer over the Offerings.
We respond, "**Amen**."

Prefacio

El sacerdote nos invita a unirnos para rezar la importante oración de la Iglesia de alabanza y acción de gracias a Dios Padre.

Sacerdote: "El Señor esté con ustedes".

Asamblea: "Y con tu espíritu".

Sacerdote: "Levantemos el corazón".

Asamblea: "Lo tenemos levantado hacia el Señor".

Sacerdote: "Demos gracias al Señor, nuestro Dios".

Asamblea: "Es justo y necesario".

Después de que el sacerdote canta o reza en voz alta el prefacio, nos unimos para proclamar:

"Santo, santo, santo es el Señor,
Dios del universo.
Llenos están el cielo y la tierra
de tu gloria.
Hosanna en el cielo.
Bendito el que viene en el
nombre del Señor.
Hosanna en el cielo."

La Plegaria Eucarística

El sacerdote guía a la asamblea para rezar la Plegaria Eucarística. Rogamos al Espíritu Santo para que santifique nuestros dones del pan y el vino y los convierta en el Cuerpo y la Sangre de Jesús. Recordamos lo sucedió en la Última Cena. El pan y el vino se convierten en el Cuerpo y la Sangre del Señor. Jesús está verdadera y realmente presente bajo la apariencia del pan y el vino.

El sacerdote canta o reza en voz alta el "Misterio de la fe". Respondemos usando esta u otra aclamación de la Iglesia:

"Anunciamos tu muerte,
proclamamos tu resurrección.
¡Ven, Señor Jesús!".

Luego el sacerdote reza por la Iglesia. Reza por los vivos y los muertos.

Doxología

El sacerdote termina de rezar la Plegaria Eucarística. Canta o reza en voz alta:

"Por Cristo, con él y en él,
a ti, Dios Padre omnipotente,
en la unidad del Espíritu Santo,
todo honor y toda gloria
por los siglos de los siglos".

Respondemos cantando: "**Amén**".

Preface

The priest invites us to join in praying the Church's great prayer of praise and thanksgiving to God the Father.

Priest: "The Lord be with you."
Assembly: "And with your spirit."
Priest: "Lift up your hearts."
Assembly: "We lift them up to the Lord."
Priest: "Let us give thanks to the Lord our God."
Assembly: "It is right and just."

After the priest sings or prays aloud the preface, we join in acclaiming,

"Holy, Holy, Holy Lord God of hosts.
Heaven and earth are full of your glory.
Hosanna in the highest.
Blessed is he who comes in the name of the Lord.
Hosanna in the highest."

The Eucharistic Prayer

The priest leads the assembly in praying the Eucharistic Prayer. We call on the Holy Spirit to make our gifts of bread and wine holy and that they become the Body and Blood of Jesus. We recall what happened at the Last Supper. The bread and wine become the Body and Blood of the Lord. Jesus is truly and really present under the appearances of bread and wine.

The priest sings or says aloud, "The mystery of faith." We respond using this or another acclamation used by the Church,

"We proclaim your Death, O Lord, and profess your Resurrection until you come again."

The priest then prays for the Church. He prays for the living and the dead.

Doxology

The priest concludes the praying of the Eucharistic Prayer. He sings or prays aloud,

"Through him, and with him, and in him,
O God, almighty Father,
in the unity of the Holy Spirit, all glory and honor is yours,
for ever and ever."

We respond by singing, "**Amen**."

El Rito de la Comunión

La Oración del Señor
Rezamos juntos el Padre Nuestro.

El Rito de la Paz
El sacerdote nos invita a compartir una señal de la paz diciendo: "La paz del Señor esté siempre con ustedes". Respondemos:

"Y con tu espíritu".

Compartimos una señal de la paz.

La Fracción del Pan
El sacerdote parte la hostia o pan consagrado. Cantamos o rezamos en voz alta:

"Cordero de Dios, que quitas el pecado del mundo, ten piedad de nosotros.
Cordero de Dios, que quitas el pecado del mundo, ten piedad de nosotros.
Cordero de Dios, que quitas el pecado del mundo, danos la paz."

Comunión
El sacerdote alza la hostia y dice en voz alta:

"Éste es el Cordero de Dios,
que quita el pecado del mundo.
Dichosos los invitados a la cena del Señor".

Nos unimos a él y decimos:

"Señor, no soy digno de que entres en mi casa, pero una palabra tuya bastará para sanarme".

El sacerdote recibe la Comunión. Luego, el diácono y los ministros extraordinarios de la Sagrada Comunión y los miembros de la asamblea reciben la Comunión.

El sacerdote, el diácono o el ministro extraordinario de la Sagrada Comunión alza la hostia. Nos inclinamos y el sacerdote, el diácono o el ministro extraordinario de la Sagrada Comunión dice: "El Cuerpo de Cristo". Respondemos: "**Amén**". Luego recibimos la hostia consagrada en nuestras manos o sobre la lengua.

Si nos corresponde recibir la Sangre de Cristo, el sacerdote, el diácono o el ministro extraordinario de la Sagrada Comunión alza la copa que contiene el vino consagrado. Nos inclinamos y el sacerdote, el diácono o el ministro extraordinario de la Sagrada Comunión dice: "La Sangre de Cristo". Respondemos: "**Amén**". Tomamos la copa en las manos y bebemos de ella.

La Oración después de la Comunión
Nos ponemos de pie mientras el sacerdote nos invita a rezar, diciendo: "Oremos". Él reza la Oración después de la Comunión.
Respondemos:
"**Amen**."

The Communion Rite

The Lord's Prayer

We pray the Lord's Prayer together.

The Sign of Peace

The priest invites us to share a sign of peace, saying, "The peace of the Lord be with you always." We respond,

"And with your spirit."

We share a sign of peace.

The Fraction, or the Breaking of the Bread

The priest breaks the host, the consecrated bread. We sing or pray aloud,

"Lamb of God, you take away the sins of the world,
have mercy on us.
Lamb of God, you take away the sins of the world,
have mercy on us.
Lamb of God, you take away the sins of the world,
grant us peace."

Communion

The priest raises the host and says aloud,

"Behold the Lamb of God,
behold him who takes away the sins of the world.
Blessed are those called to the supper of the Lamb."

We join with him and say,

"Lord, I am not worthy that you should enter under my roof, but only say the word and my soul shall be healed."

The priest receives Communion. Next, the deacon and the extraordinary ministers of Holy Communion and the members of the assembly receive Communion.

The priest, deacon, or extraordinary minister of Holy Communion holds up the host. We bow, and the priest, deacon, or extraordinary minister of Holy Communion says, "The Body of Christ." We respond, "**Amen**." We then receive the consecrated host in our hands or on our tongues.

If we are to receive the Blood of Christ, the priest, deacon, or extraordinary minister of Holy Communion holds up the cup containing the consecrated wine. We bow, and the priest, deacon, or extraordinary minister of Holy Communion says, "The Blood of Christ." We respond, "**Amen**." We take the cup in our hands and drink from it.

The Prayer after Communion

We stand as the priest invites us to pray, saying, "Let us pray." He prays the Prayer after Communion. We respond,

"**Amen**."

El Rito de Conclusión

Se nos envía a hacer buenas obras, alabando y bendiciendo al Señor.

Saludo

Nos ponemos de pie. El sacerdote nos saluda mientras nos preparamos para irnos. Dice: "El Señor esté con ustedes". Respondemos:

"Y con tu espíritu".

Bendición final

El sacerdote o el diácono puede invitarnos diciendo:

"Inclinen la cabeza y oren para recibir la bendición de Dios".

El sacerdote nos bendice diciendo:

"La bendición de Dios todopoderoso, Padre, Hijo y Espíritu Santo, descienda sobre ustedes".

Respondemos: "**Amén**".

Despedida del pueblo

El sacerdote o el diácono nos despide, usando estas palabras u otras similares:

"Glorifiquen al Señor con su vida. Pueden ir en paz".

Respondemos:

"Demos gracias a Dios".

Cantamos un himno.

El sacerdote y el diácono besan el altar. El sacerdote, el diácono y los otros ministros se inclinan ante el altar y salen en procesión.

El Sacramento de la Reconciliación

Rito individual

Saludo
Lectura de la Escritura
Confesión de los pecados y aceptación de la penitencia
Oración del Penitente
Absolución
Oración de cierre

Rito comunitario

Saludo
Lectura de la Escritura
Homilía
Examen de Conciencia, una Letanía de Contrición y el Padre Nuestro
Confesión individual y absolución
Oración de cierre

The Concluding Rites

We are sent forth to do good works,
praising and blessing the Lord.

Greeting

We stand. The priest greets us as we prepare to leave. He says, "The Lord be with you." We respond,

"And with your spirit."

Final Blessing

The priest or deacon may invite us,

"Bow your heads and pray for God's blessing."

The priest blesses us, saying,

"May almighty God bless you:
the Father, and the Son,
and the Holy Spirit."

We respond, "**Amen**."

Dismissal of the People

The priest or deacon sends us forth, using these or similar words,

"Go in peace, glorifying the Lord by your life."

We respond,

"Thanks be to God."

We sing a hymn. The priest and the deacon kiss the altar. The priest, deacon, and other ministers bow to the altar and leave in procession.

The Sacrament of Reconciliation

Individual Rite

Greeting
Scripture Reading
Confession of Sins and Acceptance of Penance
Act of Contrition
Absolution
Closing Prayer

Communal Rite

Greeting
Scripture Reading
Homily
Examination of Conscience, a Litany of Contrition, and the Lord's Prayer
Individual Confession and Absolution
Closing Prayer

Enseñanzas clave de la Iglesia Católica

El Misterio de Dios

Revelación Divina

¿Quién soy?

Eres una persona creada por Dios. Dios quiere que vivas en amistad con Él aquí en la Tierra y en el Cielo para siempre.

¿Cómo sabemos esto acerca de nosotros mismos?

Dios conoce y ama a todas las personas. Dios también quiere que lo conozcas y lo ames. Dios nos habla acerca de nosotros. Dios también nos habla acerca de Él.

¿Cómo nos habló Dios?

Dios nos habla de muchas maneras. Primero, todas las cosas que Dios creó nos hablan de Él. Vemos la bondad y la belleza de Dios en la creación. Segundo, Dios vino a nosotros y nos habló acerca de sí mismo. Por sobre todo, nos habló cuando envió a su Hijo, Jesucristo. El Hijo de Dios se hizo como uno de nosotros y vivió entre nosotros. Él nos mostró quién es Dios.

¿Qué es la fe?

La fe es un don de Dios. Nos ayuda a conocer a Dios y a creer en Él.

¿Qué es un misterio de fe?

Nunca podremos saber un misterio de fe por completo. No podemos saber todo acerca de Dios. Solo sabemos quién es Dios porque Él nos habló acerca de Él mismo.

¿Qué es la Revelación Divina?

Dios quiere que lo conozcamos. La Revelación Divina es cómo Él se da a conocer a sí mismo. Dios nos ha hablado acerca de sí mismo y de su plan para nosotros. Él ha hecho esto para que podamos vivir en amistad con Él y con los demás para siempre.

¿Qué es la Sagrada Tradición?

La palabra *tradición* significa "transmitir". La Sagrada Tradición de la Iglesia nos transmite lo que Dios nos ha dicho. El Espíritu Santo guía a la Iglesia para hablarnos acerca de Dios.

Sagrada Escritura

¿Qué es la Sagrada Escritura?

La Sagrada Escritura significa "escritos sagrados". La Sagrada Escritura son los escritos que nos cuentan el relato de Dios.

¿Qué es la Biblia?

La Biblia es la Palabra de Dios. Es un libro sagrado. Los relatos de la Biblia nos enseñan acerca de Dios. La Biblia nos cuenta relatos acerca de Jesús. Cuando escuchas la Biblia, estás escuchando a Dios.

¿Qué significa decir que la Biblia fue inspirada?

Esto significa que el Espíritu Santo ayudó a personas a escribir acerca de Dios. El Espíritu Santo ayudó a los escritores a decir lo que Dios quiere que sepamos acerca de Él.

¿Qué es el Antiguo Testamento?

El Antiguo Testamento es la primera parte de la Biblia. Tiene cuarenta y seis libros. Fueron escritos antes del nacimiento de Jesús. El Antiguo Testamento nos cuenta el relato de la creación. Nos cuenta acerca de Adán y Eva. Nos cuenta acerca de la promesa, o Alianza, entre Dios y su pueblo.

¿Qué es la Alianza?

La Alianza es la promesa que Dios y su pueblo se hicieron libremente. La promesa de Dios es que siempre amará y será bondadoso con su pueblo.

Key Teachings of the Catholic Church

The Mystery of God

Divine Revelation

Who am I?

You are a person created by God. God wants you to live in friendship with him on Earth and forever in Heaven.

How do we know this about ourselves?

God knows and loves all people. God wants us to know and love him too. God tells us about ourselves. God also tells us about himself.

How did God tell us?

God tells us in many ways. First, all the things God has created tell us about him. We see God's goodness and beauty in creation. Second, God came to us and he told us about himself. He told us the most when he sent his Son, Jesus Christ. God's Son became one of us and lived among us. He showed us who God is.

What is faith?

Faith is a gift from God. It helps us to know and to believe in God.

What is a mystery of faith?

A mystery of faith can never be known completely. We cannot know everything about God. We only know who God is because he told us about himself.

What is Divine Revelation?

God wants us to know about him. Divine Revelation is how he freely makes himself known to us. God has told us about himself and his plan for us. He has done this so that we can live in friendship with him and with one another forever.

What is Sacred Tradition?

The word *tradition* means "to pass on." The Church's Sacred Tradition passes on what God has told us. The Holy Spirit guides the Church to tell us about God.

Sacred Scripture

What is Sacred Scripture?

Sacred Scripture means "holy writings." Sacred Scripture are writings that tell God's story.

What is the Bible?

The Bible is God's Word. It is a holy book. The stories in the Bible teach about God. The Bible tells the stories about Jesus. When you listen to the Bible, you are listening to God.

What does it mean to say that the Bible is inspired?

This means that the Holy Spirit helped people write about God. The Holy Spirit helped the writers tell what God wants us to know about him.

What is the Old Testament?

The Old Testament is the first part of the Bible. It has forty-six books. They were written before the birth of Jesus. The Old Testament tells the story of creation. It tells about Adam and Eve. It tells about the promise, or Covenant, between God and his people.

What is the Covenant?

The Covenant is the promise that God and his people freely made. It is God's promise always to love and be kind to his people.

¿Qué son los escritos de los profetas?

Dios eligió a personas para que hablaran en su nombre. A estas personas las llamaban profetas. Leemos el mensaje de los profetas en la Biblia. Los profetas le recuerdan al pueblo de Dios que Él es fiel. Le recuerdan al pueblo de Dios que deben ser fieles a la Alianza.

¿Qué es el Nuevo Testamento?

El Nuevo Testamento es la segunda parte de la Biblia. Tiene veintisiete libros. Estos libros fueron inspirados por el Espíritu Santo. Fueron escritos en la época de los Apóstoles. Nos hablan acerca de Jesucristo. Nos cuentan acerca de su obra de salvación.

¿Qué son los Evangelios?

Los Evangelios son los cuatro libros al comienzo del Nuevo Testamento. Nos cuentan la historia de Jesús y sus enseñanzas. Los cuatro Evangelios son Mateo, Marcos, Lucas y Juan.

¿Qué son las cartas de San Pablo?

Las cartas de San Pablo están en el Nuevo Testamento. Las cartas nos enseñan acerca de la Iglesia. Nos explican cómo seguir a Jesús. Algunas de estas cartas se escribieron antes que los Evangelios.

La Santísima Trinidad

¿Quién es el Misterio de la Santísima Trinidad?

La Santísima Trinidad es el misterio de un Dios en Tres Personas: Dios Padre, Dios Hijo y Dios Espíritu Santo.

¿Quién es Dios Padre?

Dios Padre es la Primera Persona de la Santísima Trinidad.

¿Quién es Dios Hijo?

Jesucristo es Dios Hijo. Él es la Segunda Persona de la Santísima Trinidad. Dios Padre envió a su Hijo a ser como uno de nosotros y a vivir entre nosotros.

¿Quién es Dios Espíritu Santo?

El Espíritu Santo es la Tercera Persona de la Santísima Trinidad. Dios nos envía al Espíritu Santo para ayudarnos a conocer mejor a Dios y a amarlo. El Espíritu Santo nos ayuda a vivir como hijos de Dios.

Obra divina de la Creación

¿Qué quiere decir llamar a Dios el Creador?

Dios es el Creador. Él nos hizo a todos y a todas las cosas por amor. Él nos ha creado a todos y a todas las cosas sin ninguna ayuda.

¿Quiénes son los ángeles?

Los ángeles son seres espirituales. Ellos no tienen un cuerpo como nosotros. Los ángeles glorifican a Dios en todo momento. A veces sirven a Dios llevando su mensaje a las personas.

¿Por qué son especiales los seres humanos?

Dios crea a cada ser humano a su imagen y semejanza. Dios comparte su vida con nosotros. Dios quiere que seamos felices con Él para siempre.

¿Qué es el alma?

El alma es la parte espiritual de una persona. El alma nunca muere. Es una parte de nosotros que vive para siempre. Lleva la imagen de Dios.

¿Qué es el libre albedrío?

El libre albedrío es el poder que Dios nos da de elegir entre el bien y el mal. El libre albedrío nos da el poder de dirigirnos a Dios.

What are the writings of the prophets?

God chose people to speak in his name. These people are called the prophets. We read the message of the prophets in the Bible. The prophets remind God's people that God is faithful. They remind God's people to be faithful to the Covenant.

What is the New Testament?

The New Testament is the second part of the Bible. It has twenty-seven books. These books were inspired by the Holy Spirit. They were written during the time of the Apostles. They are about Jesus Christ. They tell about his saving work.

What are the Gospels?

The Gospels are the four books at the beginning of the New Testament. They tell the story of Jesus and his teachings. The four Gospels are Matthew, Mark, Luke, and John.

What are the letters of Saint Paul?

The letters of Saint Paul are in the New Testament. The letters teach about the Church. They tell how to follow Jesus. Some of these letters were written before the Gospels.

The Holy Trinity

Who is the Mystery of the Holy Trinity?

The Holy Trinity is the mystery of one God in Three Persons—God the Father, God the Son, and God the Holy Spirit.

Who is God the Father?

God the Father is the First Person of the Holy Trinity.

Who is God the Son?

God the Son is Jesus Christ. He is the Second Person of the Holy Trinity. God the Father sent his Son to be one of us and live with us.

Who is God the Holy Spirit?

The Holy Spirit is the Third Person of the Holy Trinity. God sends us the Holy Spirit to help us to know and love God better. The Holy Spirit helps us live as children of God.

Divine Work of Creation

What does it mean to call God the Creator?

God is the Creator. He has made everyone and everything out of love. He has created everyone and everything without any help.

Who are angels?

Angels are spiritual beings. They do not have bodies like we do. Angels give glory to God at all times. They sometimes serve God by bringing his message to people.

Why are human beings special?

God creates every human being in his image and likeness. God shares his life with us. God wants us to be happy with him, forever.

What is the soul?

The soul is the spiritual part of a person. The soul will never die. It is the part of us that lives forever. It bears the image of God.

What is free will?

Free will is the power God gives us to choose between good and evil. Free will gives us the power to turn toward God.

¿Qué es el Pecado Original?

El Pecado Original es el pecado de Adán y Eva. Ellos eligieron desobedecer a Dios. Como resultado del Pecado Original, la muerte, el pecado y el sufrimiento llegaron al mundo.

Jesucristo, Hijo de Dios, Hijo de María

¿Qué es la Anunciación?

En la Anunciación el ángel Gabriel visitó a María. El ángel tenía un mensaje para ella. Dios la había elegido para ser la Madre de su Hijo, Jesús.

¿Qué es la Encarnación?

La Encarnación es el hecho de que el Hijo de Dios se hace hombre sin dejar de ser Dios. Jesucristo es verdadero Dios y verdadero hombre.

¿Qué significa que Jesús es el Señor?

La palabra *señor* significa "amo o soberano". Cuando llamamos "Señor" a Jesús, queremos decir que Jesús es verdaderamente Dios.

¿Qué es el Misterio Pascual?

El Misterio Pascual es la Pasión, Muerte, Resurrección y Ascensión de Jesucristo. Jesús pasó de la muerte a una vida nueva y gloriosa.

¿Qué es la Salvación?

La palabra *salvación* significa "salvar". Significa salvar a todas las personas del pecado y de la muerte por medio de Jesucristo.

¿Qué es la Resurrección?

La Resurrección es el hecho de que Dios hace volver a Jesús de entre los muertos a una nueva vida.

¿Qué es la Ascensión?

La Ascensión es el regreso del Cristo Resucitado a su Padre en el Cielo.

¿Qué significa la Segunda Venida de Cristo?

Cristo vendrá nuevamente en su gloria al final de los tiempos. Esto es la Segunda Venida de Cristo. Él juzgará a los vivos y a los muertos. Es el cumplimiento del plan de Dios.

¿Qué significa que Jesús es el Mesías?

La palabra *mesías* significa "ungido". Él es el Mesías. Dios prometió enviar al Mesías para salvar a su pueblo. Jesús es el Salvador del mundo.

El Misterio de la Iglesia

¿Qué es la Iglesia?

La palabra *iglesia* significa "los llamados a reunirse". La Iglesia es el Cuerpo de Cristo. Es el nuevo Pueblo de Dios.

¿Qué hace la Iglesia?

La Iglesia de lleva a todas las personas la Buena Nueva de Jesucristo. La Iglesia invita a todas las personas a conocer, amar y servir a Jesús.

¿Qué es el Cuerpo de Cristo?

La Iglesia es el Cuerpo de Cristo en la Tierra. Jesucristo es la Cabeza de la Iglesia y todas las personas bautizadas son los miembros.

¿Quiénes son Pueblo de Dios?

La Iglesia es el Pueblo de Dios. Dios invita a las personas a pertenecer al Pueblo de Dios. El Pueblo de Dios vive como una familia en Dios.

¿Qué es la Comunión de los Santos?

La Comunión de los Santos son las personas santas que forman parte de la Iglesia. Son los fieles seguidores de Jesús en la Tierra. Son aquellos que han muerto y que están purificándose. También son aquellos que han muerto y que son felices para siempre con Dios en el Cielo.

What is Original Sin?

Original Sin is the sin of Adam and Eve. They chose to disobey God. As a result of Original Sin, death, sin, and suffering came into the world.

Jesus Christ, Son of God, Son of Mary

What is the Annunciation?

At the Annunciation the angel Gabriel came to Mary. The angel had a message for her. God had chosen her to be the Mother of his Son, Jesus.

What is the Incarnation?

The Incarnation is the Son of God becoming a man and still being God. Jesus Christ is true God and true man.

What does it mean that Jesus is Lord?

The word *lord* means "master or ruler." When we call Jesus "Lord," we mean that he is truly God.

What is the Paschal Mystery?

The Paschal Mystery is the Passion, Death, Resurrection, and Ascension of Jesus Christ. Jesus passed over from death into new and glorious life.

What is Salvation?

The word *salvation* means "to save." It is the saving of all people from sin and death through Jesus Christ.

What is the Resurrection?

The Resurrection is God's raising Jesus from the dead to new life.

What is the Ascension?

The Ascension is the return of the Risen Jesus to his Father in Heaven.

What is the Second Coming of Christ?

Christ will come again in glory at the end of time. This is the Second Coming of Christ. He will judge the living and the dead. This is the fulfillment of God's plan.

What does it mean that Jesus is the Messiah?

The word *messiah* means "anointed one." He is the Messiah. God promised to send the Messiah to save all people. Jesus is the Savior of the world.

The Mystery of the Church

What is the Church?

The word *church* means "those who are called together." The Church is the Body of Christ. It is the new People of God.

What does the Church do?

The Church tells all people the Good News of Jesus Christ. The Church invites all people to know, love, and serve Jesus.

What is the Body of Christ?

The Church is the Body of Christ on Earth. Jesus Christ is the Head of the Church and all baptized people are its members.

Who are the People of God?

The Church is the People of God. God invites all people to belong to the People of God. The People of God live as one family in God.

What is the Communion of Saints?

The Communion of Saints is all of the holy people that make up the Church. It is the faithful followers of Jesus on Earth. It is those who have died who are still becoming holier. It is also those who have died and are happy forever with God in Heaven.

¿Cuáles son los Atributos de la Iglesia?

Existen cuatro maneras principales de describir a la Iglesia. Las llamamos los Cuatro Atributos de la Iglesia. La Iglesia es una, santa, católica y apostólica.

¿Quiénes son los Apóstoles?

Los Apóstoles son los discípulos que Jesús eligió. Él los envió a predicar el Evangelio a todo el mundo en su nombre. Algunos de ellos fueron Pedro, Andrés, Santiago y Juan.

¿Qué es Pentecostés?

Pentecostés es el día en que el Espíritu Santo descendió a los discípulos de Jesús. Esto sucedió cincuenta días después de la Resurrección. Ese día comenzó la obra de la Iglesia.

¿Quiénes son el clero?

El clero son los obispos, sacerdotes y diáconos. Ellos recibieron el Sacramento del Orden Sagrado. Ellos sirven a toda la Iglesia.

¿Cuál es el trabajo del Papa?

Jesucristo es la verdadera Cabeza de la Iglesia. El Papa y los obispos guían a la Iglesia en su nombre. El Papa es el obispo de Roma. Él es el sucesor de San Pedro Apóstol, el primer Papa. El Papa mantiene la unidad de la Iglesia. El Espíritu Santo guía al Papa cuando trata cuestiones de fe y de lo que creen los católicos.

¿Cuál es el trabajo de los obispos?

Los obispos son los sucesores de los otros Apóstoles. Ellos enseñan y guían a la Iglesia en las diócesis. El Espíritu Santo siempre guía al Papa y a todos los obispos. Él los guía cuando toman decisiones importantes.

¿Qué es la vida religiosa?

Algunos hombres y mujeres quieres seguir a Jesús de una manera especial. Ellos eligen la vida religiosa. Ellos prometen no casarse. Dedican toda su vida a hacer la obra de Jesús. Ellos prometen llevar vidas santas. Prometen vivir con sencillez. Comparten lo que tienen con los demás. Viven juntos en grupos y prometen obedecer las reglas de su comunidad. Pueden llevar vidas sencillas de oración, o enseñar, o cuidar de los pobres o los enfermos.

¿Quiénes son los laicos?

Muchas personas no reciben el Sacramento del Orden Sagrado. Muchos de ellos no son miembros de ninguna comunidad religiosa. Ellos son los laicos. Los laicos siguen a Cristo cada día con lo que hacen y lo que dicen.

La Santísima Virgen María

¿Quién es María?

Dios eligió a María para ser la madre de su único Hijo, Jesús. María es la Madre de Dios. Ella es la Madre de Jesús. Ella es la Madre de la Iglesia. María es la santa más importante.

¿Qué es la Inmaculada Concepción?

Desde el premier momento de su existencia, María fue preservada del pecado. Dios le concedió esta gracia especial durante toda su vida. Llamamos a esta gracia la Inmaculada Concepción.

¿Qué es la Asunción de María?

Al final de su vida en la Tierra, la Santísima Virgen María fue llevada en cuerpo y alma al Cielo. María escucha nuestras oraciones. Ella le dice a su Hijo lo que necesitamos. Ella nos recuerda la vida que todos esperamos compartir cuando Cristo, su Hijo, venga de nuevo en su gloria.

What are the Marks of the Church?

There are four main ways to describe the Church. We call these the Four Marks of the Church. The Church is one, holy, catholic, and apostolic.

Who are the Apostles?

The Apostles were the disciples who Jesus chose. He sent them to preach the Gospel to the whole world in his name. Some of their names are Peter, Andrew, James, and John.

What is Pentecost?

Pentecost is the day the Holy Spirit came to the disciples of Jesus. This happened fifty days after the Resurrection. The work of the Church began on this day.

Who are the clergy?

The clergy are bishops, priests, and deacons. They have received the Sacrament of Holy Orders. They serve the whole Church.

What is the work of the Pope?

Jesus Christ is the true Head of the Church. The Pope and the bishops lead the Church in his name. The Pope is the bishop of Rome. He is the successor to Saint Peter the Apostle, the first Pope. The Pope brings the Church together. The Holy Spirit guides the Pope when he speaks about faith and about what Catholics believe.

What is the work of the bishops?

The other bishops are the successors of the other Apostles. They teach and lead the Church in their dioceses. The Holy Spirit always guides the Pope and all of the bishops. He guides them when they make important decisions.

What is religious life?

Some men and women want to follow Jesus in a special way. They choose the religious life. They promise not to marry. They dedicate their whole lives to doing Jesus' work. They promise to live holy lives. They promise to live simply. They share what they have with others. They live together in groups and they promise to obey the rules of their community. They may lead quiet lives of prayer, or teach, or take care of people who are sick or poor.

Who are lay people?

Many people do not receive the Sacrament of Holy Orders. Many are not members of a religious community. These are lay people. Lay people follow Christ every day by what they do and say.

The Blessed Virgin Mary

Who is Mary?

God chose Mary to be the mother of his only Son, Jesus. Mary is the Mother of God. She is the Mother of Jesus. She is the Mother of the Church. Mary is the greatest saint.

What is the Immaculate Conception?

From the first moment of her being, Mary was preserved from sin. This special grace from God continued throughout her whole life. We call this the Immaculate Conception.

What is the Assumption of Mary?

At the end of her life on Earth, the Blessed Virgin Mary was taken body and soul into Heaven. Mary hears our prayers. She tells her Son what we need. She reminds us of the life that we all hope to share when Christ, her Son, comes again in glory.

La vida eterna

¿Qué es la vida eterna?
La vida eterna es la vida después de la muerte. Al morir, el alma deja el cuerpo y pasa a la vida eterna.

¿Qué es el Cielo?
El Cielo es vivir con Dios y con María y con todos los santos en felicidad para siempre después de la muerte.

¿Qué es el Reino de Dios?
Al Reino de Dios también se los llama el Reino de los Cielos. Es todas las personas y la creación viviendo en amistad con Dios.

¿Qué es el Purgatorio?
El Purgatorio es la oportunidad de crecer en nuestro amor por Dios después de la muerte para que podamos vivir para siempre en el Cielo.

¿Qué es el infierno?
El infierno es vivir apartados de Dios y de los santos para siempre después de la muerte.

Celebración de la vida y el misterio cristianos

La liturgia y el culto

¿Qué es el culto?
El culto es la alabanza que dirigimos a Dios. La Iglesia adora a Dios en la liturgia.

¿Qué es la liturgia?
La liturgia es el culto de Dios de la Iglesia. Es la obra del Cuerpo de Cristo. Cristo está presente por el poder del Espíritu Santo.

¿Qué es el año litúrgico?
El año litúrgico es el nombre de los tiempos y días festivos que forman un año en el culto de la Iglesia. Los tiempos más importantes del año litúrgico son Adviento, Navidad, Cuaresma y Pascua.
El Triduo son los tres días santos justo antes de la Pascua. Al resto del año litúrgico se lo llama Tiempo Ordinario.

Los Sacramentos

¿Qué son los Sacramentos?
Los Sacramentos son los siete signos del amor de Dios por nosotros y que Jesús dio a la Iglesia. Compartimos el amor de Dios cuando celebramos los Sacramentos.

¿Cuáles son los Sacramentos de la Iniciación Cristiana?
Los Sacramentos de la Iniciación Cristiana son el Bautismo, la Confirmación y la Eucaristía.

¿Qué es el Sacramento del Bautismo?
El Bautismo nos une a Cristo. Nos hace miembros de la Iglesia. Recibimos el don del Espíritu Santo. Se nos perdonan el Pecado Original y nuestros pecados personales. A través del Bautismo, pertenecemos a Cristo.

¿Qué es el Sacramento de la Confirmación?
En la Confirmación recibimos el don del Espíritu Santo. El Espíritu Santo nos fortalece para vivir nuestro Bautismo.

¿Qué es el Sacramento de la Eucaristía?
En la Eucaristía, nos unimos a Cristo. Agradecemos, honramos y glorificamos a Dios Padre. A través del poder del Espíritu Santo, el pan y el vino se convierten en el Cuerpo y la Sangre de Jesucristo.

Life Everlasting

What is eternal life?

Eternal life is life after death. At death the soul leaves the body. It passes into eternal life.

What is Heaven?

Heaven is living with God and with Mary and all the saints in happiness forever after we die.

What is the Kingdom of God?

The Kingdom of God is also called the Kingdom of Heaven. It is all people and creation living in friendship with God.

What is Purgatory?

Purgatory is the chance to grow in love for God after we die so we can live forever in heaven.

What is Hell?

Hell is life away from God and the saints forever after death.

Celebration of the Christian Life and Mystery

Liturgy and Worship

What is worship?

Worship is the praise we give God. The Church worships God in the liturgy.

What is liturgy?

The liturgy is the Church's worship of God. It is the work of the Body of Christ. Christ is present by the power of the Holy Spirit.

What is the liturgical year?

The liturgical year is the name of the seasons and feasts that make up the Church's year of worship. The main seasons of the Church year are Advent, Christmas, Lent, and Easter. The Triduum is the three holy days just before Easter. The rest of the liturgical year is called Ordinary Time.

The Sacraments

What are the Sacraments?

The Sacraments are the seven signs of God's love for us that Jesus gave the Church. We share in God's love when we celebrate the Sacraments.

What are the Sacraments of Christian Initiation?

The Sacraments of Christian Initiation are Baptism, Confirmation, and Eucharist.

What is the Sacrament of Baptism?

Baptism joins us to Christ. It makes us members of the Church. We receive the gift of the Holy Spirit. Original Sin and our personal sins are forgiven. Through Baptism, we belong to Christ.

What is the Sacrament of Confirmation?

At Confirmation we receive the gift of the Holy Spirit. The Holy Spirit strengthens us to live our Baptism.

What is the Sacrament of Eucharist?

In the Eucharist, we join with Christ. We give thanksgiving, honor, and glory to God the Father. Through the power of the Holy Spirit, the bread and wine become the Body and Blood of Jesus Christ.

¿Por qué debemos participar en la Misa del domingo?

Los católicos participan en la Eucaristía los domingos y los días de precepto. El domingo es el Día del Señor. Para los cristianos es necesario participar en la Misa y recibir la Sagrada Comunión, el Cuerpo y la Sangre de Cristo. Una vez que alcanzamos la edad de la razón.

¿Qué es la Misa?

La Misa es la celebración más importante de la Iglesia. En la Misa adoramos a Dios. Escuchamos la Palabra de Dios. Celebramos y participamos de la Eucaristía.

¿Qué son los Sacramentos de Curación?

Los dos Sacramentos de Curación son el Sacramento de la Penitencia y de la Reconciliación, y el Sacramento de la Unción de los Enfermos.

¿Qué es la confesión?

La confesión es contarle nuestros pecados a un sacerdote en el Sacramento de la Penitencia. La confesión es otro nombre del Sacramento de la Penitencia.

¿Qué es la contrición?

La contrición es estar verdaderamente arrepentidos de nuestros pecados. Queremos reparar el daño que causaron nuestros pecados. No queremos pecar nuevamente.

¿Qué es la penitencia?

La penitencia es una oración o un acto de bondad. La penitencia que hacemos muestra que estamos verdaderamente arrepentidos de nuestros pecados. El sacerdote nos da una penitencia para reparar el daño que causó nuestro pecado.

¿Qué es la absolución?

La absolución es el perdón de nuestros pecados, otorgado por Dios, a través de las palabras y las acciones del sacerdote.

¿Qué es el Sacramento de la Unción de los Enfermos?

El Sacramento de la Unción de los Enfermos es uno de los dos Sacramentos de Curación. Las personas muy enfermas, ancianas o moribundas reciben este Sacramento. Este Sacramento ayuda a fortalecer nuestra fe y confianza en Dios.

¿Cuáles son los Sacramentos al Servicio de la Comunidad?

El Orden Sagrado y el Matrimonio son los dos Sacramentos al Servicio de la Comunidad. Las personas que reciben estos Sacramentos sirven a Dios.

¿Qué es el Sacramento del Orden Sagrado?

En este Sacramento, los hombres bautizados son consagrados como obispos, sacerdotes o diáconos. Ellos sirven a toda la Iglesia. Sirven en el nombre y la personas de Cristo.

¿Quién es un obispo?

Un obispo es un sacerdote. Él recibe la plenitud del Sacramento del Orden Sagrado. Es un sucesor de los Apóstoles. Él guía y sirve a la diócesis. Enseña y dirige el culto en el nombre de Jesús.

¿Quién es un sacerdote?

Un sacerdote es un hombre bautizado que recibe el Sacramento del Orden Sagrado. Los sacerdotes trabajan con sus obispos. El sacerdote enseña sobre la fe católica. Él celebra la Misa. Los sacerdotes ayudan a guiar la Iglesia.

¿Quién es un diácono?

Un diácono se ordena para ayudar a los obispos y los sacerdotes. Él no es un sacerdote. Se ordenó para servir a la Iglesia.

Why do we have to participate at Sunday Mass?

Catholics participate in the Eucharist on Sundays and holy days of obligation. Sunday is the Lord's Day. Participating at the Mass, and receiving Holy Communion, the Body and Blood of Christ, when we are old enough, are necessary for Christians.

What is the Mass?

The Mass is the main celebration of the Church. At Mass we worship God. We listen to God's Word. We celebrate and share in the Eucharist.

What are the Sacraments of Healing?

The two Sacraments of Healing are the Sacrament of Penance and Reconciliation and the Sacrament of Anointing of the Sick.

What is confession?

Confession is telling our sins to a priest in the Sacrament of Penance. Confession is another name for the Sacrament of Penance.

What is contrition?

Contrition is being truly sorry for our sins. We want to make up for the hurt our sins have caused. We do not want to sin again.

What is penance?

A penance is a prayer or act of kindness. The penance we do shows that we are truly sorry for our sins. The priest gives us a penance to help repair the hurt caused by our sin.

What is absolution?

Absolution is the forgiveness of sins by God through the words and actions of the priest.

What is the Sacrament of Anointing of the Sick?

The Sacrament of Anointing of the Sick is one of the two Sacraments of Healing. We receive this Sacrament when we are very sick, old, or dying. This Sacrament helps make our faith and trust in God strong.

What are the Sacraments at the Service of Communion?

Holy Orders and Matrimony, or Marriage, are the two Sacraments at the Service of Communion. People who receive these Sacraments serve God.

What is the Sacrament of Holy Orders?

In this Sacrament, baptized men are consecrated as bishops, priests, or deacons. They serve the whole Church. They serve in the name and person of Christ.

Who is a bishop?

A bishop is a priest. He receives the fullness of the Sacrament of Holy Orders. He is a successor to the Apostles. He leads and serves in a diocese. He teaches and leads worship in the name of Jesus.

Who is a priest?

A priest is a baptized man who receives the Sacrament of Holy Orders. Priests work with their bishops. The priest teaches about the Catholic faith. He celebrates Mass. Priests help to guide the Church.

Who is a deacon?

A deacon is ordained to help bishops and priests. He is not a priest. He is ordained to serve the Church.

¿Qué es el Sacramento del Matrimonio?

En el Sacramento del Matrimonio, un hombre bautizado y una mujer bautizada se hacen una promesa para toda la vida. Ellos prometen servir a la Iglesia como una pareja casada. Prometen amarse mutuamente. Ellos muestran el amor de Cristo a los demás.

¿Qué son los sacramentales de la Iglesia?

Los sacramentales son objetos y bendiciones que usa la Iglesia. Nos ayudan a adorar a Dios.

Vida en el Espíritu

La vida moral

¿Por qué nos creó Dios?

Dios nos creó para honrarlo y glorificarlo. Dios nos creó para vivir una vida de bendición con Él, aquí en la Tierra y para siempre en el Cielo.

¿Qué significa vivir una vida moral?

Dios quiere que seamos felices. Él nos da el don de su gracia. Cuando aceptamos el don de Dios al vivir de la manera en que Jesús nos enseñó, vivimos con moralidad.

¿Qué es el Gran Mandamiento?

Jesús nos enseñó a amar a Dios por sobre todas las cosas. Él nos enseñó a amar a nuestro prójimo como a nosotros mismos. Este es el camino a la felicidad.

¿Cuáles son los Diez Mandamientos?

Los Diez Mandamientos son las leyes que Dios le dio a Moisés. Nos enseñan a vivir como el pueblo de Dios. Nos enseñan a amar a Dios, a los demás y a nosotros mismos.

Los Mandamientos están escritos en el corazón de todas las personas.

¿Qué son las Bienaventuranzas?

Las Bienaventuranzas son las enseñanzas de Jesús. Nos enseñan qué es la verdadera felicidad. Las Bienaventuranzas nos cuentan acerca del Reino de Dios. Nos ayudan a vivir como seguidores de Jesús. Nos ayudan a mantener nuestra vida centrada en Dios.

¿Qué son las Obras de Misericordia?

El amor y la bondad de Dios obran en el mundo. Esto es la misericordia. Las obras de misericordia humanas son actos de caridad y bondad. Le tendemos la mano a las personas. Los ayudamos cuando tienen necesidades corporales y espirituales.

¿Qué son los Preceptos de la Iglesia?

Los Preceptos de la Iglesia son cinco reglas. Estas reglas nos ayudan a adorar a Dios y a crecer en amor por Dios y por nuestro prójimo.

Santidad de vida y gracia

¿Qué es la santidad?

La santidad es la vida con Dios. Las personas santas tienen una buena relación con Dios, con las personas y con toda la creación.

¿Qué es la gracia?

La gracia es el don de Dios de compartir su vida y su amor con nosotros.

¿Qué es la gracia santificante?

La gracia santificante es la gracia que recibimos en el Bautismo. Es un don de Dios concedido libremente y dado por el Espíritu Santo.

What is the Sacrament of Matrimony?

In the Sacrament of Matrimony, or Marriage, a baptized man and a baptized woman make a lifelong promise. They promise to serve the Church as a married couple. They promise to love each other. They show Christ's love to others.

What are the sacramentals of the Church?

Sacramentals are objects and blessings the Church uses. They help us worship God.

Life in the Spirit

The Moral Life

Why did God create us?

God created us to give honor and glory to him. God created us to live a life of blessing with him here on Earth and forever in Heaven.

What does it mean to live a moral life?

God wants us to be happy. He gives us the gift of his grace. When we accept God's gift by living the way Jesus taught us, we are being moral.

What is the Great Commandment?

Jesus taught us to love God above all else. He taught us to love our neighbor as ourselves. This is the path to happiness.

What are the Ten Commandments?

The Ten Commandments are the laws that God gave Moses. They teach us to live as God's people. They teach us to love God, others, and ourselves. The Commandments are written on the hearts of all people.

What are the Beatitudes?

The Beatitudes are teachings of Jesus. They tell us what real happiness is. The Beatitudes tell us about the Kingdom of God. They help us live as followers of Jesus. They help us keep God at the center of our lives.

What are the Works of Mercy?

God's love and kindness is at work in the world. This is what mercy is. Human works of mercy are acts of loving kindness. We reach out to people. We help them with what they need for their bodies and their spirits.

What are the Precepts of the Church?

The Precepts of the Church are five rules. These rules help us worship God and grow in love of God and our neighbor.

Holiness of Life and Grace

What is holiness?

Holiness is life with God. Holy people are in the right relationship with God, with people, and with all of creation.

What is grace?

Grace is the gift of God sharing of his life and love with us.

What is sanctifying grace?

Sanctifying grace is the grace we receive at Baptism. It is a free gift of God, given by the Holy Spirit.

¿Cuáles son los Dones del Espíritu Santo?
Los siete Dones del Espíritu Santo nos ayudan a vivir nuestro Bautismo. Ellos son: sabiduría, entendimiento, consejo, valor, ciencia, reverencia y admiración y veneración.

Las virtudes

¿Qué son las virtudes?
Las virtudes son poderes o hábitos espirituales. Las virtudes nos ayudan a hacer el bien.

¿Cuáles son las virtudes más importantes?
Las virtudes más importantes son las tres virtudes de la fe, la esperanza y el amor. Estas virtudes son dones de Dios. Nos ayudan a mantener nuestra vida centrada en Dios.

¿Qué es la conciencia?
Cada persona tiene una conciencia. Es un don que Dios da a cada persona. Nos ayuda a saber y a juzgar lo que está bien y lo que está mal. Nuestra conciencia nos mueve a hacer el bien y a evitar el mal.

El mal y el pecado

¿Qué es el mal?
El mal es el daño que elegimos hacernos unos a otros y a la creación de Dios.

¿Qué es la tentación?
Las tentaciones son sentimientos, personas y cosas que tratan de alejarnos del amor de Dios y de vivir una vida santa.

¿Qué es el pecado?
El pecado es la elección de hacer o decir libremente algo que sabemos que Dios no quiere que hagamos o digamos.

¿Qué es el pecado mortal?
Un pecado mortal es hacer o decir algo muy malo a propósito. Un pecado mortal está en contra de lo que Dios quiere que hagamos o digamos. Cuando cometemos un pecado mortal, perdemos la gracia santificante.

¿Qué son los pecados veniales?
Los pecados veniales son pecados menos graves que los pecados mortales. Debilitan nuestro amor por Dios y por los demás. Reducen nuestra santidad.

Oración cristiana

¿Qué es la oración?
La oración es hablar con Dios y escucharlo. Cuando rezamos, elevamos nuestra mente y nuestro corazón a Dios Padre, Dios Hijo y Dios Espíritu Santo.

¿Qué es el Padre Nuestro?
La Oración del Señor, o el Padre Nuestro, es la oración de todos los cristianos. Jesús enseñó el Padre Nuestro a sus discípulos. Jesús le dio esta oración a la Iglesia. Cuando rezamos el Padre Nuestro, nos acercamos a Dios y a Jesucristo, su Hijo. El Padre Nuestro nos ayuda a ser como Jesús.

¿Qué formas de oración hay?
Algunas forma de oración usan palabras que se dicen en voz alta o en silencio en nuestro corazón. Algunas oraciones silenciosas usan nuestra imaginación para acercarnos a Dios. Otra forma de oración silenciosa es simplemente estar con Dios.

What are the Gifts of the Holy Spirit?

The seven Gifts of the Holy Spirit help us to live our Baptism. They are wisdom, understanding, right judgment, courage, knowledge, reverence, and wonder and awe.

The Virtues

What are the virtues?

The virtues are spiritual powers or habits. The virtues help us to do what is good.

What are the most important virtues?

The most important virtues are the three virtues of faith, hope, and love. These virtues are gifts from God. They help us keep God at the center of our lives.

What is conscience?

Every person has a conscience. It is a gift God gives to every person. It helps us know and judge what is right and what is wrong. Our consciences move us to do good and avoid evil.

Evil and Sin

What is evil?

Evil is the harm we choose to do to one another and to God's creation.

What is temptation?

Temptations are feelings, people, and things that try to get us to turn away from God's love and not live a holy life.

What is sin?

Sin is freely choosing to do or say something that we know God does not want us to do or say.

What is mortal sin?

A mortal sin is doing or saying something on purpose that is very bad. A mortal sin is against what God wants us to do or say. When we commit a mortal sin, we lose sanctifying grace.

What are venial sins?

Venial sins are sins that are less serious than mortal sins. They weaken our love for God and for one another. They make us less holy.

Christian Prayer

What is prayer?

Prayer is talking to and listening to God. When we pray, we raise our minds and hearts to God the Father, Son, and Holy Spirit.

What is the Our Father?

The Lord's Prayer, or Our Father, is the prayer of all Christians. Jesus taught his disciples the Our Father. Jesus gave this prayer to the Church. When we pray the Our Father, we come closer to God and to his Son, Jesus Christ. The Our Father helps us become like Jesus.

What kinds of prayer are there?

Some kinds of prayer use words that we say aloud or quietly in our hearts. Some silent prayers use our imagination to bring us closer to God. Another silent prayer is simply being with God.

Glosario

Ver página 570 para el glosario en ingles.

admiración [página 54]

La admiración es un don del Espíritu Santo. Nos ayuda a ver la grandeza de Dios y a descubrir más cosas acerca de Él. Luego nos lleva a alabarlo.

adorar [página 172]

Adorar significa honrar y amar a Dios por sobre todas las cosas.

agradecimiento [página 276]

Ser agradecidos es una parte importante de quiénes somos como discípulos de Jesús. Hemos recibido bendiciones y dones maravillosos. Jesús nos llama a ser personas agradecidas.

Alianza [página 98]

La Alianza es la promesa de Dios de amarnos siempre y de ser bondadoso con su pueblo.

alma [página 56]

Nuestra alma es la parte de nosotros que vive para siempre.

asamblea [página 246]

La asamblea es el pueblo de Dios reunido para celebrar la Misa. Todos los miembros de la asamblea participan de la celebración de la Misa.

Ascensión [página 130]

La Ascensión es el regreso de Jesús Resucitado a su Padre en el Cielo cuarenta días después de la Resurrección.

Bautismo [página 188]

El Bautismo es el Sacramento que nos une a Cristo y nos hace miembros de la Iglesia. Recibimos el don del Espíritu Santo y nos volvemos hijas e hijos adoptivos de Dios.

benignidad [página 128]

Mostramos benignidad cuando usamos los dones que recibimos de Dios para ayudar a los demás.

Biblia [página 25]

La Biblia es la Palabra de Dios escrita.

bondad [página 144]

La bondad es un signo de que vivimos nuestro Bautismo. Cuando somos buenos con las personas, mostramos que sabemos que son hijos de Dios. Cuando somos buenos con las personas, honramos a Dios.

caridad [página 245]

La caridad es la más importante de todas las virtudes. La caridad nos da el poder de amar a Dios por sobre todas las cosas. También nos da el poder para servir a las personas por amor a Dios.

Cielo [página 394]

El Cielo es la felicidad eterna con Dios y con todos los santos.

ciencia [página 202]

La ciencia es uno de los dones del Espíritu Santo. La ciencia nos ayuda a escuchar y a entender mejor el significado de la Palabra de Dios.

codiciar [página 368]

Codiciamos cuando deseamos algo de manera enfermiza.

compasión [página 260]

La compasión significa preocuparse por los demás cuando sufren o están tristes. Tener compasión nos lleva a querer ayudarlos a sentirse mejor.

Comunión de los Santos [página 146]

La Iglesia es la Comunión de los Santos. La Iglesia es la unión de todos los fieles seguidores de Jesús en la Tierra y en el Cielo.

conciencia [página 410]

La conciencia es un don de Dios que nos ayuda a elegir sabiamente.

confianza [página 424]

Cuando confiamos en alguien, sabemos que podemos contar con él. Podemos contar con él cuando tenemos una necesidad.

Confirmación [página 204]

La Confirmación es el Sacramento en el cual el don del Espíritu Santo nos fortalece para vivir nuestro Bautismo.

consecuencias [página 410]

Las consecuencias son las cosas buenas o malas que nos suceden después de que hacemos elecciones.

Creador [página 72]

Solo Dios es el Creador. Dios hizo a todas las personas y a todas las cosas por amor y sin ninguna ayuda.

creer [página 40]

Creer en Dios significa conocer a Dios y entregarnos a Él con todo nuestro corazón.

Crucifixión [página 114]

La Crucifixión es la muerte de Jesús en una cruz.

Cuerpo de Cristo [página 146]

La Iglesia es el Cuerpo de Cristo. Jesucristo es la Cabeza de la Iglesia. Todos los bautizados son miembros de la Iglesia.

D

Diez Mandamientos [página 352]

Los Diez Mandamientos son las leyes que Dios le dio a Moisés. Estos nos enseñan a vivir como el pueblo de Dios. Nos ayudan a vivir una vida feliz y santa.

discípulos [página 24]

Los discípulos son personas que siguen a alguien y aprenden de esa persona. Los discípulos de Jesús lo siguen y aprenden de Él.

dones espirituales [página 204]

El Espíritu Santo nos da dones espirituales para ayudarnos a amar y a servir a los demás. Usamos los dones espirituales para mostrar nuestro amor por Dios.

E

elecciones sabias [página 394]

Las elecciones sabias nos ayudan a vivir como seguidores de Dios.

esperanza [página 441]

La esperanza es la confianza de que Dios nos escucha, se preocupa por nosotros y que nos cuidará.

Eucaristía [página 278]

La Eucaristía es el Sacramento del Cuerpo y la Sangre de Jesucristo.

F

falso testimonio [página 368]

Dar falso testimonio significa decir mentiras.

fe [página 40]

La fe es un don de Dios que nos ayuda a creer en Él.

[página 186]

La virtud de la fe es un don de Dios. Nos da el poder de conocer a Dios y de creer en Él.

fortaleza [página 334]

La fortaleza es otra palabra para valor. La fortaleza nos ayuda a permanecer fuertes, a dar lo mejor y a hacer lo correcto y lo que está bien incluso cuando es difícil. El Espíritu Santo nos da el don de la fortaleza para vivir de la manera en que Dios quiere que vivamos.

gozo [página 408]

El gozo es uno de los Frutos del Espíritu Santo. El gozo muestra que estamos agradecidos por el amor de Dios y por todo lo que Dios ha hecho. El gozo muestra que disfrutamos de la vida y que disfrutamos al alegrar a los demás.

gracia santificante [página 426]

La gracia santificante es el don de Dios de compartir su vida con nosotros.

gracia [página 188]

La gracia es el don de Dios de compartir su vida con nosotros y de ayudarnos a vivir como sus hijos.

Gran Mandamiento [página 336]

El Gran Mandamiento es amar a Dios por sobre todas las cosas y de amar a los demás como a nosotros mismos.

H

honrar [página 70]

Cuando honramos a los demás, mostramos que los respetamos y los valoramos. Honramos a Dios porque estamos orgullosos de ser sus hijos.

[página 320]

Honrar a alguien es tratarlo con longanimidad, respeto y amor.

hospitalidad [página 38]

Jesús nos pide que tratemos a todas las personas con hospitalidad. La hospitalidad nos ayuda a recibir a los demás como hijos de Dios. Nos ayuda a tratar a los demás con dignidad y respeto.

humildad [página 392]

La humildad nos ayuda a reconocer que todo lo que somos y todo lo que tenemos viene de Dios. Somos humildes cuando elegimos seguir la voluntad de Dios y hacerla propia.

Jesucristo [página 98]

Jesucristo es el Hijo de Dios. Él es la Segunda Persona de la Santísima Trinidad que se hizo hombre por nosotros. Jesús es verdadero Dios y verdadero hombre.

justicia [página 366]

Practicamos la justicia cuando siempre damos lo mejor de nosotros para ser justos con los demás.

Liturgia de la Palabra [página 262]

La Liturgia de la Palabra es la primera parte principal de la Misa. Dios nos habla a través de las lecturas de la Biblia.

Liturgia Eucarística [página 278]

La Liturgia Eucarística es la segunda parte principal de la Misa. La Iglesia hace lo que hizo Jesús en la Última Cena.

longanimidad [página 318]

Actuamos con longanimidad cuando hacemos cosas que muestran que nos preocupamos por los demás. Somos amables cuando tratamos a los demás como queremos que nos traten.

M

Misa [página 246]

La Misa es la celebración más importante de la Iglesia. En la Misa, nos reunimos para adorar a Dios. Escuchamos la Palabra de Dios. Celebramos y participamos de la Eucaristía.

misericordia [página 96]

Jesús dijo: "Felices los misericordiosos". La misericordia nos ayuda a actuar con longanimidad hacia los demás de una forma u otra.

obediencia [página 350]

La autoridad es un don de Dios. Dios le da a las personas la autoridad de ayudarnos a seguir las leyes de Dios. Las personas con autoridad, tales como padres y abuelos, maestros y directores, sacerdotes y obispos, merecen respeto. La virtud de la obediencia nos da la fuerza de honrar y respetar a las personas con autoridad.

pecado [página 220]

El pecado es la elección libre de hacer o decir algo que sabemos que Dios no quiere que hagamos o digamos.

penitencia [página 220]

La penitencia es algo que hacemos o decimos para mostrar que estamos verdaderamente arrepentidos de haber elegido herir a alguien.

Pentecostés [página 130]

Pentecostés es el día en el que el Espíritu Santo descendió sobre los discípulos de Jesús cincuenta días después de la Resurrección.

perdón [página 218]

El perdón es un signo del amor. Pedimos perdón porque amamos a Dios. Queremos que todo vuelva a estar bien. Compartimos el perdón amoroso de Dios con los demás cuando perdonamos a las personas que nos hieren.

piedad [página 170]

La piedad es un don del Espíritu Santo. La piedad es el amor que sentimos por Dios. Ese amor hace que deseemos adorar, agradecer y alabar a Dios.

procesión [página 294]

Una procesión es un grupo de personas que caminan juntas con devoción. Es una oración en acción.

R

rabino [página 336]

Rabino viene de una palabra hebrea que significa maestro.

reconciliación [página 220]

La reconciliación significa volver a hacerse amigo de alguien.

Reino de Dios [página 442]

Al Reino de Dios también se lo llama Reino de los Cielos.

respeto [página 22]

Cuando prestamos atención a lo que los demás nos dicen, les mostramos respeto. Escuchar es una señal de respeto y puede ayudarnos a aprender mejor. El respeto por los demás es una manera en que mostramos el amor de Dios.

Resurrección [página 114]

La Resurrección es el momento cuando Dios hace volver a Jesús de entre los muertos a nueva vida.

S

Sacramentos [página 172]

Los Sacramentos son los siete signos del amor de Dios por nosotros, que Jesús dio a la Iglesia. Compartimos el amor de Dios cuando celebramos los Sacramentos.

sacrificio [página 112]

Nos sacrificamos cuando renunciamos a algo por amor a alguien. Jesús sacrificó su vida por todas las personas. Los seguidores de Jesús hacen sacrificios por amor a Dios y a los demás.

Santísima Trinidad [página 56]

La Santísima Trinidad es un Dios en Tres Personas Divinas: Dios Padre, Dios Hijo y Dios Espíritu Santo.

todopoderoso [página 72]

Solo Dios es todopoderoso. Esto significa que solamente Dios tiene el poder de hacer todo lo bueno.

V

valor [página 292]

Recibimos el don del valor del Espíritu Santo en el Bautismo. Este don nos ayuda a que elijamos hacer el bien.

Glossary

A

almighty [page 73]

God alone is almighty. This means that only God has the power to do everything good.

Ascension [page 131]

The Ascension is the return of the Risen Jesus to his Father in Heaven forty days after the Resurrection.

assembly [page 247]

The assembly is the people God gathered to celebrate Mass. All members of the assembly share in the celebration of Mass.

B

Baptism [page 189]

Baptism is the Sacrament that joins us to Christ and makes us members of the Church. We receive the gift of the Holy Spirit and become adopted sons and daughters of God.

believe [page 41]

To believe in God means to know God and to give ourselves to him with all our hearts.

Bible [page 26]

The Bible is the written Word of God.

Body of Christ [page 147]

The Church is the Body of Christ. Jesus Christ is the Head of the Church. All the baptized are members of the Church.

Communion of Saints [page 147]

The Church is the Communion of Saints. The Church is the unity of all the faithful followers of Jesus on Earth and those in Heaven.

compassion [page 261]

Compassion means to care about others when they are hurt or feeling sad. Having compassion makes us want to help them feel better.

Confirmation [page 205]
Confirmation is the Sacrament in which the gift of the Holy Spirit strengthens us to live our Baptism.

conscience [page 411]
Conscience is a gift from God that helps us to make wise choices.

consequences [page 411]
Consequences are the good or bad things that happen after we make choices.

courage [page 293]
We receive the gift of courage from the Holy Spirit at Baptism. This gift helps us choose to do what is good.

Covenant [page 99]
The Covenant is God's promise always to love and be kind to his people.

covet [page 369]
We covet when we have an unhealthy desire for something.

Creator [page 73]
God alone is the Creator. God made everyone and everything out of love and without any help.

Crucifixion [page 115]
The Crucifixion is the death of Jesus on a cross.

disciples [page 25]
Disciples are people who follow and learn from someone. Disciples of Jesus follow and learn from him.

Eucharist [page 279]
The Eucharist is the Sacrament of the Body and Blood of Jesus Christ.

faith [page 41]

Faith is a gift from God that makes us able to believe in him.

[page 187]

The virtue of faith is a gift from God. It gives us the power to come to know God and believe in him.

false witness [page 369]

Giving false witness means telling lies.

forgiveness [page 219]

Forgiveness is a sign of love. We ask for forgiveness because we love God. We want everything to be right again. We share God's forgiving love with others when we forgive people who hurt us.

fortitude [page 335]

Fortitude is another word for courage. Fortitude helps us stay strong, to do our best, and to do what is right and good when it's hard to do so. The Holy Spirit gives us the gift of fortitude to live the way that God wants us to live.

generosity [page 129]

We show generosity when we use the gifts we received from God to help others.

goodness [page 145]

Goodness is a sign that we are living our Baptism. When we are good to people, we show that we know they are children of God. When we are good to people, we honor God.

grace [page 189]

Grace is the gift of God sharing his life with us and helping us live as his children.

Great Commandment [page 337]

The Great Commandment is to love God above all else and to love others as we love ourselves.

H

Heaven [page 395]

Heaven is happiness forever with God and all the saints.

Holy Trinity [page 57]

The Holy Trinity is one God in Three Divine Person—God the Father, God the Son, and God the Holy Spirit.

honor [page 71]

When we honor others, we show respect and value them. We honor God because we are proud to be his children.

[page 321]

To honor someone is to treat them with kindness, respect, and love.

hope [page 442]

Hope is trusting that God hears us, cares about us, and will care for us.

hospitality [page 39]

Jesus tells us to treat all people with hospitality. Hospitality helps us welcome others as God's children. It helps us treat others with dignity and respect.

humility [page 393]

Humility helps us to recognize that all we are and all we have come from God. We are humble when we choose to follow God's ways and make them our own.

J

Jesus Christ [page 99]

Jesus Christ is the Son of God. He is the Second Person of the Holy Trinity who became one of us. Jesus is true God and true man.

joy [page 409]

Joy is one of the Fruits of the Holy Spirit. Joy shows that we are thankful for God's love and for all God has made. Joy shows that we enjoy life, and delight in making others joyful.

justice [page 367]

We practice justice when we do our very best to always be fair to others.

K

kindness [page 319]

We act with kindness when we do things that show we care. We are kind when we treat other people as we want to be treated.

Kingdom of God [page 443]

The Kingdom of God is also called the Kingdom of Heaven.

knowledge [page 203]

Knowledge is one of the gifts of the Holy Spirit. Knowledge helps us better hear and understand the meaning of the Word of God.

Liturgy of the Eucharist [page 279]

The Liturgy of the Eucharist is the second main part of the Mass. The Church does what Jesus did at the Last Supper.

Liturgy of the Word [page 263]

The Liturgy of the Word is the first main part of the Mass. God speaks to us through readings from the Bible.

love [page 246]

Love is the greatest of all virtues. Love gives us the power to cherish God above all things. It also gives us the power to serve people for the sake of God.

M

Mass [page 247]

The Mass is the most important celebration of the Church. At Mass, we gather to worship God. We listen to God's Word. We celebrate and share in the Eucharist.

mercy [page 97]

Jesus said, "Blessed are people of mercy." Mercy helps us act with kindness toward others, no matter what.

O

obedience [page 351]

Authority is a gift from God. God gives people authority to help us follow God's laws. People in authority, such as parents and grandparents, teachers and principals, priests and bishops, deserve respect. The virtue of obedience gives us strength to honor and respect people in authority.

P

penance [page 221]

Penance is something we do or say to show we are truly sorry for the choices we made to hurt someone.

Pentecost [page 131]

Pentecost is the day the Holy Spirit came to the disciples of Jesus fifty days after the Resurrection.

piety [page 171]

Piety is a gift of the Holy Spirit. Piety is the love we have for God. That love makes us want to worship and give God thanks and praise.

procession [page 295]

A procession is people prayerfully walking together. It is a prayer in action.

R

rabbi [page 337]

Rabbi is a Hebrew word that means teacher.

reconciliation [page 221]

Reconciliation means to become friends again.

respect [page 23]

When we pay attention to what others say to us, we show them respect. Listening is a sign of respect and can help us learn well. Respect for others is a way we show God's love.

Resurrection [page 115]

The Resurrection is God the Father raising Jesus from the dead to new life.

S

Sacraments [page 173]

The Sacraments are the seven signs of God's love for us that Jesus gave the Church. We share in God's love when we celebrate the Sacraments.

sacrifice [page 113]

You sacrifice when you give up something because you love someone. Jesus sacrificed his life for all people. Followers of Jesus make sacrifices out of love for God and for people.

sanctifying grace [page 427]

Sanctifying grace is the gift of God sharing his life with us.

sin [page 221]

Sin is freely choosing to do or say something we know God does not want us to do or say.

soul [page 57]
: Our soul is that part of us that lives forever.

spiritual gifts [page 205]
: The Holy Spirit gives us spiritual gifts to help us love and serve other people. We use the spiritual gifts to show our love for God.

Ten Commandments [page 353]
: The Ten Commandments are the laws that God gave Moses. They teach us to live as God's people. They help us live happy and holy lives.

thankfulness [page 277]
: Thankfulness is a big part of who we are as disciples of Jesus. We have received wonderful blessings and gifts. Jesus calls us to be a thankful people.

trust [page 425]
: When we trust someone, we know we can rely on them. We can depend on them to help us when we are in need.

wise choices [page 395]
: Wise choices help us to live as followers of God.

wonder [page 55]
: Wonder is a gift from the Holy Spirit. It helps us see God's greatness and discover more about God. It then moves us to praise him.

worship [page 173]
: Worship means to honor and love God above all else.

Índice

R-S-T-U

V-W-X-Y-Z

Index

R-S-T-U

V-W-X-Y-Z

Créditos

Ilustración de la portada: Marcia Adams Ho

CRÉDITOS DE FOTOGRAFÍA

Introducción: Página 10, © KidStock/Getty Images; 12, © Paul Aniszewski/shutterstock.
Capítulo 1: Página 21, © JGI/Jupiterimages; 26, © Digital Vision/Jupiterimages; 33, © Myrleen Ferguson Cate/Photo Edit; 34, © Design Pics Inc./Alamy.
Capítulo 2: Página 36, © Monkey Business Images/shutterstock; 38, © NA/Jupiterimages; 38, © Steve Skjold/Photo Edit; 40, © Purestock/Getty Images; 40, © Design/shutterstock; 48, © Visage/Alamy; 50, © Thinkstock Images/Jupiterimages.
Capítulo 3: Página 52, © Jose Luis Pelaez Inc / Getty Images; 56, © Leander aerenz/Getty Images; 56, © Thomas Barwick/Getty Images; 56, © Bec Parsons/Getty Images; 60, © BMD Images/Alamy; 64, © Lee Celano/Getty Images; 66, © MIXA/Jupiterimages
Capítulo 4: Página 68, © Monkey Business Images/shutterstock; 70, © Tony Anderson/Jupiterimages; 72, © Tischenko Irina/shutterstock; 72, © Tom Brakefield/Getty Images; 72, © palko72/shutterstock; 74, © Jorg Greuel/Getty Images; 76, © Courtney Weittenhiller; 80, © Orientaly/shutterstock; 80, © Sherri R. Camp/shutterstock; 82, © Stockbyte/Jupiterimages; 88, © Margie Politzer / Getty Images.
Capítulo 5: Página 96, © Design Pics/SW Productions/Jupiterimages; 96, © Jupiterimages; 106, © Digital Vision/Jupiterimages; 108, © Corbis Flirt/Alamy.
Capítulo 6: Página 110, © MBI/Alamy; 122, © Heide Benser/Corbis; 124, © Jose Luis Pelaez Inc/Getty Images.
Capítulo 7: Página 126, ©Medioimages/Photodisc/Jupiterimages; 128, © Jose Luis Pelaez Inc/Jupiterimages; 128, © Blend Images/Alamy; 134, © Myrleen Ferguson Cate/Photo Edit; 138, © Anthony-Masterson/Getty Images; 140, © Stewart Cohen/Jupiterimages.
Capítulo 8: Página 142, © Richard Levine/Alamy; 146, © Catholic News Service; 146, © ROBERT DEUTSCH/AFP/Getty Images; 150, © Tony Freeman/Photo Edit; 154, © Christopher Futcher/iStockphoto; 156, © Design Pics/SW Productions/Jupiterimages; 162, © AFP / Getty Images.
Capítulo 9: Página 168, © Fancy/Alamy; 170, © Hank Walker/Time & Life Pictures/Getty Images; 170, © Bettmann/CORBIS; 174, © Jim West / Alamy; 174, © Bill Wittman; 174, © Getty Images; 180, © David Gee 5/Alamy; 182, © Fuse/Jupiterimages.
Capítulo 10: Página 184, © Bill Wittman; 188, © Bill Wittman; 196, © Ghislain & Marie David de Lossy/Jupiterimages; 198, © Jupiterimages.
Capítulo 11: Página 200, © Lori Adamski Peek/Getty Images; 208, © Bill Wittman; 212, © Laura Doss/Corbis; 214, © Maria Teijeiro/Jupiterimages.
Capítulo 12: Página 216, © 501443/Jupiterimages; 224, © Bill Wittman; 228, © PhotoAlto/Michele Constantini/Getty Imges; 230, © Fuse/Jupiterimages; 236, © AFP / Getty Images.
Capítulo 13: Página 244, © patty_c/iStockphoto; 248, © The Crosiers/Gene Plaisted, OSC; 250, © Tony Freeman/Photo Edit; 254, © Tony Freeman/Photo Edit; 256, © SW Productions/Jupiterimages.
Capítulo 14: Página 258, © Jupiterimages; 260, © AP Photo/Press-Gazette, H. Marc Larson; 262, © Pitu Cau/Alamy; 262, © Tonis Valing/shutterstock; 270, © Sue McDonald/Alamy; 272, © Tom Merton/Jupiterimages.
Capítulo 15: Página 274, © Bill Wittman; 276 © Rick Friedman/Corbis; 282, © Tony Freeman/Photo Edit; 286, © Myrleen Ferguson Cate/Photo Edit; 288, © Inmagine/Alamy.
Capítulo 16: Página 290, © Peter Dazeley/Getty Images; 294, © Bill Wittman; 298, © Bill Wittman; 302, © John Lund/Sam Diephuis/Blend Images/Corbis; 304, © Myrleen Ferguson Cate/Photo Edit; 310, © Archbishopric of Lima.
Capítulo 17: Página 316, © Terry Vine/Blend Images/Corbis; 318, © AP Photo/Archdiocese of Detroit; 324, © Stockbyte/Jupiterimages; 324, © ERproductions Ltd/Jupiterimages; 324, © Frank Gaglione/Jupiterimages; 328, © DAJ/Getty Images; 330, © Bridget Taylor/Jupiterimages.
Capítulo 18: Página 332, © Purestock/Getty Images; 340, © Andersen Ross/Getty Images; 340, © Lito C. Uyan/CORBIS; Página 340, © Blend Images/Alamy; 344, © Compassionate Eye Foundation/Getty Images; 346, © Tony Freeman/Photo Edit.
Capítulo 19: Página 354, © Myrleen Ferguson Cate/Photo Edit; 354, © Myrleen Ferguson Cate/Photo Edit; 356, © Bill Wittman; 362, © Beau Lark/Corbis/Jupiterimages.
Capítulo 20: Página 364, © Kevin Fitzgerald/Getty Images; 366, © Bob Daemmrich/Photo Edit; 366, © Design Pics/SW Productions/Getty Images; 368, © Randy Faris/Corbis; 368, © KidStock/Blend Images/Corbis; 376, © Myrleen Ferguson Cate/Photo Edit; 378, © Fuse/Jupiterimages; 384, © Danita Delimont / Getty Images.
Capítulo 21: Página 390, © Varina Patel/Alamy; 392, © The Crosiers/Gene Plaisted, OSC; 394, © [apply pictures]/Alamy; 394, © Big Cheese Photo LLC/Alamy; 396, © Corbis Premium RF/Alamy; 396, © Bon Appetit/Alamy; 396, © Fancy/Alamy; 402, © Borderlands/Alamy; 404, © Radius Images/Jupiterimages.
Capítulo 22: Página 412, © MBI/Alamy; 418, © Somos Images /Alamy; 420, © JGI/Jupiterimages.
Capítulo 23: Página 422, © Purestock/Getty Images; 424, © Fuse/Jupiterimages; 426, © Grove Pashley/Jupiterimages; 428, © Bill Wittman; 430, © Jurgen Magg/Alamy; 434, © The Crosiers/Gene Plaisted, OSC; 436, © View Stock/Alamy.
Capítulo 24: Página 438, © James Shaffer/Photo Edit; 440, © VINCENZO PINTO/AFP/Getty Images; 440, © Bill Wittman; 442, © image100/Alamy; 442, © Blend Images/Alamy; 444, © George Doyle/Jupiterimages; 446, © Purestock/Jupiterimages; 450, © Corbis Premium RF/Alamy; 452, © Comstock/Jupiterimages; 458, © William H. McNichols, 1-866-576-1134, www.fatherbill.org.
Tiempos Litúrgicos: Página 460, © Design Pics Inc./Alamy; 462a, b, d, e © The Crosiers/Gene Plaisted, OSC; 465a, b, c, © The Crosiers/Gene Plaisted, OSC; 468, © The Crosiers/Gene Plaisted, OSC; 472, © The Crosiers/Gene Plaisted, OSC; 476, © The Bridgeman Art Library International; 480, © ER_09/shutterstock; 480, © The Bridgeman Art Library International; 484, © Jannis Werner/Alamy; 488, © The Crosiers/Gene Plaisted, OSC; 488, © The Bridgeman Art Library International; 492, © LUIS ACOSTA/AFP/Getty Images; 496, © The Crosiers/Gene Plaisted, OSC; 500, © Prisma Bildagentur AG/Alamy; 504, 508, 512, 516, 520, © The Crosiers/Gene Plaisted, OSC.
Apéndices: Página 524, © Visage/Alamy; 528, © Blend Images/Alamy; 534, © Bill Wittman; 536, © Bill Wittman; 538, © Bill Wittman; 540, © Bill Wittman.

CRÉDITOS DE ILUSTRACIONES

Introducción: UO1 © Carol Liddiment; UO2, © Carol Liddiment; UO3, © Carol Liddiment; UO4, © Carol Liddiment; UO5, © Carol Liddiment; UO6, © Carol Liddiment.
Capítulo 1: Página 22, © Q2A Media; 24, Q2A Media; 30, Q2A Media.
Capítulo 2: Página 42, © Carol Liddiment; 44, Q2A Media; 46, Q2A Media.
Capítulo 3: Página 54, © Q2A Media; 58, © Q2A Media; 62, © Q2A Media.
Capítulo 4: Página 74, © Q2A Media; 78, Q2A Media.
Capítulo 5: Página 94, Carol Liddiment; 98, Kristin Sorra; 100, Carol Liddiment ; 102, Carol Liddiment; 105, Natalia Vasquez.
Capítulo 6: Página 112, © Natalia Vasquez; 116, © Carol Liddiment .
Capítulo 7: Página 132, © Carol Liddiment.
Capítulo 8: Página 144, © Estudio Haus; 148, © Estudio Haus (Wilkinson).
Capítulo 9: Página 172, © Carol Liddiment.
Capítulo 10: Página 186, © Q2A Media; 190, © Carol Liddiment; 194, © Q2A Media.
Capítulo 11: Página 202, © Q2A Media.
Capítulo 12: Página 218, © Q2A Media; 220, © Q2A Media; 222, © Carol Liddiment.
Capítulo 13: Página 242, © Carol Liddiment; 246, © Carol Liddiment.
Capítulo 14: Página 260, © Q2A Media; 264-6, © Carol Liddiment.
Capítulo 15: Página 278, © Q2A Media; 280, © Carol Liddiment.
Capítulo 16: Página 292, © Estudio Haus; 296, © Carol Liddiment.
Capítulo 17: Página 320, © Carol Liddiment; 326, © Q2A Media.
Capítulo 18: Página 334, © Q2A Media; 336, © Carol Liddiment; 338, © Carol Liddiment.
Capítulo 19: Página 348, © Carol Liddiment; 350, © Q2A Media; 352, © Carol Liddiment; 360, © Q2A Media.
Capítulo 20: Página 370, © Carol Liddiment.
Capítulo 21: Página 398, © Q2A Media.
Capítulo 22: Página 406, © Carol Liddiment; 408, © Q2A Media; 416, © Remy Simard.
Tiempos Litúrgicos: Página 462c, © Carol Liddiment; 466, © Jomike Tejid; 490, © Jomike Tejido; 514, © Burgandy Beam.

Credits

Cover Illustration: Marcia Adams Ho

PHOTO CREDITS

Frontmatter: Page 11, © KidStock/Getty Images; 13, © Paul Aniszewski/shutterstock.
Chapter 1: Page 22, © JGI/Jupiterimages; 27, © Digital Vision/Jupiterimages; 34, © Myrleen Ferguson Cate/Photo Edit; 35, © Design Pics Inc./Alamy.
Chapter 2: Page 37, © Monkey Business Images/shutterstock; 39, © NA/Jupiterimages; 39, © Steve Skjold/Photo Edit; 41, © Purestock/Getty Images; 41, © Design/shutterstock; 49, © Visage/Alamy; 51, © Thinkstock Images/Jupiterimages.
Chapter 3: Page 53, © Jose Luis Pelaez Inc / Getty Images; 57, © Leander aerenz/Getty Images; 57, © Thomas Barwick/Getty Images; 57, © Bec Parsons/Getty Images; 61, © BMD Images/Alamy; 65, © Lee Celano/Getty Images; 67, © MIXA/Jupiterimages
Chapter 4: Page 69, © Monkey Business Images/shutterstock; 71, © Tony Anderson/Jupiterimages; 73, © Tischenko Irina/shutterstock; 73, © Tom Brakefield/Getty Images; 73, © palko72/shutterstock; 75, © Jorg Greuel/Getty Images; 77, © Courtney Weittenhiller; 81, © Orientaly/shutterstock; 81, © Sherri R. Camp/shutterstock; 83, © Stockbyte/Jupiterimages; 89, © Margie Politzer / Getty Images.
Chapter 5: Page 97, © Design Pics/SW Productions/Jupiterimages; 97, © Jupiterimages; 107, © Digital Vision/Jupiterimages; 109, © Corbis Flirt/Alamy.
Chapter 6: Page 111, © MBI/Alamy; 123, © Heide Benser/Corbis; 125, © Jose Luis Pelaez Inc/Getty Images.
Chapter 7: Page 127, ©Medioimages/Photodisc/Jupiterimages; 129, © Jose Luis Pelaez Inc/Jupiterimages; 129, © Blend Images/Alamy; 135, © Myrleen Ferguson Cate/Photo Edit; 139, © Anthony-Masterson/Getty Images; 141, © Stewart Cohen/Jupiterimages.
Chapter 8: Page 143, © Richard Levine/Alamy; 147, © Catholic News Service; 147, © ROBERT DEUTSCH/AFP/Getty Images; 151, © Tony Freeman/Photo Edit; 155, © Christopher Futcher/iStockphoto; 157, © Design Pics/SW Productions/Jupiterimages; 163, © AFP / Getty Images.
Chapter 9: Page 169, © Fancy/Alamy; 171, © Hank Walker/Time & Life Pictures/Getty Images; 171, © Bettmann/CORBIS; 175, © Jim West / Alamy; 175, © Bill Wittman; 175, © Getty Images; 181, © David Gee 5/Alamy; 183, © Fuse/Jupiterimages.
Chapter 10: Page 185, © Bill Wittman; 189, © Bill Wittman; 197, © Ghislain & Marie David de Lossy/Jupiterimages; 199, © Jupiterimages.
Chapter 11: Page 201, © Lori Adamski Peek/Getty Images; 209, © Bill Wittman; 213, © Laura Doss/Corbis; 215, © Maria Teijeiro/Jupiterimages.
Chapter 12: Page 217, © 501443/Jupiterimages; 225, © Bill Wittman; 227, © PhotoAlto/Michele Constantini/Getty Imges; 231, © Fuse/Jupiterimages; 237, © AFP / Getty Images.
Chapter 13: Page 245, © patty_c/iStockphoto; 249, © The Crosiers/Gene Plaisted, OSC; 251, © Tony Freeman/Photo Edit; 255, © Tony Freeman/Photo Edit; 257, © SW Productions/Jupiterimages.
Chapter 14: Page 259, © Jupiterimages; 261, © AP Photo/Press-Gazette, H. Marc Larson; 263, © Pitu Cau/Alamy; 263, © Tonis Valing/shutterstock; 271, © Sue McDonald/Alamy; 273, © Tom Merton/Jupiterimages.
Chapter 15: Page 275, © Bill Wittman; 277 © Rick Friedman/Corbis; 283, © Tony Freeman/Photo Edit; 287, © Myrleen Ferguson Cate/Photo Edit; 289, © Inmagine/Alamy.
Chapter 16: Page 291, © Peter Dazeley/Getty Images; 295, © Bill Wittman; 299, © Bill Wittman; 303, © John Lund/Sam Diephuis/Blend Images/Corbis; 305, © Myrleen Ferguson Cate/Photo Edit; 311, © Archbishopric of Lima.
Chapter 17: Page 317, © Terry Vine/Blend Images/Corbis; 319, © AP Photo/Archdiocese of Detroit; 325, © Stockbyte/Jupiterimages; 325, © ERproductions Ltd/Jupiterimages; 325, © Frank Gaglione/Jupiterimages; 329, © DAJ/Getty Images; 331, © Bridget Taylor/Jupiterimages.
Chapter 18: Page 333, © Purestock/Getty Images; 341, © Andersen Ross/Getty Images; 341, © Lito C. Uyan/CORBIS; Page 341, © Blend Images/Alamy; 345, © Compassionate Eye Foundation/Getty Images; 347, © Tony Freeman/Photo Edit.
Chapter 19: Page 355, © Myrleen Ferguson Cate/Photo Edit; 355, © Myrleen Ferguson Cate/Photo Edit; 357, © Bill Wittman; 363, © Beau Lark/Corbis/Jupiterimages.
Chapter 20: Page 365, © Kevin Fitzgerald/Getty Images; 367, © Bob Daemmrich/Photo Edit; 367, © Design Pics/SW Productions/Getty Images; 369, © Randy Faris/Corbis; 369, © KidStock/Blend Images/Corbis; 377, © Myrleen Ferguson Cate/Photo Edit; 379, © Fuse/Jupiterimages; 385, © Danita Delimont / Getty Images.
Chapter 21: Page 391, © Varina Patel/Alamy; 393, © The Crosiers/Gene Plaisted, OSC; 395, © [apply pictures]/Alamy; 395, © Big Cheese Photo LLC/Alamy; 397, © Corbis Premium RF/Alamy; 397, © Bon Appetit/Alamy; 397, © Fancy/Alamy; 403, © Borderlands/Alamy; 405, © Radius Images/Jupiterimages.
Chapter 22: Page 413, © MBI/Alamy; 419, © Somos Images /Alamy; 421, © JGI/Jupiterimages.
Chapter 23: Page 423, © Purestock/Getty Images; 425, © Fuse/Jupiterimages; 427, © Grove Pashley/Jupiterimages; 429, © Bill Wittman; 431, © Jurgen Magg/Alamy; 435, © The Crosiers/Gene Plaisted, OSC; 437, © View Stock/Alamy.
Chapter 24: Page 439, © James Shaffer/Photo Edit; 441, © VINCENZO PINTO/AFP/Getty Images; 441, © Bill Wittman; 443, © image100/Alamy; 443, © Blend Images/Alamy; 445, © George Doyle/Jupiterimages; 447, © Purestock/Jupiterimages; 451, © Corbis Premium RF/Alamy; 453, © Comstock/Jupiterimages; 459, © William H. McNichols, 1-866-576-1134, www.fatherbill.org.
Liturgical Seasons: Page 461, © Design Pics Inc./Alamy; 463a, b, d, e © The Crosiers/Gene Plaisted, OSC; 466a, b, c, © The Crosiers/Gene Plaisted, OSC; 469, © The Crosiers/Gene Plaisted, OSC; 473, © The Crosiers/Gene Plaisted, OSC; 477, © The Bridgeman Art Library International; 481, © ER_09/shutterstock; 481, © The Bridgeman Art Library International; 485, © Jannis Werner/Alamy; 489, © The Crosiers/Gene Plaisted, OSC; 489, © The Bridgeman Art Library International; 493, © LUIS ACOSTA/AFP/Getty Images; 497, © The Crosiers/Gene Plaisted, OSC; 501, © Prisma Bildagentur AG/Alamy; 505, 509, 513, 517, 521, © The Crosiers/Gene Plaisted, OSC.
Backmatter: Page 525, © Visage/Alamy; 529, © Blend Images/Alamy; 535, © Bill Wittman; 537, © Bill Wittman; 539, © Bill Wittman; 541, © Bill Wittman.

ILLUSTRATION CREDITS

Frontmatter: UO1 © Carol Liddiment; UO2, © Carol Liddiment; UO3, © Carol Liddiment; UO4, © Carol Liddiment; UO5, © Carol Liddiment; UO6, © Carol Liddiment.
Chapter 1: Page 22, © Q2A Media; 25, Q2A Media; 31, Q2A Media.
Chapter 2: Page 43, © Carol Liddiment; 45, Q2A Media; 47, Q2A Media.
Chapter 3: Page 55, © Q2A Media; 59, © Q2A Media; 63, © Q2A Media.
Chapter 4: Page 75, © Q2A Media; 79, Q2A Media.
Chapter 5: Page 95, Carol Liddiment; 99, Kristin Sorra; 101, Carol Liddiment ; 103, Carol Liddiment; 106, Natalia Vasquez.
Chapter 6: Page 113, © Natalia Vasquez; 117, © Carol Liddiment .
Chapter 7: Page 133, © Carol Liddiment.
Chapter 8: Page 145, © Estudio Haus; 147, © Estudio Haus (Wilkinson).
Chapter 9: Page 173, © Carol Liddiment.
Chapter 10: Page 187, © Q2A Media; 191, © Carol Liddiment; 195, © Q2A Media.
Chapter 11: Page 203, © Q2A Media.
Chapter 12: Page 219, © Q2A Media; 221, © Q2A Media; 223, © Carol Liddiment.
Chapter 13: Page 243, © Carol Liddiment; 247, © Carol Liddiment.
Chapter 14: Page 261, © Q2A Media; 265-7, © Carol Liddiment.
Chapter 15: Page 279, © Q2A Media; 281, © Carol Liddiment.
Chapter 16: Page 293, © Estudio Haus; 297, © Carol Liddiment.
Chapter 17: Page 321, © Carol Liddiment; 327, © Q2A Media.
Chapter 18: Page 335, © Q2A Media; 337, © Carol Liddiment; 339, © Carol Liddiment.
Chapter 19: Page 349, © Carol Liddiment; 351, © Q2A Media; 353, © Carol Liddiment; 361, © Q2A Media.
Chapter 20: Page 371, © Carol Liddiment.
Chapter 21: Page 399, © Q2A Media.
Chapter 22: Page 407, © Carol Liddiment; 409, © Q2A Media; 417, © Remy Simard.
Liturgical Seasons: Page 463c, © Carol Liddiment; 467, © Jomike Tejid; 491, © Jomike Tejido; 515, © Burgandy Beam.